# 梭罗和他的湖（代序）

何怀宏

## 一

想为一本寂寞的书打破一点寂寞，此愿已久，这本书就是梭罗的《瓦尔登湖》。

这本书在一八五四年出世时是寂寞的，它不仅没有引起大众的注意，甚至连一些本来应该亲近它的人也不理解，对之冷落甚或讥评。它永远不会引起轰动和喧嚣，在它成为一部世界名著之后它也仍然是寂寞的，它的读者虽然比较固定，但始终不会很多，而这些读者大概也是心底深处寂寞的人，而就连这些寂寞的人大概也只有在寂寞的时候读它才悟出深味，就像徐迟先生所说，在繁忙的白昼他有时会将信将疑，觉得它并没有什么好处，直到黄昏，心情渐渐寂寞和恬静下来，才觉得“语语惊人，字字闪光，沁人肺腑，动我衷肠”，而到夜深万籁俱寂之时，就更为之神往了。

那么，为何要扰它？扰这寂寞？

## 二

梭罗是个法国血统的美国人，只活了四十五岁。他的挚友，年长他十四岁的爱默森在他死后曾对其人格特征作过一番栩栩如生的描述。梭罗喜欢走路，并认为走路比乘车快，因为乘车你要先挣够了车费才能成行。再说，假如你不仅把到达的地方，而且把旅途本身当成目的呢？但他几乎一辈子没有走出过他的家乡——马萨诸塞州的康科德及其附近的山水。他觉得他家乡那块地方包含着整个世界，他是能从一片叶子就看出春夏秋冬的人，他家乡的地图就在他的心里，那地图自然不是平面的，而是立体的，不是固定的，而是活动的，云会从它们那儿带走一些东西，风又会把它们送来。

他曾在美国最好的大学（哈佛）受过教育，他也曾到当时荒凉的瓦尔登湖边隐居，像一个原始人那样简单地生活，他想试试一个人的基本生活需要能够简单到什么程度，想试试用自己的手能做些什么，他用很短的时间就动手造好了一个颇能遮风蔽雨的小木屋，这说明住房困难其实不难解决，即使胼手胝足用最原始的方式。如果我们现在变得这么难，那一定是在什么地方出了点问题。他曾经试制过一种新型铅笔，可是，在这铅笔真的可以为他带来利益时，他却又不想干这营生了。试制成功了对他来说就等于说事情干完了，大量生产而牟利并不是他的事。他生前也出了几本书，当时都并不引人注目，他遗下的日记却有三十九卷之多，里面自然有一些人们不感兴趣的东西。不过，他这个人确实挺有点意思，还有他那个湖。

*Walden*

# 瓦尔登湖

〔美〕梭罗 著 王家湘 译

北京出版社出版集团
北京十月文艺出版社

## 三

梭罗性格中最吸引我们的可能就是那种与我们的性格最不同的东西，就是他整个人的独特性。他也许比别人更多地逃脱了概括，逃脱了归类。梭罗生活得有时像个隐士，他可能时常觉得那山、那水比那人更与他相投，山川草木均是他的密友，甚至他的一个朋友也说他："我爱亨利，但无法喜欢他，我决不会想到挽着他的手臂，正如我决不会想去挽着一棵榆树的枝子一样。"

真的，他生活得像一棵树——我们可以从树的全部意义上去理解这句话：它的伞样的形状，它不断迸发的枝条、它的蓬勃向上、它的扎进土壤深处的根须和承受阳光雨露的绿叶，尤其是它的独立支持和独立性，对于梭罗，我们可以像惠特曼一样说：

> 在路易斯安那我看见一棵活着的橡树正在生长，
> 它孤独地站立着，有些青苔从树枝上垂下来，
> 那里没有一个同类，它独自生长着，发出许多苍绿黝碧的快乐的叶子。

然而，我们还是可以说，这树又不是孤独的、寂寞的、与世隔绝的。它与世界的联系和作用是通过它隐秘而深刻的根须、通过大地进行的。通过大地，它不仅和它的同类——其他的树木联系着，也和青草、鲜花、阳光、雨露和整个大自然联系着。联系干吗非要互相蹭在一起？"人的价值并不在他的皮肤上，所以我们没有必要去

碰皮肤。”不要模仿，而是表现你自己的独特性吧，你才配得上你的称号——人，你才可能和其他人发生一种真正的联系，才可能和真正伟大的大全和唯一发生一种联系。

## 四

世界上有多少个窗口，就有多少种生活，所以，命题小说虽然难做，以“窗口”命题倒还不失为一个补救办法，就像前不久有人试过的。我们在大街上闲逛，特别是新到一个地方，有时会对某些窗口发生好奇：那里面在进行着什么呢？他们过着一种怎样的生活呢？想来会和我们有些不同。有的窗口对这种好奇心是敞开和欢迎的，有的窗口则在黑黑的帷幕下摆出一副莫测高深的面孔。

这是站在窗外，调换一下，站在某个临街的窗口里面，我们有时也会注意底下熙熙攘攘的人群，凝视着某个我们感兴趣的面孔，他是从哪里来？到哪里去？有时我们自己的生活过腻味了，我们更想知道和我们自己的生活不同的另一种生活：在这个世界上，一定还有另一些人，他们过的是另外一种生活——比方在契诃夫的小说里，我们常常可以看到这种想法变成了一种渴望、一种非常感人的东西——这正是契诃夫魅力的一个秘密。也许，正是这一种渴望和好奇，提供了我们第一节提出的问题的部分答案。

梭罗在《瓦尔登湖》中给我们讲了这样一个故事：有一个追求完美的艺术家，有一天他想做一根手杖，他想，凡是完美的作品，其中时间是不存在的，因此他自言自语，哪怕我一生中不再做任何其他的事情，也要把它做得十全十美。他一心一意，锲而不舍，目不他视，心无他想，坚定而又高度虔诚，在这整个工作过程中，他的同伴逐渐离开了他，都死去了，而他在不知不觉中却保持着青春，最后当手杖完成时，它突然辉煌无比，成了梵天世界中最美丽的一件作品。

做好一件事——这就是他告诉我们的。专心致志于你所做的事——这就是他告诉我们的。为什么要急于成功？如果一个人跟不上他的伙伴，那也许是因为他听到的是生命的另一种鼓点，遵循的是生活的另一种节拍。

人啊，不要用世俗的成功的眼光来看待每一个人吧。而你却要专心致志做好你要做的事——一辈子也许只是一件事。

而这就要使你的心灵单纯。生活越简单，宇宙的规律也就越简单，你要去弄清那些最基本的生活需求，而这往往是大自然慷慨提供给每一个人的。不要以复杂的方式来解决简单的问题，不要以多余的钱和精力去购买多余的东西。

## 五

读《瓦尔登湖》中梭罗的流水账就像读一首诗。他计算了自己造那间小木屋的支出，总共是花了 28 块 1 毛 2 分 5；他也计算了他在一段隐居期间的饮食费用及其他支出，得出了收支相抵后的差额。我觉得，读这些看来枯燥的数字就像读一首诗。梭罗的手不仅拿笔，也拿斧子，梭罗的眼睛不仅看书，也看绿树、青草、落日和闪动着波光的湖水。他的脑子自然也在思考，是在接近思维之根的地方思考，在那里大概也埋着感觉之根、情感之根。

梭罗认为：美的趣味最好在露天培养，再没有比自由地欣赏广阔的地平线的人更快活的了。说梭罗是“大自然的挚爱者”也许还不够，他常常和大自然融为一体，他就是大自然的一部分。他踏在地上的脚印常常是深的，那意示着一个负重者。他不把花从枝子上摘下来，但把汗洒进土里。

## 六

我们总是过于匆忙，似乎总是要赶到哪里去，甚至连休假、游玩的时候也是急急忙忙地跑完地图上标上的所有风景点，到一处“咔嚓、咔嚓”，再到一处“咔嚓、咔嚓”，然后带回可以炫示于人的照片。我们很少停下来，停下来听听那风，看看那云，认一认草木，注视一个虫子的爬动。

我们有时大概真得这样——就像战时英国为节约能源而在火车站设置的宣传牌：“你有必要做这一次旅行吗？”——我们要这样询问一下我们自己：“你有必要做这样一件事吗？”以节省我们的生命和精力。

人们总是乐于谴责无所事事，而碌碌无为不更应该受到谴责？特别是当它侵害到心灵也许是为了接纳更崇高更神圣的东西而必须保有安宁和静谧的时候。在梭罗于瓦尔登湖度过的第一个夏天，他没有读书，他种豆子，有时甚至连这也不做。他不愿把美好的时间牺牲在任何工作中，无论是脑的工作或手的工作。他爱给他的生命留下更多的余地。他有时坐在阳光下的门前，坐在树木中间，从日出坐到正午，甚至黄昏，在宁静中凝思，他认为这样做不是从他的生命减去了时间，而是比通常的时间增添了许多、超出了许多。

## 七

美国的十九世纪被一些历史学家认为是独特的美国文化诞生和成长的时期，是继政治独立之后美国精神、文化从欧洲大陆的母体断乳而真正独立的时期。这一时期中以爱默森和梭罗等为代表的“超验主义”（transcendentalism）思潮尤其令人注意，爱默森的《美国学者》的讲演被人称为是“我们思想上的独立宣言”。

“超验主义”这一并不确切的戏称也许只在认识论的意义上表现了这一思潮的一个特征，即崇尚直觉和感受，这一思潮更重要的意义是体现在它热爱自然，尊崇个性，号召行动和创造，反对权威和教条等具有人生哲学蕴涵的方面，它对美国精神文化摆脱欧洲大陆的母体而形成自己崭新独特的面貌产生过巨大的影响。

而梭罗比演说和写作更多地是实践和行动，在他的性格中，那种崇尚生命和自然、崇尚自由和独立的精神，和那种曾经在美国的开发，尤其是西部的开发中表现出来的勇敢、豪迈、粗犷、野性的拓荒者精神不是有着某种联系吗?

## 八

不知从什么时候起，哲学和著书立说联系到了一起，似乎非著书不足以立说，非立说不足以成为一个哲学家。可是，人们往往忘记了最早的哲学都不是写出来的，无论在东方、在西方。苏格拉底和孔子的哲学都只是门徒与后人对他们生活和谈话的笔录。而还有那些没有流传下来的呢？哲学是一种显示，有时是有意、有时是无意的显示，有时连显示都不是，甚至于是一种有意的隐蔽，那么，去注意人们的生活吧，要并不亚于注视书本。

梭罗也谈到过哲学，他说：“近来是哲学教授满天飞，哲学家一个没有。然而教授是可羡慕的，因为教授的生活是可羡慕的，但是，要做一个哲学家的话，不但要有精美的思想，不但要建立起一个学派来，而且要这样地爱智慧，从而按照智慧的指示，过着一种简单、独立、大度、信任的生活。”他做了他所说的，他比许多哲学教授更像是一个哲学家，一个具有古朴遗风的哲学家。他不单纯是从书本中熬出一点学问，他贡献给我们的是一种生活的智慧。

## 九

梭罗还有另外的一面，这一面也许在《瓦尔登湖》中并没有明白的展示，但不了解这一面就不能完整地把握梭罗的性格。这一面即不是避世而是入世的一面，不是作为隐士而是作为斗士的一面，虽然不是约翰·布朗那样进行暴力反抗的斗士，而是作为主张非暴力反抗的斗士，但他的看法似乎比前者更清醒、更深刻，看到了问题的更深症结所在。

梭罗反对美国的奴隶制度，反对美国对墨西哥的侵略，他对人类社会中他认为是恶的东西的憎恨程度不下于他对大自然的热爱。他曾因拒绝交税而坐过监狱，一八四九年他发表的一篇著名论文《公民的不服从》（作为单行本出版只是一本薄薄的小书）被人认为是历史上改变世界的十六本书之一，他倡导的“公民的不服从”

(civil disobedience) 的思想对托尔斯泰、罗曼·罗兰、印度圣雄甘地和马丁·路德·金都曾产生过不小的影响。在他那里，有着某种隐士和斗士的奇妙结合。

## 十

梭罗并不希望别人成为和他一样的人，因为他希望自己也不总是过去所是的人。他不执意要做一名隐士，他想隐居时，他就来了，他觉得够了时，他就去了。

他当然不会像李固《遗黄琼书》中指斥的那样以处士之名“纯盗虚声”，他大概也不会像孔稚圭的《北山移文》那样壮怀激烈地谴责不再隐居的人。他注重的是生活得自由，而不是执着于某一种外在的生活方式。

他明确地说他希望世界上的人，越不相同越好。但他愿意每一个人都能谨慎地找出并坚持他自己的合适方式，而不要简单地因袭和模仿他父亲的、或母亲的、或邻居的生活方式。他是一个天生的倡异议者，对每一个建议本能的反应是说“不”。而现在有什么人愿意做人中的黄蜂呢？人们更喜欢在互相恭维的泥淖中打滚。

他的善意和同情并不表现为顺从别人，他的坚定和明智也不要求别人的顺从。他要自己绝对自主，也要每一个人都绝对自主。可是一个人仍然可以在这种意义上成为和他一样的人：即成为一个与任何其他人（当然也包括梭罗）不同的人，成为一个可以说这一句话的人——

我是我自己。

## 十一

从一八四五年七月四日到一八四七年九月六日，梭罗独自生活在瓦尔登湖边，差不多正好两年零两个月。瓦尔登湖不仅为梭罗提供了一个栖身之所，也为他提供了一种独特的精神氛围。

我们每个人都可能有一块真正属于自己的地方，这块地方可能并不是我们现在正匍匐的地方，但并不是我们每个人都会出发去寻找它。它不仅是我们身体的栖所，也是我们心灵的故乡，精神的家园；它给我们活力，给我们灵感，给我们安宁。我们可能终老于此，也可能离开它，但即使离开，我们也会像安泰需要大地一样时常需要它。毛姆在《月亮和六便士》中曾如此谈到这种心灵故乡的意义：

> 在出生的地方他们好像是过客；从孩提时代就非常熟悉的浓荫郁郁的小巷，同小伙伴游戏其中的人烟稠密的街衢，对他们说来都不过是旅途中的一个宿站。这种人在自己亲友中可能终生落落寡合，在他们唯一熟悉的环境里也始终孑身独处。也许正是在本乡本土的这种陌生感才逼着他们远游异乡，寻找一处永恒定居的寓所。说不定在他们内心深处仍然隐伏着多少世代前祖先的习性和癖好，叫这些彷徨者再回到他们祖先在远古就已离开的土地。有时候一个人偶然到了一个地方，会神秘地感觉到这正是自己栖身之所，是他一直在寻找的家园。于是他就在这些从未寓目的景物里，在不相识的人群中定居下来，倒好像这里的一切都是他从小就熟稔的一样。他在这里终于找到了宁静。

而梭罗是幸运的，他出生的地方就是他精神的故乡。不过，从他的祖先是从法国古恩西岛迁来而言，也可以说这是一种寻找，一种失而复得。谁知道呢，也许他更其遥远得多的祖先（梭罗决不会以自己是美洲土著的后裔为耻的）曾冒死漂洋过海，而现在梭罗又重新找到了他的故乡。

## 十二

世人不断致力于占有更多的东西，梭罗也另有一种奇特的占有；世人纷纷地购进卖出，梭罗也另有一种奇特的购买方式。在他看来，如果你喜欢某处庄园，喜欢某处风景，你不必用金钱买下它，在它里面居住，而是要经常在心里想着它，经常到它那里去兜圈子，你去的次数越多，你就越喜欢它，你就越可以说是它的主人，就像一个诗人，在欣赏了一片田园风景中的最珍贵部分之后就扬长而去，那庄园主还以为他拿走的仅只是几枚野苹果，诗人却把他的田园押上了韵脚，他拿走了精华，而只把撇掉了奶油的奶水留给了庄园的主人。

这种购买付出的不是金钱，而是比金钱更宝贵的东西，它付出的是一颗挚爱的心，还有体力，它得到的自然也更珍贵。这种占有是不为物役的占有，也是一种不妨碍他人占有的占有。

瓦尔登湖，我没有去过，不知道那是怎样一个湖，不知道它今天是否变成了某一个人的产业，可是，我们不总是可以在前面的意义上说——

瓦尔登湖，梭罗的湖。

# 目录

WALDEN

# 节　俭

当我写出下列篇章、更确切地说是其中的大部分篇章的时候，我是独自生活在马萨诸塞州康科德镇瓦尔登湖旁森林中一所我自己盖的小屋里，周围一英里之内没有任何邻居，完全依靠双手的劳动养活自己。我在那里生活了两年又两个月。目前，我又是文明生活里的过客了。

要不是镇里的人对我的生活方式提出十分详细的询问，我本来是不会用这么多自己的事情来打扰读者的。有的人认为我这种生活方式古怪不合理，然而我丝毫也不觉得是这样，而且，考虑到当时的情况，它是非常自然和合理的。有的人问我吃些什么；是否感到寂寞孤单；是否害怕；如此等等。还有的人很好奇地想知道我把收入的多大部分用在了慈善事业上；有些子女多的人想知道我抚养了几个穷孩子。我在本书中将对部分上述问题做出回答。因此，我要请求对我没有什么特殊兴趣的读者的原谅。在多数作品中，这个

“我”，或第一人称，都是排除不用的；在这部书里将会保留下来；本书的主要区别就在于言必称我。我们往往都不记得，毕竟说话的总是第一人称的我。如果我对任何人了解得和对自己同样深刻的话，我就不会这样大谈自己了。遗憾的是，经历的浅薄使我只得局限于这个主题。不仅如此，在我这方面，我还要求每一个作家不仅写他所听到的有关别人的生活，而且迟早要把他自己的生活做一个简单而真诚的描述；一些诸如他会从一个遥远的地方写给他的亲人的描述；因为如果他是真诚地生活着的话，我感到，那必定是在一个遥远的地方。也许这些篇章更为适合贫寒的学生。至于其他的读者，他们会吸取对他们适用的部分。我相信不会有人不顾尺寸硬去撑破一件大衣的，因为对合身的人它会是有用的。

我乐于讲述的事情与中国及桑威奇群岛①的人没有什么关系，而是和阅读此文的、假定住在新英格兰的你们有关；关于你们的状况，尤其是你们在这个世界上、在这个城镇里的生活的外部状况或情形，其实际情况如何，是否必须像现在这样糟糕吗，是否就不能改善一点了。我在康科德做过多次旅行；所到之处，无论是在商店、办公室、田野上，我都感觉居民似乎是在以千种非凡的方式苦行赎罪。我听到过的关于婆罗门教徒坐着置身于四堆火之间，两眼直视太阳；或者头朝下倒挂在火焰之上；或者扭着头看天，“直到他们无法再恢复原状，而除了液体，什么也不能经过扭曲的脖子通到胃里”；或者用铁链终生锁在树下生活；或者像毛毛虫一样用身体来丈量巨大帝

① 即夏威夷群岛。

国的广袤土地；或者单腿直立在柱子顶上：即使是这些有意识的苦行赎罪，也并不比我每天亲眼看到的景象更令人难以置信、更使人感到惊讶。比起我的邻居们所从事的劳役来，赫拉克勒斯[1]的十二个艰巨任务简直算不了什么；因为那只不过是十二个，是有穷尽的；可是我从来也没有看到过邻居们杀死或捕获过什么怪兽，或做完过什么劳役。他们没有叫依俄拉斯的朋友用火红的烙铁来烫焦九头蛇的脖子根，而是在砍掉一个蛇头后立刻就有两个头冒出来。

我看到年轻人，我的同乡们，他们不幸继承了农庄、房舍、谷仓、牛群，以及农具；因为这些东西得来容易摆脱难。他们还不如出生在开阔的牧场上，被狼用乳汁养大，这样他们的眼睛还可能比较清楚地看到他们是被召唤到了什么样的田地上来劳作。是谁使他们成了土地的奴隶？他们为什么该享受他们六十英亩土地的所出，而别的人们却命中注定只能忍气吞声？他们为什么一出生就开始挖掘自己的坟墓？他们不得不度过人的一生，推着所有这些东西往前，尽自己所能过得好一些。我遇到了多少可怜的、不朽的人啊，他们几乎被生活的重担压垮、闷死，爬行在人生之路上，推着一座75英尺长40英尺宽的大谷仓，它那奥吉厄斯牛圈[2]从来没有清扫过，还有一百英亩的土地、耕地、牧草地、放牧场及林地！毋需和这种不

① 希腊神话中天神宙斯之子，力大无比，以完成十二项英雄业绩闻名。下面提到的他的任务之一是杀死九头蛇，他的朋友依俄拉斯在他每砍下一个蛇头后，就立刻用火热的烙铁把砍去头以后的脖子根烙焦，否则就会长出新头来。

② 希腊神话中国王奥吉厄斯有一个牛舍，相传养牛三千头，三十年未打扫，赫拉克勒斯引来河水，于一天里清洗干净。

必要的继承下来的累赘拼搏的、和遗产无份的人们发现，为了开垦和栽培几立方英尺的肉体，已经是够费劲的了。

但是，人是在一种错误下劳作的。人的大部分很快会被犁入泥土成为肥料。如一本古书中所说，他们被通常称为需求的一种命运的表象所支配，储存蛾子和锈蚀会使之腐坏、贼人会进入偷窃的财富①。如果不是更早，那么在到达生命的尽头时他们也会发现，这是一个傻瓜的生活。据称，丢卡利翁和皮拉是从肩头向身后扔石头创造了人类的②——

> Inde genus durum sumus，experiensque laborum，
> Et documenta damus quâ simus origine nati③

或者，如罗利④以他铿锵的语言所回应的——

> 从此我们善良的硬心肠，忍受痛苦和忧虑，
> 证明我们的身躯具有岩石的质地。

---

① 《马太福音》："不要为自己积攒财宝在地上，地上有虫子咬，能锈坏，也有贼挖窟窿来偷。"

② 希腊神话中丢卡利翁和妻子皮拉逃脱了主神宙斯所发的洪水，二人从肩头向身后扔石头，石头变成男男女女，从而重新创造了人类。

③ 拉丁文，其大意是：从此人成为坚强物种，历尽劳苦／为我们证明了我们的来历。

④ 罗利（1554？—1618），英国探险家，作家。著有《世界史》及散文、诗歌等。

盲目地服从一个犯错误的神谕，从肩头向身后扔石头，不去看它们落到了什么地方，原来不过如此。

大多数人，即便是在这个相对自由的国家里，仅仅由于无知和错误，被生活中人为的烦恼和过于粗重的劳作挤得满满的，以致无法摘取人生精美的果实。他们的手指因过度劳作变得太笨拙、颤抖得太厉害而做不到这一点了。实际上，日复一日，劳作的人没有空闲使自己具有真正完整的生活；他难以和他人保持最为高尚的关系；他的劳动在市场上会贬值。他除了当一架机器，没有时间当别的。经常需要运用他的知识的人，怎么能够很好地记得自己的无知呢？而这正是他的成长所需要的。我们应该有的时候让他免费吃饱穿暖，用我们的滋补饮料恢复他的精力，然后再来评价他们。我们本性中最优秀的品质，就像果实上的粉霜，只有最为精心的对待，才能得以保存下来。然而，我们在对待自己和彼此相处时，却缺少这样的轻柔。

我们都知道，你们中有的人很穷，觉得生活很艰难，有的时候好像连气都喘不过来。我毫不怀疑，在本书的读者中，有的没有钱支付吃下的每一餐，或者是，身上穿的衣服鞋子正在迅速破损或已经穿破，却没有钱买新的，你们用从债主那里借得或偷来的片刻时间来读上这几页书。很明显，你们许多人过的是多么卑微低贱和畏畏缩缩的生活啊，因为经验已经使我的眼光敏锐。你们总是挣扎在边缘上，想做生意，想还债，一个非常古老的泥坑，拉丁人称之为*æs alienum*，就是别人的铜币，因为他们有些硬币是铜铸的；你们仍然在这别人的铜币中生生死死、被埋葬；总是答应明天还钱，答应明天还钱，而今天死了，债却依然没有还清。你们竭力讨好别人，获得惠顾，除了不去做会坐牢的犯法之事外，不知用了多少办法；撒谎，拍马，投票，把自己收缩在一个谦恭的硬壳里，或者膨胀到稀薄而没有实质内容的慷慨气氛之中，这样来使你的邻居愿意让你给他们做鞋，或帽子，或衣服，或马车，或为他购入食品杂货；你们把自己累得病倒，为的是能够存下点防病的钱，能够在旧箱子里或墙的灰泥层背后的袜子里，或者更保险点，在砖砌的储藏库里藏下点什么；不管藏在哪里，也不管藏下的是多是少。

有的时候我感到奇怪，我们竟会——我几乎可以这样说——如此轻率，竟然从事于那被称作黑奴蓄奴制的极端野蛮但是多少有点外来的奴役方式，竟有这么多精明狡诈的奴隶主奴役着北方和南方。有一个南方的监工就够难忍受的了；有个北方的监工就更糟；但是最糟的是，你是你自己的苛刻的监工。说什么人的神圣性！看看公路上赶马车的人，日夜赶往市场，在他们身上有什么神圣的悸动吗？他的最高职责就是给马喂料饮水！比起他的运输利益来，对他来说，他的命运算得了什么？难道他不是在为乡绅“引起轰动老爷”① 赶车吗？很是神圣，很是不朽，是吗？你看他那副战战兢兢、鬼鬼祟祟的样子，整天隐隐地提着心吊着胆，既没有什么不朽，也没有什么神圣，而只不过是成了自我评价以及用他自己的行为赢得的名声的奴隶和囚徒而已。比起我们个人的看法来，公众舆论是一个软弱的暴君。正是一个人对自己的看法决定了或者说指明了他的命运。

① 这是梭罗仿照班扬《天路历程》所起的名字，语含寓意。

即使在西印度群岛的殖民地，在心灵和思想的自我解放上——有哪个威尔伯福斯①能够有所作为呢？再想想这个国家的妇女们，她们编织着梳妆用垫，抵御着末日的来临，以便掩饰对自己的命运过分幼稚的关切！仿佛你能消磨时间而无损于永生。

大部分人过着沉默绝望的生活。所谓的听天由命即是根深蒂固的绝望。人们从绝望的城市去到绝望的乡村，而且不得不以水貂和麝鼠的勇敢精神来自慰。即使在人类所谓的游戏和娱乐背后，也隐藏着固定的、传统的、不知不觉的绝望。二者都没有乐趣，因为工作之后才能获得乐趣。但是，明智的特点之一，就是不做绝望的事情。

当我们用基督教理问答的语言，来思索什么是人的主要目标，什么是生活真正的需要和方式的时候，人们仿佛故意选择那种共同的生活方式，因为比起别的来，他们更喜欢这种生活方式。而他们也确实相信他们别无选择。但是清醒和健康的人们都懂得没有什么能阻碍太阳升起。任何时候放弃偏见为时都不晚。无论多么古老的思想和行为方式，不经过证实就不能轻信。今天人人附和或默认是正确的，结果明天可能会变成是谬误，仅仅是一阵见解的轻烟，而有些人还曾相信那是会给他们的田地洒下滋养的雨水的云朵。老人告诉你做不到的事情，你试上一试，发现你能够做到。老人有老作为，新人有新成就。古人或许一度不知道弄来新的燃料使火继续燃

① 威尔伯福斯（1759—1833），英国慈善家，致力于废除奴隶贸易和英国海外属地的奴隶制，创建反奴隶制协会（1823）。

烧下去，新人将一些干柴放在了壶的下面，他们还以飞鸟的速度绕着地球旋转，用他们的说法，这是会要老人的命的。老人并不比别人更具有能够胜任年轻人的导师的资格，而且几乎还不如别人，因为老人失去的要比获得的多。人们几乎会怀疑，即使是最聪明的人，活了一世，究竟有没有学到任何有绝对价值的东西。实际上，老人并没有什么非常重要的忠告可以给年轻人，他们一定知道，出于各自的原因，他们自己的经历是这样地不全面，他们的一生是极其悲惨的失败；也许他们还留有一些和他们的经历不一致的信念，觉得现在只是不如过去那么年轻而已。我在这个星球上生活了大约三十年了，至今尚未从我的长辈那里听到过一个字的有价值的忠告，就连认真的忠告也没有。就这方面而言，他们什么也没有告诉过我，可能也告诉不了我些什么。这里是生活，一个我在很大程度上还没有尝试过的试验；他们尝试过了，但是对我却并无用处。如果我有什么自认是有价值的经历，我肯定会想，我的导师们从来都没有说到过这个嘛。

有一个农民对我说，“你不可能光靠素食为生，因为它提供不了骨骼所需的任何营养。”因此他每天虔诚地献出一部分时间，为他的身体提供骨骼所需的成分；他一面跟在他的牛后面走一面说话，而靠植物发育起了骨骼的牛，不顾一切障碍，猛拉着他和他笨重的犁往前。有的东西，在有的范围里，如最无依无靠的人和病人，确实是生活必需品，在另一些范围里仅是奢侈品，而在又一些范围里则根本不为人知。

对于有的人来说，人生的全部土地，包括高山和低谷，似乎都已经被他们的前人走遍了，一切也都被照料妥帖了。伊夫林[1]曾说过，“智慧的所罗门定下了法令，规定了树与树之间的应有距离；古罗马的行政长官规定了，你能够多久到邻人的土地上去收集一次掉落在那里的橡树果而不算非法进入，以及应该分给那个邻人的份额。”希波克拉底[2]甚至留下了我们应该怎样剪指甲的说明；即要齐着指尖，既不能长也不能短。毫无疑问，认为已经穷尽了生活的丰富和欢乐的那种单调乏味和厌倦无聊，是和亚当同样古老的。但是人的能力却从来都没有得到过衡量；我们也不应用任何先例来判断他能够做些什么，因为尝试过的事物太少了。不论到目前为止你们有过什么样的失败，“别苦恼，孩子，谁会指定你去做你尚未完成的事情呢？”[3]

我们可以用千种简单的方式来试验我们的生活；就像，比方说，使我的豆子成熟的太阳同时也照耀着像我们的地球一样的其他天体。如果记住了这一点的话，就可能防止我犯一些错误。我锄豆子的时候可不是用这种眼光来看的。星星是多么奇妙的三角形的顶点啊！在宇宙的各色星宿上，相距多么遥远、多么不同的生命在同一时刻注视着同一个太阳！大自然和人类的生活就和我们的多种体制一样五花八门。谁能说得出生活会给别人提供什么样的前景？难道还有比片刻间通过彼此的眼睛去进行观察更大的奇迹吗？我们应该在一

---

① 伊夫林（1620—1706），英国乡绅，作家，写有美术、林学、宗教等方面的作品三十余部。此处引文引自1664年出版的《森林志》。

② 希波克拉底（前460？—前377?），古希腊医生，被称作“医学之父”。

③ 引自印度教经籍之一的《毗湿奴往世书》。

个小时的时间里，过完世界上所有时代的生活，是的，过完所有时代的所有领域的生活。历史，诗歌，神话！——我还没有读到过像这样令人惊异和使人受益的别人的经历。

我的邻居说是好的事情，其中的大部分我在心灵深处认为是坏的，如果我对什么事情觉得后悔的话，很可能就是我的好的表现。是哪个魔鬼缠住了我，让我表现得这么好？老人家，你可以说你能说的最具智慧的话，——你已经活了七十岁，而且活得也还算光荣，——而我听到一个不可抗拒的声音，让我离开这一切。一代人抛弃另一代人的事业，像抛弃搁浅了的船只。

我认为我们可以放心地相信比我们已经相信了的多得多的事情。我们可以放弃一些对自己的关心，能够放弃多少，就能够在别处真诚地给与多少。和适应我们的优点一样，大自然也能够很好地适应我们的缺点。一些人时刻不停的焦虑和紧张，几乎已经成了一种不治之症。我们习惯了夸大我们所做的工作的重要性；然而却有多少并不是我们所做的啊！或者说，如果我们病了怎么办？我们是多么地警惕啊！决意只要能够避免就不靠信仰生活；从早到晚都防备着，夜里我们不情愿地念祷文，把我们自己交付给了难以预料的命运。我们被迫如此认真而真诚地活着，尊重我们的生活，否认变革的可能。我们说，这是唯一的生活之道；但是，能从一个圆心画出多少条半径来，就有多少种生活之道。一切的变革审视起来都是奇迹，但是这是每时每刻都在发生的奇迹。孔子说过，“知之为知之，不知为不知，是知也。”当一个人把想象中的事情归纳成他理解了的事情时，我可以预见，所有的人最终将以此为基础建立自己的生活。

让我们考虑一下，大多数我上面提到过的烦恼和焦虑都是关于什么的，以及其中有多少是需要我们劳神费力的，或者，至少，需要我们小心对待的。虽然生活在物质文明之中，过一过原始的拓荒生活可能会是有好处的，哪怕只是为了弄明白什么是生活的极端必需品，又是采取了什么方法去获得的；或者甚至去查看一下商人的旧流水账，看看人们在商店里最常买的是什么，店里又储备些什么，也就是说，最基本需要的食品杂货是什么。因为时代的进步对于人类生存的根本法则影响很小；正如我们的骨骼和我们先人的骨骼可能无法区别开来一样。

所谓的生活必需品，我是指人类通过自己的努力获得的，从一开始，或者由于长期使用，已经变得对人类的生活如此重要的东西，以致即便是有人、也只有极少的人试图过没有它们的日子，他们这样做或者是处于未开化状态，或是由于贫困，或是人生哲学所致。对于许多生灵来说，在这个意义上只有一种生活必需品：食物。对于大草原上的野牛，这仅是几英寸可口的青草，并且有水可喝；除了它要在森林或山的阴影里寻求遮蔽之处以外。野兽需要的只是食物和遮蔽之处。在这样的气候之下，人的生活必需，准确地说，可以分为下列各项：食物，遮蔽处，衣服和燃料；因为我们只有获得了这些，才可能自由地、怀着成功的期望去考虑生活中的真正问题。人类不仅发明了房屋，而且还发明了衣服和吃煮熟的食物；可能出于偶然发现了火的温暖，而后就使用起火来，从起初作为一种奢侈的享受，发展到今天坐在火边取暖的需要。我们注意到猫狗都获得了同样的第二天性。有了适当的遮蔽处和衣服，我们合情合理地保持了自己体内的热度；但是过多的这些东西，或者过多的燃料，也就是说，外部的热度超过了我们本身体内的热度，岂不可以说就开始了炙烤我们自己？自然科学家达尔文说，当他自己的一伙人穿得厚厚的坐在火旁都不觉得暖和的时候，他惊奇地注意到，离火远的火地岛的居民，这些赤身裸体的野蛮人却“在这样的炙烤下汗如雨下”。我们听说，同样，新荷兰人[①]赤裸着身体安然无恙，而欧洲人穿着衣服冷得发抖。难道不能把这些野蛮人的耐寒性和文明人的智力性结合在一起吗？根据李比希[②]的说法，人的身体是一个火炉，食物是保持肺部内燃的燃料。在寒冷的天气我们吃得多，热的时候吃得少。动物的热量是缓慢燃烧的结果，燃烧过快，就会出现疾病和死亡；或者，如果缺少了燃料，或通风有毛病，火就熄灭了。当然，不能把生命的热量与火混淆起来；比喻也就到此为止吧。因此，从上面所说的看来，动物生命和动物热量这两个词语几乎是同义词；因为一方面食物会被看作是保持我们体内之火不灭的燃料，——而燃料起了煮熟食物或从外部增加我们的体温的作用，——遮蔽处和衣服也起了保持住由此产生和吸收了的热量的作用。

那么，对我们的身体而言，最大的需要是保持温暖，是保持体内生命的热量。据此，我们不仅在食物、衣服、遮蔽的房屋上，而且在我们夜晚的衣服——床铺——上，花费了大量的心血，掠夺鸟

① 指澳大利亚原住民。

② 李比希（1803—1873），德国化学家，《有机化学》一书的作者。

巢和小鸟胸部的羽毛来准备这个屋中屋，就像鼹鼠在所掘地洞的尽头用草和树叶做床一样！可怜的人类惯常抱怨这是一个寒冷的世界；我们把我们病痛的大部分都直接归罪于寒冷，身体的寒冷和社会的冷漠。在有的气候条件下，夏天使人可能过一种极乐世界般的生活。那时，除了煮熟食物，燃料就不是必需的了；太阳是他的火，许多的果子已经被阳光照得足够熟了，而且一般来说食物种类更多，也更容易得到，衣服和房屋则完全不需要了，或者只有一半的需要了。今天，在美国，我从自己的经历中发现，除了生活必需品之外，几件工具，一把刀，一柄斧子，一个铲子，一辆手推车，对于勤奋好学的人，还有灯，文具，能够享用几本书，也是需要的，只花一点钱就都能够得到。然而有的人很不聪明，他们到地球的另一边去，到野蛮和不健康的地区去，花上十年二十年做生意，为了自己能够生活，——也就是说，保持温暖舒适，——并且能够老死在新英格兰。奢侈的有钱人不只是保持温暖舒适，而是不自然地高温；我在前面已经提到过，他们被炙烤着，当然是时尚的炙烤。

大多数的奢侈品，以及许多所谓的使生活舒适的东西，非但不是必不可少的，而且必定阻碍人类的崇高向上。就奢侈和舒适而言，最明智的人过着比穷人更为简单和贫乏的生活。古代中国、印度、波斯和希腊的哲学家，都是物质财富上最为贫乏而精神财富上最为富有的一类人。我们对他们了解甚少。但是令人惊异的是，我们居然对他们知道得还不少。对于更为近代的改革家和造福于人类的人也是如此。只有从我们称之为甘愿贫苦的有利地位，才能成为人类生活的不带偏见的、明智的观察者。奢侈生活结出的果实是奢侈的，不论是在农业、商业、文学或艺术上，都是如此。现今有的是哲学教授，但是没有哲学家。然而教授身份是令人羡慕的，因为这种生活曾经是受到羡慕的。做一个哲学家不仅需要有深奥的思想，甚至不仅是要建立一个学派，而是要热爱智慧的哲理，并按照它的要求过纯朴、独立、宽厚和信任的生活。不仅从理论上，而且从实际上解决生活中的一些问题。杰出的学者和思想家的成就一般是一种朝臣式的，而不是君王式的或男子汉式的成就。他们仅靠墨守成规设法应付生活，几乎和他们的父辈一样，他们绝不会成为更为高尚的人类的先驱。可是人类为什么会退化？是什么使得家庭没落？使国家衰弱并毁灭的奢侈，它的性质究竟是什么？我们能够肯定在我们自己的生活里没有这种东西吗？哲学家即使在生活的外部形式方面也走在他的时代的前面。他和他的同时代人在吃、住、穿衣和取暖上都不相同。一个人若不能用比别人更好的方式来保持他生命的热量，还怎么能够称得上是哲学家呢？

当有人以我已经描写过的那几种方法获得了温暖以后，接下来他需要的是什么？当然不会是更多的同样的温暖了，如更多更丰富的食物，更宽敞更豪华的房屋，更漂亮更大量的衣服，更多不停燃烧的更为炽热的火，等等。当他获得了生活必需的东西时，就不再会要这些过量的东西，而有了另一种选择；那就是，他开始不必从事卑微的劳作，可以涉足于生活的冒险了。土壤似乎适合于种子的生长，因为它已经使根向下扎，现在也可以充满信心地使茎叶向上生长。人要如此牢固地将自己植根于土地之中，不就是为了能够同样地伸向天空吗？——因为更为高贵的植物的价值在于它们最终在远离地面的空气和阳光中结出的果实，它们不会受到像比较低级的食用植物那样的对待，尽管这些食用植物可能是两年生的，也只培植到它们生长好了根，为此还常常被砍去顶部，所以在开花季节，人们大多认不出它们来了。

我不想给强壮勇敢的人们制定什么规则，他们无论在天堂还是地狱都能够管好自己的事情，说不定建筑物比最富有的人更为宏伟，挥霍得也更厉害，而永远不会使自己穷下来，我们不知道他们是怎么生活的，——如果说像想象的那样，确有这样的人存在的话；我也不想给那些严格地从事物的现实中获得鼓舞和灵感、并怀着情人般的爱和热情珍视现实的人们制定什么规则，——我认为自己在某种程度上属于这一类人；我也不想对那些不管在什么情况之下，日子过得很好的人，而且知道自己日子过得好不好的人说些什么；——我主要想对那些感到不满、对生活或时代的艰辛做无聊的抱怨的多数人说说，而他们本来是有可能改善这些的。有些人对任何事情都抱怨连天、难以劝慰，因为，如他们所说，他们是在尽自己的职责。我心里还想到了那看似富有、但却是最为贫穷的阶级，他们积累了大量的低劣东西，但是不知道如何使用或如何摆脱它们，就这样，他们铸造了自己的黄金或白银的桎梏。

如果我试图说出在过去几年中自己曾希望怎样生活的想法，可能会使对其实际历史有一定了解的读者感到惊奇；但却肯定会使对其一无了解的读者惊讶万分。我就仅仅稍提一下我珍藏在心的几件事情吧。

在任何气候下、在昼夜的任何时间里，我都急切地想要改善当前的状况，在自己的手杖上刻下它的印记；站立在目前的时刻，这正是过去和未来两个永恒的交汇点；站在这个起点上。请原谅含义的晦涩，因为在我的行当里秘密比大多数人的要多，不是我愿意保密，而是这个行当的性质所决定的。我很愿意把我所知道的一切都说出来，而永远不用在大门上写下“不得入内”的字眼。

很久以前我丢失了一条猎狗、一匹枣红马和一只斑鸠，至今仍在寻找它们。我向许多游人说起过它们，形容它们的特点，以及它们会对什么样的呼唤声作出回应。我遇到过一两个人，他们听到过这猎狗的吠叫声、马的蹄声，甚至看见过那斑鸠消失在云朵后面，他们似乎急切地想找回它们，就好像是他们自己丢失了它们似的。

不仅期盼日出和黎明的到来，而且，如果可能，还期盼着整个大自然！多少个冬夏的清晨，在还没有任何邻人开始为自己的事情忙碌之前，我就已经在忙着自己的事了！毫无疑问，我的许多乡亲，如在晨曦中动身到波士顿去的农民，或者去干活的樵夫，都曾在我回来的时候遇到过我。确实，我并没有为太阳的升起具体地出过什么力，但是，请不要怀疑，只要能在日出时在场，就是最为重要的事情。

有多少的秋日，啊，还有冬日我是在城外度过的，想尽力听到风声里的信息，听到并将它迅速传播。我几乎把所有的资本都投入了其中，而且迎风奔跑，为此自己连气都喘不过来。如果是和两个政党有关的，请相信，就会作为最早的新闻出现在报纸上。另外的时候，守望在某个山崖或树梢的观察点上，一有新来的人就发电报宣布；或者在黄昏时分守候在山顶上，等待着天塌下来，我好抓到点什么，虽然我从来没有抓到多少东西，而且连这不多的一点也和古以色列人经过荒野时所得的天赐食物一样，在太阳下消融殆尽。

有很长一段时间，我是一家杂志的记者，杂志的发行量不大，编辑认为，我的文章大部分都不适合刊登，所以，正如在作家身上常有的那样，我辛苦一场的回报就是自己的劳动。然而，在这件事上，我的辛苦本身就是回报。

有许多年我自封为暴风雪和暴风雨的视察员，忠实地履行我的职责；还是检察员，虽然没有检察公路，但检察森林道路和所有的穿地越界的小路，还有架在沟壑上的桥梁，保持四季畅通，公众的足迹证明了它们的功用。

我照料过城里的易惊的家畜，它们跳越围栏，给忠实的牧人带来不少麻烦；我留意农场上偏僻的角角落落；虽然我并不总是知道乔纳斯或所罗门今天在哪一块地里干活，因为那不关我的事。我浇灌过红色的黑果木、沙樱和荨麻树、红松和黑梣、白葡萄和黄色紫罗兰，否则它们会在干旱的季节枯萎。

总之，可以毫不夸口地说，我这样做了很长时间，认真尽责地做好我的事情，直到越来越清楚，市民们终究不会接纳我成为市政官员的一员，也不会给我一个带微薄津贴的挂名职务。我的账，我可以起誓是准确如实地记载的，从来没有人审查过，更不用说认可和付钱结账了。不过，我的心思也不在这上面。

不久前，一个四处流浪的印第安人来到我家附近一位著名的律师家兜售篮子。“你想要买篮子吗？”他问道。回答是：“不，我们不要。”“什么?”印第安人一边出门一边大声喊道，“你打算饿死我们吗?”他看到他勤奋的白人邻居那么有钱，——那律师只需要编织论据，然后像变戏法一样财富和地位就随之而来了，于是他对自己说，我也去做生意；我要编篮子；这件事我会做。他认为他编好了篮子就算尽了他的一份力了，后面就该白人尽他的一份力来购买篮子了。他并没有发现，他需要使别人觉得这篮子值得去买，或者至少让人家认为是这样，或者他自己做点别的让人家觉得值得去买的东西。我也编织过一种质地精致的篮子，但却没有使别人觉得值得去买。然而，我的情况是，我一点也不觉得它们不值得自己去编织，我并没有去研究怎样使别人觉得值得去买我的篮子，反而研究如何才能避免必须卖掉它们。人们赞扬并认为是成功的生活只不过是生活里的一种。我们为什么要在损害别的生活的情况下夸大某一种生活呢?

看到我的市民同胞不太可能在县政府大楼里给我一席之地，也不会给我一个助理牧师的职位，或别的什么地方的有俸禄的教堂工作，而我必须自己设法谋生的时候，我比过去更为一心一意地将脸转向了森林，那里更熟悉我。我决定立刻开始我的营生，就利用我已有的微薄财力，不去等待得到惯常需要的资金了。我到瓦尔登湖去的目的既不是为了过便宜日子，也不是为了过昂贵的生活，而是在最少障碍的情况下处理一些个人事务；阻止我因为缺乏一点常识、一点进取心和经营才能，而做出与其说看来是悲惨不如说是愚蠢的事情来。

我一直都在努力，以养成严谨的商业习惯；这是任何人都必须具有的。如果你是和天朝帝国[①]做生意，那么在海岸上，在塞勒姆的某个港口，有个小会计室就是足够的固定设施了。你可以出口本国生产的东西，纯粹的土产，大量的冰和松木啦，一些花岗石啦，全部用本国的船只装运。这些会是好买卖。亲自监督一切细节；你既是领港员又是船长，既是业主又是保险商；你要买进卖出，并且要记账；每一封收到的信件自己都要看，每一封寄出的信件都要自己写或过目；日夜监督进口货物的卸货；几乎同时出现在沿海的许多地方；——最值钱的货往往会卸在泽西的口岸，——你得是自己的电报机，不知疲倦地扫掠地平线，和所有过往的驶向海岸的船只联络；保持货物源源不断地发送，以供应这样一个遥远的、需求极大的市场；使自己了解市场的状况，世界各地战争与和平的前景，预测贸易和社会及生活方式的发展趋向，——利用一切探险考察的成果，利用新航线和航海技术上的一切进步；——研究海图，查明暗礁和新的灯塔及浮标的位置，并且永远要再三校正对数表，因为某个计算者的错误往往会使本应到达一个友好的码头的船撞碎在礁石上，——有过拉佩鲁兹[②]的无人知晓的命运；——要跟上世界的科学，研究从汉诺[③]和腓尼基人起直到今天，所有伟大的发现者和航海家、伟大的冒险家和商人的生平；总而言之，要不时盘点存货，知

---

① 指中国。

② 拉佩鲁兹（1741—1788），法国航海家，1785 年率法国探险队从法国出航，探寻西北航道，沿美洲、中国、西伯利亚、南海海岸进行考察，船队离开澳大利亚东南部植物学湾后即失踪。

③ 汉诺，活动时期约在公元前三世纪后半叶，迦太基贵族。

道自己的处境。这是一项需要人全力以赴的工作，——诸如赚与赔、利息、净重计算法以及相关的所有一切的测定，都需要广博的知识。

我认为瓦尔登湖会是一个做生意的好地方，不仅是因为有铁路和冰块贸易；它提供了许多有利条件，透露出来可能不是上策；这是个好的口岸，基础很好。没有需要填平的涅瓦河地区那样的沼泽；虽然你到处都需要自己打下桩子才能在上面建造东西。据说涨潮时遇上西风和涅瓦河里的冰块，会使圣彼得堡从地球表面上消失。

因为开始这种生意的时候没有通常需要的资金，所以要揣摩到什么地方去搞到对每一个这样的事业都仍然是必不可少的那些钱，可能不是一件容易的事情。让我们立刻涉及实际问题吧，说到衣服，也许我们在购买衣服时更多的是出于爱好新奇和考虑到别人的看法，而不是真正出于穿着的需要。让那些有事情要做的人想一想，衣服的目的首先是保存生命的热量，其次，在目前的社会状况下，是为了遮羞，他可以判断一下，不去增加他衣柜里的衣服，他可以完成多少必需的或者重要的工作。一套衣服只穿一次的国王和王后，尽管他们的衣服是由裁缝量身定做的，也不可能体会穿合身的衣服有多么舒服。他们实际上和用来挂干净衣服的木头支架没有什么两样。我们的衣服一天比一天地更和我们融为一体，打上了穿者的性格印记，直到我们不愿抛弃它们，就像我们不愿抛弃自己的身体，会赶紧用药或采取类似的郑重措施来补救。我从来不会因为一个人衣服上有补丁而降低对他的看法；不过我很清楚，一般来说，人们更为渴望的是穿上时髦的，或至少是干净的没有补丁的衣服，是否问心无愧就是次要的了。但是即使破了的地方没有补好，也许暴露出来的最大缺点就是不够小心而已。有时我用这样的办法来试试我的熟人们：——谁肯穿在膝盖处有补丁，或者只多了两条缝线的裤子？多数人的表现是，他们相信，如果他们穿了，他们一生的前途就毁了。对他们来说，腿断了一瘸一拐地进城也比穿着破裤子去容易多了。如果一位绅士的腿在意外中受了伤，那是可以愈合的，但是如果类似的意外发生在他的裤腿上，那是没有办法补救的；因为他关心的不是真正值得人尊敬的东西，而是受到人尊敬的东西。我们熟悉的人很少，熟悉的衣服和裤子很多。你给稻草人穿上你刚穿过的衬衫，自己没穿衬衫站在一边，谁不会宁可向稻草人致敬呢？那天我经过一片玉米地，在一根戴着帽子穿着上衣的木桩的近旁，我认出了农庄的主人。他比我上次看见他的时候只不过显得多了一点风吹日晒的痕迹。我听说过有一条狗，它向每一个穿着衣服走近它主人的房产的陌生人狂吠，但是赤身裸体的盗贼却很容易使他安静下来。人们在脱去了衣服的情况下，能够在多大程度上保持他们相对的地位，这是一个有趣的问题。在这种情况下，你能够确切地判定，在一群文明人中，谁是最尊贵的阶级的一员吗？当普法伊弗夫人①从东到西做环游世界的惊险旅行的时候，到达了离故乡已经很近的俄罗斯的亚洲部分，她说，她觉得要去拜见地方当局的时候，不能再穿旅行服装了，因为她“现在是在一个文明国家里，在那里——人们是以衣取人的”。即使在我们民主的新英格兰的城镇里，谁偶然发

① 普法伊弗夫人（1797—1858），环游世界的旅行家。

了财，哪怕仅仅在衣服和装备上表现了出来，就会受到普遍的尊敬。但是给他以尊敬的人，人数虽然众多，却仍然是异教徒，需要给他们派传教士去。此外，衣服需要缝纫，这是一种你可以称之为永远做不完的工作；至少，女人的衣服是从来都做不完的。

一个终于找到了事情可做的男人不需要穿新衣服去做这事；对于他来说，在阁楼上不知放了多久的落满了灰尘的旧衣服就行了。英雄穿旧鞋的时间比他的侍从穿旧鞋的时间更长——如果英雄有过侍从的话，——赤脚比穿鞋的历史更为悠久，而英雄赤脚也能够对付。只有要去参加晚会和到立法院去的人才必需穿上新衣服，他们经常更换衣服，和穿在衣服里面的人也在经常更换一样。但是只要我的外衣和裤子、帽子和鞋子穿上后适合于敬奉上帝，那就行了；不是吗？有谁会去看他的旧衣服，——他的旧上衣，其实已经穿破了，解体成了最初的成分，因此把它给某个穷孩子也不算行善了，也许穷孩子又把它给了某个更穷的人，或许我们该说更富有的人，因为再少他都能够过得去。我说，要当心所有那些要求新衣服而不是穿衣服的新人的企事业单位。如果没有新的人，又怎么可能把新衣服做得合身呢？如果你面前有什么事业要做的话，穿着旧衣服去试一试。人需要的不是去应付什么，而是去做什么，或者说，是成为什么。也许，无论旧衣服多破多脏，我们永远不应该获取新的衣服，直到我们所做、所从事的事业已顺利扬帆，使我们感到在旧衣服里面的已是一个新人，如果保留旧衣服就会像是用旧瓶装新酒①。我们的换羽季节，和飞禽一样，必定是生命的转折关头。潜鸟隐没到偏僻的池塘去度过这段时光。蛇是这样蜕皮、毛虫也是这样脱去其蠕虫的外衣，都是凭借内在的努力和扩展；衣服也只不过是我们最外层的护膜和尘世的烦恼而已。否则，我们就会被认为是披着伪装骗人，最终必定会被我们自己的以及别人的看法所抛弃。

我们穿上一件又一件衣服，好像我们和外生植物那样靠从外面的添加生长起来。我们外面的常常是薄而花哨的衣服是我们的表皮或假皮，并不是我们生命的一部分，可以随处剥下而不会有致命的伤害；我们总是穿在身上的较厚的衣服是我们的细胞壁，或皮层；但是我们的衬衫是我们的韧皮，或者说是真皮，要剥去必定会连带剥下一圈，因而毁掉其人。我相信，所有的人种在某些季节都会穿相当于衬衫的东西。人穿得简单些，能够在黑暗中摸得到自己，并且生活的各个方面都很简洁，有备无患，这样，如果敌人占领城镇，他就能够像古代的哲学家那样了无牵挂地空手走出城门，这才是可取的。一件厚衣服在大多数情况下和三件薄衣服的作用一样，顾客可以用真正适合自己的价格买到便宜的衣服：5 美元能够买到一件厚上衣，可以穿上五年，2 美元买一条厚裤子，1.5 美元买一双牛皮靴，25 美分买一顶夏天戴的帽子，62.5 美分买一顶冬天的帽子，或者花极少的钱在家里自己做一顶更好的帽子，难道穿着这样一身靠

---

① 《圣经》中《马太福音》第 9 章 17 节说，“人们也不将新酒装入旧瓶：否则瓶子会碎，酒将流出，瓶子毁灭：他们将新酒装入新瓶，两者都完好保存下来。”

自己劳动得来的衣服的人，会穷到没有智者向他表示敬意吗？

当我要求定做一件具体式样的衣服的时候，女裁缝会郑重地告诉我，“他们现在不做这个样子的衣服了”，她丝毫没有强调这个“他们”，就好像是在引用和命运三女神一样的客观权威的话，我发现很难得到我要求样式的衣服，仅仅因为她不相信我说这话是当真的，不相信我这么轻率。当我听到她这句像神谕似的话时，我陷入了片刻的沉思，把每一个字都单独强调了一遍，以便悟出其意义，找出“他们”和“我”之间具有何种程度的血缘关系，以及在一件对我有着如此密切影响的事情上，他们究竟有什么样的权威；最后，我想以同样的奥秘来回应她，并且也不强调那个“他们”，——“不错，他们近来不做这个样子的衣服了，可是现在又做了。”如果她给我量身做衣，不量我的品格，只量我的肩宽有什么用，好像我是一个挂衣钉似的。我们崇拜的不是美惠三女神，也不是命运三女神，而是时尚女神。她以绝对权威纺纱、织布、剪裁。巴黎的猴子王戴了一顶旅游帽，美国所有的猴子也都跟着戴。有的时候，对于在这个世界上是否能够在人们帮助下做成任何非常简单和普通的事情，我已经不抱任何希望了。得先经过强有力的压榨机，把人们的老观念挤榨出来，这样他们就难以很快重新站立起来了，可是里面总有某个人脑子里会像有条蛆似的想入非非，那是从没有人知道什么时候放在那里的一个卵孵化出来的，因为就连火也烧不死这些东西，而你所做的一切就是白费劲了。可是，我们也不要忘记，据说埃及有种小麦，就是经一具木乃伊传下来的。

总的说来，我认为无论在这个或别的任何国家，都不能够断言穿戴已经上升到了具有艺术尊严的地位。目前，人类将就着搞到什么穿什么。像遇难船只的船员，海滩上能够找到什么就把什么穿在身上，隔着一点距离，是时间的距离也罢，空间的距离也罢，相互嘲笑彼此的装扮。每一代人都嘲笑老的流行款式，但是却虔诚地追随新的流行款式。看着亨利八世[1]或伊丽莎白女王[2]的服装，我们觉得很好笑，就像看到食人岛上的国王和王后的服装一样好笑。一切衣服脱离了人就是可怜或古怪的。是穿衣者严肃的眼光和真诚的生活，才阻止了嘲笑，使得任何民族的服装具有了神圣性。让穿着色彩斑斓的服装的小丑突然发作一场绞肠痧，他的服饰也会表现出他的痛苦状态来。当士兵被炮弹击中，他破烂的军装就如王袍般显贵。

男男女女幼稚而凶猛地追求新款式的口味使多少人颤抖着，眯起眼睛往万花筒里看，以便能够发现这一代人今天需要的那个具体图案。生产者们早已懂得，这个口味是古怪而反复无常的。两种图案，其区别仅在于某一种颜色的线多了或少了几根，一种很容易就卖出去了，另一种躺在货架上，虽说常常在过了一个季节之后，后者成了最流行的。相比之下，文身真算不上人们所谓的丑恶习俗。不能仅仅因为刺花深入皮肤，无法改变，就认为它是野蛮的。

我不相信我们的工厂制度是人们能够有衣服穿的最好方式。技工的状况一天比一天更像英国技工的状况；这一点也不奇怪，因为

---

① 亨利八世（1491—1547），英国国王（1509—1547）。

② 伊丽莎白女王，此处指伊丽莎白一世（1533—1603），英国女王（1558—1603）。

就我所闻所见，公司的主要目的不是为了人可以本本分分地穿得好，而毫无疑问是为了赚钱。从长远的观点来看，人最终达到的是他们设定的目标。因此，虽然眼下会失败，他们还是应该把目标定高些。

至于遮身的房屋，我不否认在今天，这已是生活的必需品，虽然有这样的例子，人们在比我们这里还要冷的地区在没有房屋的情况下长时间地生活。塞缪尔·莱恩说过："拉普兰人①穿着皮衣，用皮袋罩着头和肩膀，一夜又一夜地在雪地上睡觉——那寒冷的程度，穿着羊毛衣服的人暴露在这种温度下也会冻死。"他亲眼看见他们那样睡觉。而且他还补充说："他们并不比别的民族更耐寒。"但是，可能人类在地球上没有生活多久就发现了房屋的便利，家庭的舒适这话可能最初的含义更多的是房屋，而不是家人给与的满足；在有的气候地带，房屋在我们的思想里主要和冬季或雨季联系在一起，一年中三分之二的时间除了雨伞之外，不需要房屋，在这样的地方，上述说法必定是十分片面的，只是偶尔适用而已。在我们这里的气候下，从前夏天几乎仅需夜里遮盖一下就行了。在印第安人的表意符号中，一座棚屋是一天行程的标志，在树皮上刻或画出的一排棚屋意味着他们宿营的次数。人类天生四肢并不巨大，身体也不粗壮，必须力求缩小自己的世界，隔出一个适合于他的空间来。最初他赤身裸体，过露天生活；可是，虽然在晴朗温暖的天气里，这种生活在白天很惬意，但是在雨季和冬天，更不要说炎炎烈日之下，如果

① 居住在北欧的人。

他不赶紧用遮身的房屋把自己保护起来，人类恐怕早就灭绝在萌芽时代了。根据传说，亚当和夏娃穿衣服之前是用枝叶遮体的。人需要一个家，一个温暖和舒适的地方，首先是身体的温暖，然后是爱的温暖。

我们可以想象，在人类的幼年时期，某个有冒险精神的人钻进岩洞去寻求遮蔽。在某种程度上，每一个孩子都要重复一遍人类发展之路，爱呆在露天里，即便下雨和天冷也是一样。他本能地喜欢过家家，喜欢骑木马。谁不记得自己小的时候是怀着怎样的兴趣观看突出的岩石或接近任何岩洞的？这是残留在我们身上的、我们最原始的祖先的本能渴望的一部分。我们从岩洞发展到用棕榈叶、树皮和树枝、编织和拉紧的亚麻、草叶和禾秆、木板和木瓦、石板和瓦做屋顶。以致我们最后连在露天生活是怎么回事都不知道了，我们的生活远比我们意识到的要家庭化得多。从壁炉到野外有着巨大的距离。也许，如果我们有更多的日夜在我们和天体之间没有任何阻隔的情况下生活，如果诗人没有在屋檐下吟诵出这么多的诗歌，或者如果圣人没有在屋子里面居住了这么久，情形就会好了。鸟儿不在岩洞里歌唱，鸽子也不在鸽舍里保护自己的纯真。

然而，如果有人打算建造一所居住的房屋，他有必要表现出一点新英格兰人的精明，免得最后发现把自己搞进了济贫所、找不到出路的迷宫、博物馆、救济院、监狱或堂皇的陵墓里。首先，考虑一下房屋的绝对必要性到底有多大。就在这个城镇里，我看到过佩诺布斯科特印第安人居住在他们的薄棉布帐篷里，周围的雪几乎有一英尺厚，我觉得他们很愿意雪更深一些，好给他们挡风。如何能够诚实地获取生计，并且有自由去从事自己真正的爱好，这个问题过去比现在更使我困惑，因为幸运的是，我已经变得有些麻木了。以前我常常看见铁路边上有一个大箱子，6英尺长3英尺宽，工人夜里把工具锁在里面，当时它使我想到，每一个处境困难的人都可以花1美元买一个这样的箱子，钻上几个孔，至少为了透气，下雨和过夜的时候钻进去，把箱盖钩住，这样他就享有了爱他所爱的自由，也拥有了心灵的自由。这看来并不坏，丝毫也不是一种可鄙的选择。你可以熬夜，想熬多晚就熬多晚，不管你什么时候起身出去，也不会有店主或房东追着你的屁股要房钱。许多人为了支付一只更大、更奢华的箱子的租金，一直烦恼到死，而他们在小箱子里是并不会冻死的。我一点也不是在开玩笑。可以容许轻率地对待节俭这个题目，但是却不能够轻率地将它打发掉。一个大多生活在露天的强健的吃苦耐劳的民族，他们过去在这里建造的舒适房屋，使用的几乎都是大自然提供的现成材料。马萨诸塞殖民地管辖下的印第安人主管古金在1674年这样写道："他们最好的房子用树皮做屋顶，干净利落，密实暖和，树皮是在干枯的季节从树身上脱落下来的，趁树皮还湿的时候用很重的原木把它们压平成大的薄片。……差一些的房子用一种灯心草编的草席做屋顶，也还算密实暖和，但是不如前者好。……我看到有的房子有60或100英尺长，30英尺宽。……我也经常在他们的棚屋里过夜，发现它们和最好的英国房子一样暖和。"他还说，通常棚屋里面地上铺着、墙上挂着精心编织的加有装饰的草席，各种用具都具备。印第安人已经进步到能够在屋顶开的洞口上挂一张草席，用绳子控制草席调节风的作用。最初，这样的一个住所最多一两天就能建成，几个小时就能拆下重新搭好；每家人都拥有一个这样的棚屋，或棚屋中的一个房间。

处于野蛮状态的人，每一家都拥有实际上等于是最好的遮身处所，足够满足他们粗陋简单的需要；但是，虽然天空中的飞鸟有巢，狐狸有洞，未开化的人有棚屋，在现代文明社会，却只有不到一半的家庭拥有遮身的房屋，我认为我这样说绝不过分。在文明占主导的大城镇和城市里，拥有房屋的人数只占总体中很小的一部分。其余的人每年付房租以得到这最外面的衣服，变得冬夏都离不开它，而房租钱本可以买上一村子的印第安棚屋，而现在却使他们有生之年都生活在贫困之中。在这里，我并不是想坚持租房比起拥有自己的房子来所具有的不利因素，但是，显然，野蛮人拥有自己的房子，因为盖房子的花费太低了，而文明人一般都租房子，因为他买不起房子；从长远来看他也不见得租得起。但是有人就会回答说，穷苦的文明人只要付房租，就能得到住所，和野蛮人的住处相比，那住所就像宫殿一样。每年付 25 美元到 100 美元的房租——这是本地区的价格——他就能够享受到几个世纪进步的成果，宽大的房间，干净的油漆和壁纸，拉姆福德[①]式的防倒烟壁炉，内层抹灰泥的墙，软百叶窗，铜质水泵，弹簧锁，宽敞的地窖，以及许多别的东西。可是，据说享受这些东西的人通常是贫穷的文明人，而没有这些东西的野蛮人，却有着野蛮人的富足，这究竟是怎么回事呢？如果断言

---

① 拉姆福德（1753—1814），英国物理学家，建立现代热理论，伦敦英国皇家协会创始人之一。

文明意味着人类状况的真正改进——我认为如此，虽然只有智者才利用了他们的有利条件，——那就必须表现在它已经建造了更好的房子而没有使房子的价格更高；而一件东西的价格，是我称之为需要为之付出、用以作为交换的那部分生命，或者马上付出，或者长期付出。在这一个地区，一般的房子的价格大约在 800 美元左右，要存下这笔钱，即使他没有家室的拖累，也需要一个劳动者 10 到 15 年的时间，——这是以一个人一天劳动的金钱价值为 1 美元来算的，有人挣得多些，有人挣得少些；——这样，他通常必须耗费一半以上的生命才能够挣到他的棚屋。如果我们假设他去租房子，这也只是在两害之间的一个结果难以预测的选择。如果野蛮人在这样的条件下用他的棚屋去交换一座宫殿，会是个明智的选择吗？

我几乎把拥有这不必要的房产的全部好处，缩小到为防备将来所需而积蓄的一笔基金，人们可能会猜测，就有关的个人而言，主要是为了支付丧葬费用。但是也许人并不需要去埋葬自己。然而，这里就显示出了文明人和野蛮人之间的一个重要区别；无疑，为了我们的好处，才使文明人的生活形成一种习俗，个人的生活在相当大的程度上被纳入了习俗之中，目的是为了维护和提高种族的生活。但是我希望表明，为了获得目前的好处，人们做出了何等样的牺牲，并指出，我们可能过不必承受任何损失而得到所有好处的生活。你说，穷人永远跟着你，还说，父亲吃了酸葡萄，子女牙齿就发酸①，这话是什么意思？

“主耶和华说，我指着我的永生起誓，你们在以色列中必不再有用这俗语的因由。”

“看哪，世人都是属我的，为父的怎样属我，为子的也照样属我：犯罪的他必死亡。”②

我的邻居康科德的农人，他们的境遇至少和别的阶级一样好，当我想到他们时，我发现他们大多已经劳作了二十、三十或四十年才成了自己农场的真正主人，通常这些农场是他们附带着抵押权继承下来的，或者是借钱买下的，——我们可以把他们三分之一的劳动看作是房屋的代价，——但是他们通常还没有付清房款。确实，抵押权有的时候超过了农场的价值，因此农场本身成了一个大累赘，但却依然发现有人要继承，用他的话说，是对农场太熟悉了。在向估税员提出问题的时候，我惊奇地得知，他们也无法立刻说出城镇里十二个没有任何债务负担、拥有自己农场的人来。如果你想知道这些农庄的历史，到它们抵押的银行去询问就行了。用在农场劳动的收入真正能够偿还债务的人简直太少了，所以每一个邻居都能够把这样的人指认出来。康科德有没有三个这样的人我都怀疑。人们谈到商人时说，绝大多数的商人，甚至占百分之九十七的人，肯定

---

① “穷人永远跟着你”，在《圣经·马太福音》中，耶稣对门徒说：“穷人永远跟着你；但是你却不永远跟着我。”在《圣经·以西结书》中，上帝指责以西结说：“你用这句谚语来说以色列：‘父亲吃了酸葡萄，子女牙齿就发酸’，这话是什么意思？”

② 《圣经·以西结书》18 章 3—4 节。

都会失败的，农人的情况也是一样。不过，在商人方面，他们之中有一个人曾切中要害地说，他们失败的很大部分并不是真正的金钱上的亏损，而只是由于手头不便而没有能够履行约言；也就是说，垮掉的是诚信。但是，这会使事情越来越糟，并且还会让人想到，也许连上述那三个人也并没有能够拯救自己的灵魂，也许他们比那些老老实实地失败了的人在更为糟糕的意义上破了产。破产和拒付债款是跳板，我们的文明大部分就是从这里腾跃、翻筋斗的，但是野蛮人站在饥馑这块没有弹性的厚木板上。然而，每年在这里举行的米德尔塞克斯牛展却总是热闹地大获成功，似乎农业这部机器的所有连接点都处于良好的运转状态。

农人总是努力用比问题本身更为复杂的方式解决生活的问题。为了得到小额的资金，他做起了牛群的投机买卖。他以完美的技艺，用细弹簧丝做了个陷阱，想捉住安适和保证温饱生活的收入，可是，在他转身要走时，自己的腿却陷了进去。这就是他贫困的原因；出于类似的原因，比起野蛮人的千种安适来，我们也都是贫困的，尽管我们处在奢侈品的包围之中。正如查普曼[①]所吟咏的——

> 虚伪的人类社会——
> 为了尘世间的伟大

---

① 查普曼（1559？—1634），英国诗人，戏剧家，翻译家，译有荷马史诗《伊利亚特》和《奥德赛》。

将一切天堂的安乐稀释如空气。[1]

当农人拥有了自己的房子，他不见得因此而更富，反而会是更穷了，是房子拥有了他。就我的理解，这正是莫摩斯[2]强调用来反对密涅瓦[3]建造的房子的令人信服的理由，莫摩斯说她"没有把房子造得可以移动，否则就可以避开恶劣的邻里了"；还可以进一步强调，由于我们的房子是这样笨重不灵便的财产，与其说我们居住在里面，倒不如说常常是被囚禁在里面；要避开的恶劣邻里其实是我们可鄙的自己。至少在这个城镇里，我认识一两个家庭，他们几乎在二三十年的时间里一直想要把市郊的房子卖掉，搬到村子里去住，但是还没有如愿，只有死亡才能使他们得到解脱。

就算大多数人最终能够拥有自己的房子，或者租住在有了各种改进的现代房屋里，文明在改进我们的房屋的时候，却并没有同样改进居住在里面的人。文明创造了宫殿，但要创造贵族和国王却不是件容易的事情。而如果文明人的追求并不比野蛮人的更有价值，如果他的大半生只是用在获取全部的生活必需品和安适上，那么他干吗要比野蛮人享有更好的住房呢？

但是，那贫苦的少数人的日子又过得如何呢？也许人们会发现，有多少人的表面境况在野蛮人之上，就有多少人会落到野蛮人之下，

---

① 引自《凯撒与庞培》第五幕第二场。

② 莫摩斯，希腊神话中嘲弄与指责之神。

③ 密涅瓦，古罗马神话中的智慧女神。

两者是成正比的。一个阶级的奢侈必定有另一个阶级的贫困。一方面是宫殿，另一方面是贫民救济院和“沉默的穷人”。为法老修建金字塔的数量巨大的工人以大蒜为食物，自己还不一定能够得到像样的埋葬。给宫殿造好了飞檐的石匠晚上回到也许连棚屋都不如的茅草房里。认为在一个惯常表现出文明的存在的国家里，居民中很大的一部分人的状况不会落魄到野蛮人那样的地步，这种看法是错误的。我指的是落魄的穷人，还不是现在落魄了的富人。要了解这一点，我用不着往远处看，只要看看铁路旁到处都有的简陋的棚户，那些文明最后还没有改善的东西；我每天散步时，在那里看到人生活在猪圈样的地方，为了采光，整个冬天都开着门，看不见任何木柴堆，那只是他们经常想象的东西，由于怕冷和苦难而长期形成的蜷缩起身体的习惯，使无论老幼身体都永远收缩变形，四肢和官能的发育也受到了抑制。当然应该去察看一下这个阶级的生活，是他们的劳动建成了表现出这一代人的特色的工程。这或多或少也是在英国这个世界大工场中，各种各样的技工的生存状况。或许我可以把你们引向爱尔兰，在地图上标明是白色或文明地区中的一个①。把爱尔兰人的身体状况和北美印第安人，或南太平洋岛民，或任何别的尚未和文明人接触而堕落的野蛮人的状况对比一下吧。我毫不怀疑，他们的统治者和一般的文明统治者一样聪明。他们的状况只能证明，与文明并存的可能是多么肮脏污秽的东西。我现在根本用不着再提南方各州生产美国主要出口产品的劳动者了，他们自己就是

---

① 作者在此指的是一些地图绘制人习惯于把未实地勘察过的地区用深颜色标示。

南方的主要产品。[1] 我只说说那些被称作中等状况的人吧。

多数人似乎从来没有考虑过房子是什么，他们实际上毫无必要地穷了一辈子，因为他们认为他们必须和邻居一样拥有这么个东西。正如一个人总穿裁缝给他们做的各种衣服，或者逐渐放弃了棕榈叶或旱獭皮的帽子，却抱怨日子难过，因为他买不起一顶戴在头上的冠！要发明一所比我们现有的更为方便和豪华的房子是可能的，但是大家都会承认他买不起。难道我们总是要研究怎样得到更多的这类东西，而不能有时满足于少一些东西吗？难道可敬的公民应该这样严肃地通过言传身教，让年轻人在死去之前必须准备好若干数量的多余的高筒橡皮套鞋，雨伞，以及招待并不存在的客人用的空空的客房吗？我们的家具为什么不能像阿拉伯人或印第安人的那样简单？我们民族的恩人，我们把他们奉为天国的信使、为人类带来神明的礼物的使者，当我想到他们的时候，脑子里并没有出现他们身后紧跟着仆役随从、满车的时髦家具的景象。如果我容许这样的说法，即我们在道德上和智力上比阿拉伯人优越，我们的家具就应该相应地比他们的家具更为复杂，这种容忍难道不是过于奇怪了吗？目前，我们的房子里塞满了家具，破坏了房子的整洁，一个好的家庭主妇情愿把大部分家具扫进垃圾坑里去，而不愿早上的活计总也干不完。早上的活计！在奥罗拉曙光女神的红霞和门农[2]的乐声中，

---

① 作者此处指的是南方一些种植园，特别在弗吉尼亚，主要从事于繁育黑奴以出售的行当。

② 门农，古罗马传说中的黎明女神，此处指埃及底比斯附近的阿孟霍特普三世的巨大石像，每在日出时发出竖琴声，170 年经罗马皇帝修复后不再发声。

这个世界上的人早上的活计应该是什么？在我的桌子上有三块石灰石，但是当我发现它们需要每天擦去灰尘的时候，我吓坏了，我连自己头脑里东西上的灰尘还都没有擦掉呢，我厌恶地把它们扔到了窗外。那么，我怎么可能去拥有一所带家具的房子呢？我情愿在露天坐着，因为青草上不会积起灰尘，除非在人类已经破过土的地方。

是骄奢淫逸之徒开创了民众奋力紧跟的时尚。在所谓最好的旅店里住宿的旅人很快就发现了这一点，因为旅店老板把他当成了萨丹纳帕鲁斯①，如果他听凭他们任意摆布，便会很快完全失去男子气概。我认为，在铁路车厢上，我们往往把更多的钱花在奢侈物品上而不是花在安全和便利上，结果没有得到安全和便利，却面对着一个不过是现代客厅的地方，有长沙发、软垫凳、遮阳篷，以及无数其他东方的物件，我们把它们带到西方来了，这些东西本是为天朝帝国的六宫嫔妃和脂粉气十足的当地人发明的，乔纳森②连知道它们的名称都应该感到羞耻才对。我宁愿坐在一个南瓜上，并且独自拥有它，也不愿挤坐在一个天鹅绒的垫子上。我宁愿在大地上乘坐空气自由流通的牛车，也不愿坐在观光火车的豪华的车厢里，一路呼吸着污浊的空气上天堂。

原始时代简单无遮蔽的人类生活至少意味着这样一个好处，他仍然只是大自然中的一个过客。当他吃饱睡足有了精神，便又考虑再度上路。他可以说是住在世界的帐篷下，不是穿过峡谷，就是越

---

① 传说中的亚述国王，以其奢侈的生活方式闻名。

② 乔纳森，最初指新英格兰人，后来指美国人，梭罗在此指美国人。

过平原，或者爬上山峰。但是，看啊！人成了他们工具的工具。那个饿了独自采摘果子吃的人变成了农人；站在树下寻求遮蔽的人变成了管家。我们现在不再露营过夜，而是在地球上安顿了下来，忘记了天堂。我们信奉基督教，仅仅作为改进农业的一个方法，我们为尘世建造了家宅，为死后建造了家墓。最伟大的艺术作品是表现人类把自己从这种状态下解放出来的斗争的，但是我们的艺术的效果只是把这种低级状态变得安逸，使人们忘却那高级的状态。在这个村庄里，实际上没有艺术品的容身之地，如果有什么艺术品传到了我们手里，我们的生活，我们的房屋和街道，都无法为之提供合适的基座。没有一枚可以挂画的钉子，也没有一个架子可以放置英雄或圣徒的半身雕塑像。当我想到我们的房子是如何建造的，是怎样付清的钱，或者还没有付清的情况，房子内部的经济是怎样管理和支持下来的，我会感到奇怪，在客人赞赏壁炉台上的华而不实的小装饰品的时候，地板为什么没有塌陷下去，让他跌落到地窖里，跌落到虽然是泥土的、然而却是坚实可靠的基础之上。我不能不看到，这种所谓富有和高雅的生活，是人们想争相一跳去获得的，我不喜欢欣赏装点这种生活的艺术品，我的注意力完全集中在那一跳上了；因为我记得，完全依靠人类的肌肉做出的那最伟大的真正一跳的记录，是某些流浪的阿拉伯人保持的，据说他们从平地上跳过了25英尺的高度。没有人为的支持，人纵使跳到了这个高度之外，也肯定还是要落回地面。我想向这类行为不当的房产主问的第一个问题是，是谁在支撑着你？你是失败了的九十七个人之一吗？还是成功了的三个人中的一个？回答我的这些问题以后，也许我会去看看你的华而不实的小玩意儿，会觉得它们具有装饰性。马车套在马的前面，既不好看，也没有任何用处。在我们能够用美丽的东西装饰我们的房子以前，必须把墙壁刮干净，我们的生活也必须刮干净，打上美好的家务管理和美好的生活的底子：须知，对美好事物的品味大多是在户外培养起来的，那里没有房子和管家。

老约翰逊[①]在他所著的《神奇的天意》中谈到了本镇最早的移民，他和他们是同时代人，他告诉我们，“他们最初是钻在山坡下的地洞里栖身的，并且把泥土高高地堆在木头上，在最高的一侧挨着泥土生起老是冒烟的火。”他们没有“为自己建房子”，他说，“直到土地在上帝的祝福下给他们带来了面包，养活了他们”，第一年的收成少得“他们被迫不得不在很长的一季里把面包切得非常薄勉强糊口”。新尼德兰殖民地[②]的文书为想到那里从事耕作的人提供信息，在1650年用荷兰文写了如下更为具体的情况，“那些在新尼德兰、特别是在新英格兰地区的、最初没有财力不能按照自己的愿望建造农舍的人，在地上挖一个方形的坑，像地窖那样的，6到7英尺深，长宽根据他们的需要，用木头包在坑壁四周，用树皮或别的东西填缝，免得泥土塌落下来；用木板铺在地窖的地面上，顶上用护壁板做成天花板，上面架起一个斜梁的房顶，再在上面铺上树皮或绿草皮，这样，他们能够全家在这些房子里又干燥又暖和地住上两、三

---

① 爱德华·约翰逊（1598—1672），美国早期历史学家，著有《天国之救世主在新英格兰之神奇的天意》，简称《神奇的天意》。

② 现美国纽约州一带。

或四年，可以想到，根据家庭的大小，在这些地窖里面分成了小隔间。在殖民地时代初期，有两个原因使有钱有势的新英格兰人以这种方式建造他们最初的住处；首先是为了不在盖房子上浪费时间，以免下一个季节缺少粮食；其次是为了不使他们从本国带来的大量贫穷的劳动者感到灰心。在三四年的时间里，当这个地区适合于农业生产以后，他们才花上几千块钱给自己建造漂亮的房屋。”

我们祖先采取的这个做法，至少表现出他们是很谨慎的，似乎他们的原则是先满足更为紧迫的需要。但是，更为紧迫的需要现在得到满足了吗？当我想要为自己搞一处奢华的住所时，我就驻足不前了，因为，可以说这个地区还没有适应人类的文化，我们仍旧被迫不得不把精神的面包切得比我们祖先的小麦面包还要薄得多。这并不是说可以忽视一切建筑装饰，甚至在最简陋的阶段也并非如此；而是先让我们的房子在和我们的生活直接接触的地方充满了美，就像贝类动物的壳的内壁那样；而且不要搞得过分。但是，唉！我曾经进过一两所这样的房子，知道它们里面装饰成了什么样子。

由于我们今天没有退化到可能要住在山洞或棚屋里、身穿兽皮的地步，最好还是接受人类的发明创造和勤奋努力带来的、付出了高昂代价得到的好处。在我们这一带，木板和木瓦、石灰和砖头比合适的山洞、整根的圆木或足够量的树皮，甚至也比经回火处理过的粘土坯或平整的石块要便宜也更容易得到。我对这个话题是很了解的，因为我从理论和实践两方面对此都很熟悉。再用上一点脑子，我们就可以利用这些材料使自己变得比现在最富有的人还要富有，使我们的文明成为使人得福的好事。文明人是更有经验和更为聪明的野蛮人。不过，还是让我赶快说说我自己的试验吧。

1845 年 3 月底，我借了一把斧子，去到了瓦尔登湖畔的树林中离我打算盖的屋子最近的地方，开始砍伐一些高大的、像箭一样笔直的、年头不多的五针松做木材。开始的时候不靠借东西是很困难的，但是也许这是使你的同胞对你的事业产生兴趣的最好做法。斧子的主人把斧子交给我的时候，说这是他最珍爱的东西；但是当我还给他的时候，斧子比借的时候更锋利了。我工作的地方是一片很赏心悦目的山坡，长满了松树，透过松树我可以看见湖和一小片林中空地，那儿，松树和山核桃树正开始迅速生长。湖中的冰还没有完全融化，但是饱含水分，颜色发黑，不过有的地方已经没有冰，现出水面了。我在那儿干活的日子里，偶尔会飘下一阵雪花，但是当我在回家的路上走到铁路边的时候，看到的大多是在蒙蒙雾气中闪烁伸展开去的黄色沙堆，以及在春日阳光下闪闪发光的铁轨，我听到云雀、小鹟和别的鸟儿已经来到，和我们一起开始这新的一年。这是怡人的春日，人们冬日的不满正和大地一样在开始融化，蛰伏的生命开始伸展。一天，我的斧子柄掉了下来，我砍下一段青绿的山核桃木做楔子，用石块把它砸进去，然后把整个斧子放在湖的小水湾里浸泡，好让木头涨开，这时我看见一条有条纹的蛇窜入水中，在我呆在那儿、大约一刻多钟的时间里一直躺在水底，显然没有感到受到了任何打搅；也许是因为他还没有完全脱离蛰伏状态。我感到，由于同样的原因，人类停留在目前的低等和原始状态；但是如果他们感觉到了春中之春的影响在唤醒他们，他们就必然会上升到一个较为高等较为超脱的生活状态之中。以前，在严寒的清晨，我在经过的路上看到部分身体仍然处于麻木和不灵活状态的蛇，正等待着太阳为它们解冻。4 月 1 日那天下了雨，冰化了，早上雾很大，我听见一只离群的孤雁在湖上到处乱转，咯咯叫着，仿佛迷了路，又仿佛是雾的幽灵。

我就这样一连几天伐木，砍削栋木、立柱和椽子，用的都是我这把窄小的斧子，我没有多少可供交流的或学者般的思想，就自己唱了起来——

人们说他们博闻多识；
可是，看啊！它们已经插上双翅，——
科学和艺术，
还有千般器具；
只有习习清风，
身体能够感知它的吹动。

我把主要的栋木砍削成 6 英寸见方，多数立柱只砍削两边，椽子和地板只砍削一边，其余的都保留着树皮，它们和锯出的木料一样直，而且结实得多。这时，我还借了其他一些工具，在每一根木料上都仔细挖了榫眼，或在桩上开好榫头。我每天在林中工作的时间不很长；但是通常带着面包黄油做午餐，中午时坐在砍下来的青翠的松枝之间看用来包午餐的报纸，面包上带着松树的芳香，因为我的手上沾了厚厚的一层松脂。虽然我砍伐了几棵松树，在我完工之前，我已经成了它们的朋友而不是敌人了，因为我对松树更加熟悉了。有时，斧子声吸引来一位漫步林中的人，我们就会面对着我砍下的木屑愉快地聊起天来。

我不急着赶活，而是要尽量做得好，因此到4月中旬才做好了我屋子的屋架，可以搭建起来了。我已经买下了詹姆斯·柯林斯——一个在菲奇堡铁路上工作的爱尔兰人的简陋小木屋，好利用它的木板。人们认为这是非常好的一所木屋。我去看木屋的时候他不在家。我在四周走动，起初没有被屋里的人注意到，因为窗子又深又高。木屋很小，尖屋顶，别的也看不见多少，木屋四周培上了5英尺的土，好像是一个肥料堆。虽然屋顶被太阳晒得翘起发脆，却仍是最完好的部分。没有门槛，只有门板下面母鸡一年四季的出入通道。柯林斯太太来到门口，让我到里面去看一看。我走近时母鸡也被赶了进去。木屋里很黑，多数地面是泥土的，潮湿、发粘、冷冰冰的，只有东一条西一条的木板，经不起移动了。她点上了一盏灯，让我看屋顶内侧和墙，和伸到床下的木地板，并警告我不要到地窖里去，那是个两英尺深的土坑样的地方。用她自己的话说，“顶上是好木板，四周是好木板，还有一扇好窗户。”——原本是两个完整的方格，近来只有猫从那里出入。总共全算上，里面有一个火炉，一张床，一个坐的地方，一个在那里出生的婴儿，一把丝绸阳伞，一面镀金框的镜子，一台钉在小栎木上的别致的新咖啡豆研磨机。交易很快就完成了，因为在此期间詹姆斯回来了。我当晚付4美元25美分，他在第二天早晨5点前搬走，并且不得把木屋卖给别人。我在早晨6点钟接手。他说早点去好，以防有人在付给地产主的地租和燃料上提出一些不清不楚而且完全不合理的要求。他向我保证说，这是唯一的麻烦。6 点钟的时候我在路上遇到了他和他的家人。一个大包裹里是他们的全部家当，——床，咖啡豆研磨机，镜子，母鸡，——除了那只猫，她躲进树林，成了只野猫，我后来得知，她踩上了捕捉旱獭的夹子，就这样最终变成了一只死猫。

当天上午我就把木屋拆了，拔出钉子，用小车一车车地运到了湖边，把木板摊在草上，让太阳把它们晒白，再翘回原状。我驾着车沿着林间小路行进时，一只早起的画眉不时为我唱上一两声。一个叫帕特里克的年轻人向我告密说，一个叫西利的爱尔兰邻居在我运送的间隙里，把还能用的、直的、可以钉的钉子，U 形钉和墙头钉全都放进了他的口袋，我回来后和他寒暄，他站在那里，抬起头以一副得意洋洋、满不在乎的神态，看着那拆毁了的一堆；如他所说，已经没有什么活儿可干了。他在那里代表了观众，并且帮助把这件无足轻重的小事，变得看上去和众神从特洛伊大撤离一样。

我在小山的南坡挖了一个地窖，6 英尺见方，7 英尺深，一只旱獭曾在那里挖过洞，我挖去了漆树和黑莓的根和土壤最深处植物的痕迹，一直挖到沙土层，不论什么样的冬天，马铃薯放在里面都不会冻坏。地窖的四壁稍稍倾斜，没有砌石块；但是因为太阳从来没有照进来过，所以沙土不会滑下来。这只不过是两个小时的工作。挖土使我特别高兴，因为几乎在所有的纬度上，人类挖地洞以获得稳定的温度。在城市最豪华的房屋里仍然能够发现地窖，人们和过去一样在里面储藏块茎作物，在上层建筑消失以后很久，后人仍能注意到它留在地上的凹迹。房屋只不过是地洞入口处的某种门廊而已。

终于在一些熟人的帮助下，我在5月初把房子的框架立了起来，实际上，熟人的帮助更多是为了利用这样一个好机会来增进邻里关系，而不是出于真正的需要。没有人比我更荣幸，能够有这样的人来帮助我立框架[1]。我相信，有朝一日，他们注定会协力树立起更为宏伟的结构来。我在7月4日刚铺好木板盖好房顶就住了进去，木板的边缘被仔细削薄相互搭接，因此能够很好防雨；但在铺木板之前我在房子的一端为烟囱打好了地基，用了两车石头，都是我从湖边抱上山来的。我在秋天锄完地后，在需要生火取暖之前把烟囱建好了，在那期间，我一大早在露天的地上做饭：我至今仍然觉得，在某些方面这个办法比我们常用的要方便和令人愉快些。在我的面包还没有烤好的时候如果起了暴风雨，我就用几块木板挡在火的上方，自己坐在下面照看我的面包，这样来度过了一些愉快时光。在那些日子里，我手上活儿很多，很少看书，但是地上、垫子或桌布上的任何零星纸片都给了我许多乐趣，实际上起到了阅读《伊利亚特》同样的作用。

盖房子的时候如果考虑得比我更加慎重一些是值得的，比如，考虑一扇门、一个窗子、地窖、阁楼的存在，在人的本性中有着什

---

① 这些人包括爱默生（1803—1882），美国作家，超验主义运动的主要代表；阿尔科特（1799—1888），美国先验论哲学家；钱宁（1780—1842），美国基督教公理会自由派牧师，著作家；以及康科德农人霍斯默一家等。

么样的根据，也许我们在找到比仅仅满足我们一时的需要更好的理由之前，根本不应该建立什么上层建筑。人类建造自己的房屋和鸟儿搭自己的巢一样，有着一些同样的合理性。谁知道呢，如果人用自己的双手建造自己的住处，用简朴而正当的手段提供食物养活自己和家人，他们的诗歌才能说不定会得到普遍的发展，就像鸟儿在做这些事的时候普遍都会欢唱一样？但是，唉！我们其实是像牛鹂和杜鹃，在别的鸟搭的巢里下蛋，它们唧唧喳喳的刺耳噪音也不给旅人以快乐。我们应该永远把建筑的愉快拱手让给木匠吗？在大部分人的经历之中，建筑有多大的意义呢？在我所有散步的过程中，还从来没有遇到过一个人在做给自己盖房子这样简单而自然的工作。我们是属于社会的。不光裁缝被贬为第九位的人，牧师、商人和农人也一样。这种劳动的分工到什么地步才算完？最终达到什么目的？无疑，别人也能够代替我思考；但是如果他替我思考到了排除我自己思考的程度，那就不可取了。

不错，在这个国家里有所谓的建筑师，我至少听说过有一位，他的想法是使建筑装饰含有真理的本质，成为一种需要，因此是一种美，仿佛这是上天对他的启示。从他的观点来看也许没错，其实这只比一般浅薄的涉猎者好上那么一点点而已。作为建筑学上一个感情用事的改革者，他是从飞檐而不是从基础开始的。这只不过是考虑如何把真理的本质放进装饰物中，就好比要使每一个蜜饯李子里面都有一粒杏仁或葛缕子籽，——尽管我认为杏仁如果不带糖更有利于健康，——而不是考虑居民，住在屋子里面的人，怎样能够真正地把屋里屋外建好，而让装饰物听其自然。哪个明智的人会认为装饰物是外在的、仅仅是皮毛的东西，——会认为乌龟具有带斑点的甲壳，有壳的水生动物具有珍珠母的色泽，是像百老汇的居民那样，签一份合同才得到他们的三一教堂？然而，人和他的房子的建筑风格无关，正如乌龟和它的甲壳的风格无关：士兵也不必无聊到试图把自己的勇敢无畏用色彩具体地画在旗帜上。敌人自会明白。考验到来的时候他可能会吓得面色发白。在我看来，这个建筑师似乎是趴在飞檐上，探身对屋子里粗鲁的住户胆怯地小声说些半真半假的东西，他们其实比他更明白。我现在看到的建筑上的美，我知道是逐渐从内向外发展的，是由住在里面的人的需要和特性而生，他们才是唯一的建筑者，——出于某种下意识的真实感和崇高感，完全没有想到外观；如果必然会产生这种增添的美的话，无论是什么样子的，都必定先有同样下意识的生命的美。画家看来，这个国家里最有趣的住房，一般是穷人的最为朴实无华的简陋的木屋和村舍；房子是居民生活的外壳，是居民的生活而不仅是房子的表面特点使得房子别具一格；同样有趣的是市民在郊区的野外小屋，他们在里面的生活和想象中的一样简单愉快，也很少刻意追求住房风格上的效果。大量建筑装饰毫不夸张地说都是徒有其表，一阵九月的大风就会把它们像借来的羽毛[①]一样刮掉，而对房子的实质没有任何损害。地窖里既没有橄榄也没有酒的人们用不着建筑学。假如在文学上也花费同样的心血在文体装饰上，我们宗教经典的建筑师们和我们教堂的建筑师们一样，也花费这么多的时间在飞檐上，情况会

① 源出寒鸦向孔雀借羽毛的寓言。

怎么样呢？纯文学和艺术，以及讲授它们的教授们就是这样产生出来的。无疑，人关心的是，几根木条究竟是斜放在他上面还是放在他下面，他的小屋涂什么颜色。如果是他自己认真地把木条斜放上去、涂上颜色的，那还有点意义；但是如果精神已经离开了躯壳，那就和造自己的棺材没有什么不同了，——建造坟墓，而“木匠”只不过是“棺材匠”的另一个名字而已。有个人说，在他绝望或对生命感到漠然的时候，抓起一把脚下的泥土，把房子漆成那个颜色。他想到的是他那最后的狭长的房子吗？抛个铜币来决定吧。他必定有着大量的闲暇！你为什么要抓一把泥土？最好把房子漆成你自己皮肤的颜色；让它为你变得苍白或脸红好了。这可是一个改进村舍的建筑风格的事业！等你准备好了我的装饰物，我会用的。

冬天到来之前我造好了烟囱，墙虽然已经不漏雨了，我还是加了一层墙面板，用的是圆木上砍下的第一层木头，有缺陷而且主要是边材，我不得不用刨子把边缘刨平整。

这样，我就有了一所牢固的、木瓦做顶、有墙面板并抹上灰泥的房子，10 英尺宽，15 英尺长，立柱 8 英尺高，带阁楼和壁橱，每侧一扇大窗户，两扇活板门，房子的一端有一扇门，和门对着的是砖砌的壁炉。房子完全是我自己盖的，所以不算人工，只算我按一般价格买所需材料的费用，我的房子的确切成本如下；我提供详情，因为很少有人能够确切说出他们房子的成本，能够说出构成房子的各种材料的各自价格的人，就是有，也是少而又少了——

| | | |
|---|---|---|
| 木板 | 8.035 美元 | 主要是旧木屋板 |
| 屋顶和墙用的废旧木面板 | 4 | |
| 板条 | 1.25 | |
| 两扇带玻璃的旧窗 | 2.43 | |
| 一千块旧砖 | 4 | |
| 两桶石灰 | 2.4 | 太贵了 |
| 毛状纤维 | 0.31 | 太多了 |
| 壁炉架用铁 | 0.15 | |
| 钉子 | 3.90 | |
| 铰链和螺丝钉 | 0.14 | |
| 门闩 | 0.10 | |
| 粉笔 | 0.01 | |
| 运费 | 1.40 | 大多是自己背的 |
| 总计 | 28.125 美元 | |

这些就是全部材料，但不包括原木、石头和沙子，这是我依法在政府公地上定居，有权免费使用的。我还在房子边上搭了一个小柴棚，用的主要是盖房子剩下的材料。

我想给自己造一所房子，比康科德主街上的任何房子都更为宏伟和豪华，只要它和我现在的房子一样使我愉快，并且花费不超过现在的房子。

这样，我就发现，想要得到栖身处所的学子，可以花不高于他现在每年所付房租的费用得到一个终身的住所。如果我显得有点不适当地自卖自夸，我的辩解是，我是在为人类而不是为自己自卖自夸；我的缺点和前后不一之处并不影响我的说法的真实性。尽管有不少说教和虚伪，——这是我发现很难从麦粒上分离的麦麸，为此我和任何人一样感到遗憾，——但我还是要痛痛快快地呼吸，舒展身子，这对人的精神和肉体都是极大的宣泄；我决不屈辱地去做魔鬼的代理人。我要努力为真理说句好话。在剑桥学院[①]，一间只比我的房子稍大一点的学生宿舍，光是房租一年就要 30 美元，房产公司在一个屋檐下并排建了 32 间房子，捞到了巨大的好处，而房客却要忍受和许多嘈杂邻居相邻的不便，也许还要住到四楼上。我不禁感到，如果在这些方面我们有更多的真知灼见，不仅不需要这么多的教育，因为其实早就已经有了足够的教育了，而且教育的花费也会在很大程度上消失了。在剑桥或别的地方的学生，为了得到所需要的便利设施，他或别人要付出巨大的生命代价，如果双方能够有恰当的安排，只需现在的十分之一就行了。花钱最多的那些东西根本不是学生最需要的东西。例如，在学期的账单中，学费是重要的一项，而他通过和同时代人中最有教养的人来往，所受到的教育要有价值得多，却是不用交费的。建立一所学院的方式通常是，募集捐款，然后盲目地严格按照分工原则行事，而遵从这个原则是需要极其慎重的，——招来承包商，他把这个工程作为投机的对象，雇用爱尔兰人或者其他具体干活的人来打地基盖房子，而将来的学生就得适应它们；一代代的学生就要为这些疏忽付出代价。我认为，对学

① 即哈佛大学。

生或希望从中受益的人来说，自己动手打地基要比这好得多。存心逃避人类必需的任何劳动而获得他垂涎已久的闲暇的学生，得到的只不过是可耻而无益的闲暇，使自己丧失了唯一能够使闲暇有益的经历。“但是，”有人说，“你的意思总不会是学生应该用手而不是用脑子劳动吧？”我的意思并不完全是这样，我认为他们应该这样多多思考；他们不应该娱乐人生，或者仅仅研究人生，由社会供养他们从事这昂贵的游戏，而是应该自始至终认真地经历人生。青年人如不立即尝试去实践生活，又怎么可能更好地学会生活呢？我认为这会和数学一样锻炼他们的头脑。比方说，如果我希望一个孩子学到一些科学和艺术，我不会按通常的办法行事，把他送到某个教授身边，那里什么都教，什么都练，就是不教不练生活的艺术；——只通过望远镜或显微镜来观察世界，从来不用肉眼观察；学习化学，却不学他吃的面包是怎么做的，或者学习机械学，却不学这一切是怎么挣得来的；教他去发现海王星的新卫星，而不去看到自己的缺点，或者他自己是一颗奉承追随着一个什么样的无赖的卫星；或者观察在一滴醋剂中的怪物，却被蜂拥在他周围打转的怪物吞噬。在一个月以后，谁会有更大的进步，——那个一边阅读所需的知识，一边自己采矿石，冶炼后制作成大折刀的孩子，——还是那个在学院里上冶金课，同时从父亲那里得到一把罗杰斯牌袖珍折刀的孩子？哪个孩子最有可能割破手指？——令我非常吃惊的是，在离开学院前，我被告知已经学习过航海术了！——哎呀，我在港口打个转，学到的也会比这多。即使贫穷的学生学习，学的也只是政治经济学，而和哲学同义的生活经济学在我们的学院里却没有实实在在地教过。

其结果是，他一面在读亚当·斯密[1]、李嘉图[2]和赛[3]的时候，一面使父亲陷入到无法摆脱的债务之中。

和我们的学院一样，一百种“现代的先进事物”也是如此；对它们存在着幻想；但实际却并不总是正面的进步。魔鬼早期在里面投了资，以后又不断增加股份，一直索取复利到最后。我们的发明往往会是些漂亮的玩具，将我们的注意力从严肃的事情上吸引开去。它们只不过是一些改进了的方式，达到的是毫无改进的目标，这个目标本来已经很容易达到了；就像通向波士顿或纽约的铁路。我们急于修建从缅因到得克萨斯的磁性电报线；但是说不定缅因和得克萨斯之间并没有什么重要的事情需要交流传递。两者都处于十分尴尬的局面，就像一个急切地希望被介绍给一位耳聋的著名女士的男子，当他被引见、她的号角状助听器的一端放在了他的手里后，却又无话可说一样。仿佛主要的目的是话讲得快，而不是话讲得合乎情理。我们急于在大西洋的洋底挖隧道，使旧大陆提早几个星期到达新大陆；但是也许透露进美国敞开着的大耳朵里的第一条新闻是阿德莱德公主得了百日咳。毕竟，骑着一分钟跑一英里的马的人带来的未必是最重要的信息；他不是福音旅行传道者，也不是来吃蝗虫和野蜂蜜的。我不相信飞毛腿奇尔德斯[4]运载过什么玉米到磨坊去。

---

① 亚当·斯密（1723—1790），苏格兰人，经济学家，古典政治经济学的代表。

② 李嘉图（1772—1823），英国经济学家，古典政治经济学的代表。

③ 赛（1767—1832），法国经济学家。

④ 英国一匹著名的赛马。

有一个人对我说，“我很奇怪你怎么不存点钱；你爱旅行；你今天就可以坐车到菲奇堡去，长长见识。”可是我比那聪明。我知道最快的旅行者是步行的人。我对我的朋友说，我们试试看谁先到那里。距离是30英里；车费90美分。这几乎是一天的工资了。我还记得就在这条路上，工人的工资曾经是60美分一天。好吧，现在我开始步行出发，天黑前到达那里；我曾经整个星期地按这个速度旅行过。而你呢，在这段时间里把车钱挣出来了，会在明天的什么时候到达那里，如果你幸运地及时找到了工作，也可能今晚到达。你大半天的时间不是去了菲奇堡，却是在这里干活。因此，如果铁路通到全世界，我想我还是会在你前头；至于说长见识，如果净是那方面的见识，我就得和你完全断绝来往了。

这就是普遍规律，谁也斗不过它，至于铁路，我们甚至可以说它无关紧要，横竖都一样。修建人人可以利用的通向全世界的铁路等于铲平地球的整个表面。人有种模糊的想法，只要他们在足够长的时间里坚持这种把资本和铁锹结合起来的活动，最终大家必定能够花不了多少时间、不花分文地达到某个目的；可是，虽然大群人拥向车站，列车员高喊“上车啦!”当烟被吹散，蒸汽凝结，人们就会看到，少数人在火车上，其余的被火车碾压，——这会被称作“一个可悲的事故”，确实也是这样。无疑，他们最终会挣够车费，就是说，如果他们能够活那么久的话，但是到那个时候，也许他们已经失去了愉快的心情和旅行的愿望。这种用大半生最美好的时间挣钱，为了在生命最没有价值的部分去享受靠不住的自由，使我想起一个英国人，他先到印度去想发一笔财，为的是可以回到英国过诗人的生活。他应该立刻爬上阁楼去才对。“什么!”百万爱尔兰人从国内所有的棚屋里一跃而起问道，“难道我们修建的这铁路不是个好东西吗?”是好东西，我回答说，相比较而言是好的，就是说，情况可能会更糟；但是，因为你们是我的兄弟，我希望你们能够把时间用在比挖土更有意义的事情上。

在我的房子盖好前，我希望能以某种诚实和愉快的方式挣10或12美元，以支付额外的开销，我在房子附近2.5英亩的薄沙土地上种了些东西，主要是豆子，也种了一些土豆、玉米、豌豆和萝卜。整个地块包括11英亩，上面主要长的是松树和山核桃，上一个季节每英亩卖价是8美元8美分。一个农人说这地“没别的用，只能养吱吱叫的松鼠”。我没有在这块地上施肥，我不是主人，只不过是个合法的定居者，而且也不打算以后再种这么多的地，所以也没有一下子把地都锄了。犁地的时候我挖出了好几考得①的根茬，可以作燃料供我烧很长的时间，并且留下了小块圆形的富于腐殖质的原始的松软沃土，整个夏天上面的豆子长得特别茂盛，很容易分辨出来。我房子后面的枯木大多难以卖掉，还有湖上的漂流木为我提供了其余的燃料。我不得不雇一组马和一个工人来犁地，尽管掌犁的是我自己。第一季我的农场的支出是14.725美元，用在农具、种子、工钱等上面。玉米种是别人送给我的。这本来也不值多少钱，除非你

① 考得，木材的小材层积单位，一般为128立方英尺，约为3.6246立方米。

种得太多。我收获了 12 蒲式耳[①]豆子，18 蒲式耳土豆，还有一些豌豆和甜玉米。黄玉米和萝卜种晚了，没有什么收成。农场的全部收入是：

| | |
|---|---|
| | 23.44 美元 |
| 扣去支出 | 14.725 |
| 结余 | 8.715 美元 |

除了我消费掉的和当时还在手头的农产品，估计为 4.50 美元，——手上的钱足以抵偿我没有种的那点草的价值。通盘考虑起来，也就是说，考虑到人的灵魂的重要性和当今的情况，尽管我的试验所用时间很短，不，甚至部分就因为试验时间的短暂，我相信这个结果比康科德任何一个农民那年的收获都要好。

第二年我收入更好了，我用铁锹平整了需要耕种的所有土地，大约有三分之一英亩；我一点也没有被那大量著名的农业著作吓倒，其中包括亚瑟·扬[②]的作品，从前两年的经验中我体会到，如果一个人过俭朴的生活，只吃自己种的东西，自己吃不了的不种，不用它来交换总难满足的大量更为奢侈更为昂贵的东西，他就只需要耕种几平方杆[③]的土地就够了，这点地用铁锹平整比用牛来耕要便宜，不时换块新地来种要比给老地施肥便宜，所有必需做的农活，他只消在夏季有空的时候不费劲就可以做了；这样他就不会像现在这样，

① 蒲式耳，计量单位，1 蒲式耳等于 35.328 升。

② 亚瑟·扬（1741—1820），农业、政治、经济等方面的英国著述家。

③ 面积单位，1 平方杆等于 30.25 平方码。

被耕牛或马匹或奶牛或猪束缚住了。作为一个对当今的经济和社会措施的成败不感兴趣的人，我希望在这一点上能够公正地说话。我比康科德的任何别的农人都更为独立，因为我不是固定在一所房子或一座农场上，而是能够按照自己不老实的、时刻变化的意向行事。我的日子过得已经比他们好了，此外，如果我的房子被烧，或者颗粒无收，我也会过得几乎和以前一样好。

我常常会想，与其说人在看守牛群，不如说牛群在看守人，牛群比人要自由得多。人和牛交换了工作；但是，如果我们只考虑必需的工作，就会觉得牛具有更大的优势，它们的牛场要大多了。人做交换得来的一部分工作，要一连 6 个星期割晒干草，这可不是儿戏。当然，没有一个在各方面生活都很俭朴的国家，也就是说，没有一个哲人的国度，会犯下使用动物的劳动这样的大错。确实，过去从来没有过，也不会很快就出现一个哲人的国度，我也不能肯定，有这样一个国度是件好事。然而，我永远不会去驯马或牛，弄来让它为我干活，免得自己仅仅成了个马夫或放牛人；如果这样做似乎使社会获益，我们能够肯定，一个人的得就不会是另一个人的失，马倌和他的主人就有同样的理由感到满足吗？姑且说，没有牲畜的帮助，有些公共工程不可能建设起来，那就让人类和牛马一起分享这方面的荣誉吧；难道因此可以得出结论，若是没有牲畜，人就不可能完成更配得上他的工作了？当人类在牲畜的帮助下不仅开始去做不必要的或精美的工作，而且是奢侈的无意义的工作的时候，就会有一些人不可避免地要干和牛交换后的所有工作，或者，换句话说，变成了最强者的奴隶。这样，人不仅为内心的畜牲干活，而且作为一种体现，他还要为外界的畜牲干活。虽然我们有许多砖石结构的坚固房屋，农民的财富依旧是用他的畜棚在多大程度上超过他的房子来衡量的。据说在这一带，我们这个城镇拥有最大的牛舍和马厩，在公用建筑上也毫不落后；但是，在本县，供人们自由敬神自由发言的厅堂却非常少。国家为什么不通过它们抽象思维的力量，而要以它们的建筑物来纪念自己呢？一部《福音之歌》[①] 要比东方所有的废墟都值得赞美得多！高塔和庙宇是王孙公子们的奢侈品。纯朴独立的头脑不会听命于任何王公而去辛苦劳作。天才不是帝王的保留物，金银大理石也不是，除非只是极少的一点。请问，为什么要凿这么多石头？我在阿卡迪亚[②]的时候，并没有看到有人在凿石头。许多国家被疯狂的、通过留下大量凿好的石头使自己永垂不朽的野心所支配。如果在改进自己的举止风度上也花费同样的心血，将会怎样？一件明智之举会比高达月球的纪念碑更值得纪念。我更喜欢看到石头在它们原来的地方。底比斯[③]的豪华是一种庸俗的豪华。有一百座城门的底比斯远离了生活的真正目标，因此反不如围着一个老实人的田地的一平方杆石墙合乎情理。野蛮人和异教徒的宗教及文明建造了辉煌的庙宇，但是你称之为基督教的并没有这样做。一个国家凿的石头大多只是用来修建了坟墓。它活活埋葬了自己。至于金字塔，令人惊讶的不是金字塔本身，而是这样一个事实：

---

① 《福音之歌》是印度教经典《摩诃婆罗多》的一部分，以对话形式阐明印度教教义。

② 古希腊的一个地区，象征以田园牧歌式纯朴生活为特征的世外桃源。

③ 古埃及新王国时代的首都，跨尼罗河中游两岸。

竟然有这么多的人使自己屈辱到用整个一生为某个野心勃勃的笨蛋建造一座坟墓，如果将此人在尼罗河里淹死了，尸体再拿去喂狗，倒是要聪明和高尚得多。我也许还能够为他们、也为这个家伙制造些借口，但是我没有那个时间。至于建造者的宗教信仰和对艺术的热爱，这在全世界都差不多，不论建造的是一所埃及的神庙，还是美国银行大楼。总是代价大于所得。主要的动力是虚荣，辅助的是对大蒜、面包和黄油的热爱。巴尔科姆先生，一位很有前途的年轻建筑师，在维特鲁威[①]之后用硬铅笔和直尺画了一张设计图，交给了多布森父子采石公司。在开始30个世纪的蔑视之时，人类却开始仰视它。说到高塔和纪念碑式的建筑，在这个城镇里曾经有一个疯狂的家伙，试图把地挖穿通到中国去，据他说，他挖得深到能够听见中国的锅和水壶的碰撞声了；但是我想我不会特地去赞赏他挖的那个洞。许多人很关心西方和东方建造的纪念碑式的建筑，——想知道是谁修建了它们。而我却想知道，在那个时代，谁没有修建它们，——谁不屑于这样的无聊小事。不过，还是继续我的统计吧。

在测量、做木工活的同时，我还在村子里打各种零工，因为我的手艺和我的手指一样多，挣了13.34美元。8个月的伙食的支出，即从7月4日到来年3月1日算账的这段时间，虽然我在那里生活了两年多，——不算我自己种的土豆、少量的甜玉米和一些豌豆，也没有计算最后一天手上还有的东西的价值，合计是：

---

① 维特鲁威，公元前1世纪古罗马建筑师，所著《建筑十书》在文艺复兴时期、巴罗克及新古典主义时期成为古典建筑的典范。

| | | | |
|---|---|---|---|
| 大米 | 1.735 美元 | | |
| 糖浆 | 1.73 | 最便宜的一种 | |
| 黑麦粉 | 1.0475 | | |
| 玉米粉 | 0.9975 | 比黑麦便宜 | |
| 猪肉 | 0.22 | 比玉米粉贵而且费事 | 都是试验，全部失败 |
| 面粉 | 0.88 | | |
| 糖 | 0.80 | | |
| 猪油 | 0.65 | | |
| 苹果 | 0.25 | | |
| 苹果干 | 0.22 | | |
| 甘薯 | 0.10 | | |
| 一只南瓜 | 0.60 | | |
| 一只西瓜 | 0.20 | | |
| 盐 | 0.30 | | |

是的，我确实总共吃掉了 8.74 美元；但是，如果我不知道多数读者和我一样罪过，白纸黑字地公布出来不会比我的情况更好，我是不会把我的罪过这样毫不脸红地公之于众的。第二年，我有时能抓到一些鱼做晚餐，有一次竟然还杀了一只糟蹋了我的豆子地的旱獭，——如鞑靼人所说，造成了它的灵魂转世，——并且把它吃了，部分是出于试验；尽管有点麝香气味，它还是给了我短暂的享受，不过我也看到，即使村里卖肉的人给你把旱獭加工处理好了，长期享用也并不是好的做法。

在同一时期内，衣服和一些杂费开支总共是 8.4075 美元，虽然从中很难看出具体的开销；

油和一些家用器皿 2.00 美元

除了大多不是在家里做的洗衣和缝补——还没有收到账单——之外，所有的金钱支出都在这里了，下面是在世界的这个部分所有需要花费的钱，或许还有超过了需要花费的钱在内：

| | |
|---|---|
| 房屋 | 28.125 美元 |
| 农场一年的开支 | 14.725 |
| 8 个月的伙食 | 8.74 |
| 8 个月的衣服等 | 8.4075 |
| 8 个月的油等 | 2.00 |
| 总计 | 61.9975 美元 |

现在我是对读者中需要谋生的人说话。为了支付这笔开销，我卖掉了农场的产品：

| | |
|---|---|
| 农产品 | 23.44 美元 |
| 打零工所得 | 13.34 |
| 共计 | 36.78 美元 |

从支出中减去此数，差额是 25.2175 美元，这是一个方面——这几乎是我开始时的资金，是预计需要发生的费用，——另一方面，除了我因此而得到的闲暇、独立和健康之外，我还获得了一所舒适

的房子，想住多久就可以住多久。

这些统计数字，无论看上去带有怎样的偶然性，因而似乎没有什么启发意义，但由于它们具有某种完整性，因此也就有了一定的价值。我的开支全都记了账。从上述各项中可以看出，仅仅食物一项，一个星期就要花去27美分。在后来将近两年的时间里，我的食物是黑麦和不发酵的玉米粉、土豆、大米、很少的一点咸猪肉、糖浆、盐，还有饮用水。对于像我这样热爱印度哲学的人，主要以大米为主食是再恰当不过的了。为了应对一些顽固的爱挑剔的人的异议，我不妨说明，如果我偶尔在外面吃饭——以前我总是这样做，相信以后也会有机会这样做的——它经常会不利于我的家用安排。但是，正如我所说，正因为在外面吃饭是个不变因素，因此丝毫也不会影响我上述这种比较说明。

我从自己两年的经验中知道，即使在这个纬度上，获得必需的食物也容易得令人难以相信；人可以和动物一样吃简单的食物，而仍然能够保持健康和体力。我从自己的玉米地里采集了马齿苋（Portulaca oleracea)，用水煮后加些盐，做成了一顿吃得很是满意的午餐，在好几点上都令人满意。我附上了马齿苋的拉丁文名字，因为它的俗名不起眼，但味道却极好。请问，一个理智的人，在和平时代，在一般的中午，有足够的煮熟的甜玉米棒子，外加一点盐，他还想要什么呢？就连我的食物的那点变化也是服从于胃口的要求，而不是健康的要求。但是人类竟然到了这样的境地，他们经常挨饿，不是因为缺少必需品，而是因为缺少奢侈品；我认识一个善良的女人，她认为自己的儿子丢了命是因为只喝水。

读者会发现，我是从经济学的而不是饮食学的角度来对待这个问题的，除非他有储藏丰富的食物，否则是不会贸然把我的简单有节制的饮食方案付诸试验的。

最初我用纯玉米粉和盐做面包，真正的锄头玉米饼[①]，我把饼放在木瓦板上，或盖房子时从木料上锯下的木片上，在户外的火上烘烤；但是它很容易被熏黑，还有股松木味。我也试过用面粉做面包；但是最后发现，用黑麦和玉米粉混合起来做最方便好吃。天气冷的时候，一连烘烤好几个这样的小面包是很有意思的事情，小心翼翼地照料和翻动它们，和埃及人照料他的孵化中的鸡蛋一样。我烤熟的面包是真正的谷类果实，对我的感官来说有一种和别的上等美果一样的芳香，我用布包着它们，以便尽可能长久地保留这芳香。我研究了做面包这古老而不可或缺的艺术，请教了能够找得到的权威的典籍，一直追溯到原始时代和最初发明的未经发酵的面包，人类从吃干果和生肉的野蛮时代，第一次进入了吃这种食物的温文尔雅的境界，随着我研究的逐渐深入，通过据认为面团偶然发酸而教给了人们的发酵过程，通过后来的各种发酵措施，直至我读到了“美好的、香甜的、有益于健康的面包”，这个生命的支柱。一些人认为酵母是面包的灵魂，是填塞面包的蜂窝组织的灵魂，像女灶神维斯泰的火种一样被虔诚地保存下来，——我想，由五月花号[②]船带过来的几瓶珍贵的酵母解决了美洲大陆的问题，其影响至今仍在这片土

---

① 锄头玉米饼，因最先将饼置于锄头上入炉烘烤而得名。

② 1620 年英国清教徒去北美殖民地时所乘的船的名字。

地上随着谷类作物的波涛上升，膨胀，传播，——我定期地、忠实地到村子里去取这发酵的引子，直到最后在一个早上，我忘记了规则，把酵母给烫坏了；这个事故使我发现，就连酵母也不是不可或缺的，——因为我的发现不是通过综合而是通过分析的过程得来的，——从那之后，我就高高兴兴地省去了酵母，虽然大多数主妇都认真地对我断言说，不经过发酵的面包是不安全的，不会对健康有益，上年纪的人还预言说我的生命力很快会衰退。然而我发现酵母并不是一个必不可少的成分，我一年没有用酵母，仍活在人世间；我很高兴避免了在口袋里放一满瓶酵母这样的琐碎事情，何况瓶子有时候还会砰地一声炸裂，里面的东西令我十分尴尬地撒了出来。省去这东西要简单和体面一些。人是一种比任何别的动物都更能够适应各种气候和环境的动物。我也没有往面包里放苏打或别的酸碱类东西。我似乎是根据公元前两个世纪马库斯·波休斯·加图[1]的烹饪法在做面包。“Panem depsticium sic facito. Manus mortariumque bene lavato. Farinam in mortarium indito, aquæ paulatim addito, subigitoque pulchre. Ubi bene subegeris, defingito, coquitoque sub testu.”[2]我对这段话的理解是——“这样来揉面做面包：好好把手和揉面槽洗干净；把粗粉放进揉面槽，逐渐加水，彻底揉好；面团揉好后，做成想要的形状，盖上盖子烘烤。”也就是说，放在烘烤锅里。没有一个字是关于发酵的。不过我并没有总是享用这生命的支柱。有一段时期，

① 加图（前234—前149），古罗马政治家，作家，著有《史源》、《农书》等。
② 加图，《农书》74页。

由于囊空如洗，我有一个多月没有见过面包。

每一个新英格兰人都能够很容易地在这片黑麦和玉米的土地上生产出自己的面包原料来，而不必依赖远方不断浮动的市场。但是我们远非俭朴和独立，以致在康科德，商店里很少出售新鲜甜美的玉米粉，而碎玉米粒和更粗的玉米粉几乎没有人吃了。农民大多把自己生产的谷物用来喂牛和养猪，以更高的代价从商店里购买对人的健康至少没有更大好处的面粉。我看见自己很容易地就能够生产出一两个蒲式耳的黑麦和玉米来，因为前者在最贫瘠的土地上也能生长，后者也并不需要最好的土地，用手推的磨把它们磨碎，没有米和猪肉也行；如果需要浓缩的糖，我在试验中发现能够用南瓜或甜菜做出非常好的糖浆来，而且我知道，我只要栽种上一些枫树，就能够更容易地得到糖浆了，而在枫树生长期间，除了已经提到过的之外，我还可以使用其他各种替代品，正如先辈们所唱的那样，“因为，”——

“我们可以用南瓜、欧洲萝卜和碎胡桃木
“酿制成酒甜润我们的嘴唇。”

最后再说盐，那食品杂货中最粗放的东西，为了得到盐，可以借机到海边去上一趟，或者如果我根本不用盐，也许就可以少喝些水。我没有听说印第安人专门为找盐操过心。

这样一来，就食物而言，我可以避免一切商品交易和以物易物，而我已经有了遮身的房子，剩下的就只有衣服和燃料的问题了。我现在身上穿的裤子是在一个农家织的，——感谢老天人类身上仍然保留着这么多的美德；因为我认为，从农夫堕落为技工，和从人堕落为农夫，同样都是巨大而难忘的堕落；——在一个新的地方，找燃料是件很累赘的事情。至于说栖息地，如果不允许我继续在政府的公地上居住，我可能会以卖给我耕种的土地同样的价格——即8美元8美分——购买一英亩土地。但是实际上，我认为我在这块土地上居住后使它升值了。

某些怀疑者有时问我这样的一些问题，如我是否认为可以仅仅靠素食活着；为了立刻从根本上说明问题，——因为信仰是根本——我已习惯于回答这样的问题了，我说我靠吃木板上的钉子也能活下去。如果他们不能理解这一点，我要说的话他们也就理解不了多少了。就我而言，我很乐于听到有人在进行这样的试验；像有个年轻人试着靠玉米棒上长的硬玉米粒生活了半个月，用牙齿进行所有的研磨。松鼠一族做了同样的试验，成功了。人类对这些试验感兴趣，虽然几个对此力不从心的老妇，或者拥有亡夫遗产中磨坊的三分之一的寡妇，会感到惊恐。

我的家具一部分是自己做的，其余的没花多少钱，我也没有记账，计有一张床，一张桌子，一张书桌，三把椅子，一面直径为三英寸的镜子，一把火钳和一个壁炉木柴支架，一把水壶，一只长柄平底煎锅，一只油炸锅，一把长柄勺，一只脸盆，两副刀叉，三个盘子，一个杯子，一把羹匙，一只油罐，一只糖浆罐，以及一盏日本式的漆灯。没有人会穷到需要坐在南瓜上。那是得过且过的做法。

在村子里的阁楼上有许多我最喜欢的椅子，只要去拿就行了。家具！感谢上帝，不用家具仓库的帮助，我能坐能站。看到他的家具装在一辆牲口拉的大车上往内地去，只有几只少得可怜的空箱子，暴露在光天化日和众目睽睽之下，除了哲学家，什么人能够不感到羞愧呢？这就是斯波尔丁①的家具。看到这样一车家具，我辨不出它究竟是属于一个所谓的富人的，还是一个穷人的；它的主人似乎总是穷困的。确实，这类东西你拥有得越多，你就越是贫穷。每一车东西看上去似乎都包括了12所棚屋里的一切；如果一所棚屋意味着贫穷，那么这就是12倍的贫穷。请问，我们为什么要搬家，不就是为了抛弃我们的家具，我们蜕下的皮壳，最终离开这个世界，到另一个备有新家具的地方，让这些老家具被烧掉吗？这就仿佛一个人把所有的捕兽夹子都拴在自己的腰带上，他无法在我们撒下了绳索的野地里经过而不拽动它们，——拽动他的兽夹。只有尾巴被夹住留在了捕兽夹里的狐狸是幸运的。麝鼠为了逃命，不惜咬断自己的第三条腿。怪不得人失去了自己的灵活性。多少次他处于绝境之中！“先生，恕我冒昧，你说的绝境是什么意思？”如果你是个具有异常的洞察力的人，无论在什么时候你遇到了一个人，都能够看到他后面拥有的一切，是的，还有他假装并不拥有的许多东西，甚至他的厨房设备以及他保存的舍不得烧掉的所有中看不中用的花哨东西，他好像是套在上面的牲口，尽可能勉力前行。我认为如果一个人穿过了一个节孔，或者通过了一个门道，而他的一车家具却过不去，

---

① 不知作者具体所指是谁。

这人就处在了绝境之中。当我听见某个时髦整洁、外表结实、似乎无牵无挂、一切安排妥帖的人谈到他的“家具”是否保了险的时候，我不由得对他怜悯起来。“可是我的家具怎么办?”那时，我的快乐的蝴蝶就缠在蜘蛛网上了。就连那些很长时间似乎都没有什么家具的人，如果你更仔细地询问一下，就会发现他们在别人的谷仓里也存着几件呢。今天的英国，在我的眼中就像一位带着大量的行李旅行的上了年纪的绅士，都是在长期的居家过日子中聚集起来的中看不中用的花哨东西，他没有勇气把它们烧掉；大箱子，小箱子，圆筒形纸板盒，包裹。至少扔掉前面的三件。现在，就是一个健康人也没有能力搬起床走路，所以我一定要劝告一个生病的人放下他的床开跑。当我遇到一个移民背着放有他全部家当的大包裹步履蹒跚地前行时，——看上去就像是从他的脖子后头长出来了一个巨大的瘤子，——我很可怜他，不是因为这就是他的一切，而是因为他需要背着这一切。如果我需要拽着我的兽夹，我会注意这是个很轻的夹子，不会夹住我的致命部位。但是也许最聪明的办法是永远不要把自己的爪子伸进去。

顺便说说，在窗帘上我不需要花钱，因为我没有要挡在外面的窥视者，窥视的只有太阳和月亮，而我又愿意让太阳和月亮往里面看。月亮不会让我的牛奶变酸，也不会让肉腐烂，太阳也不会伤害我的家具或使我的地毯褪色，如果有时候这个朋友太热情了，我发现躲在大自然提供的某种帘子后面，要比在居家中增加任何支出项目更为经济。有一次，一位女士曾主动要给我一块地席，但是我的房子里没有可以铺它的地方，我也没有时间在屋里屋外给它抖灰，我谢绝了，宁愿在门前的草地上擦脚。最好在坏事一开始的时候就防止它。

此后不久，我参加了一位教会执事动产的拍卖，因为他的一生没有白过——

> 人所作之恶，死后别人还记得。[1]

照例，一大部分都是从他父亲时候起即已积聚起来的中看不中用的花哨东西。剩下的东西里有一条干绦虫。在他的阁楼上和别的满是灰尘的旮旯里躺了近半个世纪后，这些东西没有被烧掉；此时，不仅没有一堆火把它们烧掉，或者作净化的销毁，反而拿来拍卖，或者说延续它们的生命。邻居们急切地聚集拢来看这些东西，买下了所有的一切，小心谨慎地搬到自己的阁楼上和满是灰尘的旮旯里，躺在那里直到料理他们的遗产的时候，那时它们又照此从新开始一遍。人一死，就一了百了了。

也许，我们模仿某些野蛮民族的习俗对我们会有好处，因为他们至少每年要做出一次蜕皮的假象；不论他们是否真正做得到，他们是有这种观念的。巴特拉姆[2]描述了莫克拉斯印第安人有庆祝“首批收获节”的风俗，如果我们也能这样庆祝不是很好吗？“当一个镇

---

① 莎士比亚历史剧《裘力斯·凯撒》第三幕第二场中安东尼在凯撒葬礼上的讲话。

② 巴特拉姆（1739—1823），美国博物学家，著有《南北卡罗来纳州旅行记》。

子庆祝这个节日的时候，”他写道，“人们已经为自己准备好了新衣服，新的锅碗瓢盆，以及其他家用器皿和家具，他们把所有穿旧了的衣服和其他讨厌的东西收拢在一起，彻底清理和打扫房子、广场和整个镇子里的污秽，把这些和剩余的谷物以及其他陈旧的食品堆放在一起，然后点火烧掉。他们吃药，然后禁食三天，此时，镇里的火全部熄灭了。在禁食期间，他们禁止对食欲及任何欲望的满足。然后宣布大赦，一切罪人可以重回镇子，——

“在第四天早晨，大祭师在公共广场上将干木头相互摩擦，擦出新的火种，镇里每一家都从这里取得纯洁的新火种。”

然后他们尽情享受新收获的玉米和水果，一连三天又唱歌又跳舞，“接下来的四天他们招待邻近镇子里来的朋友，和他们一起欢庆，这些朋友也已经以同样的方式净化自己，做好了准备。”

墨西哥人每52年也进行一次类似的净化活动，他们相信这该是世界结束的时候了。

我几乎没有听到过比这更真诚的圣礼了，也就是说，如词典的定义所说的圣礼，“内心和精神美德的外在可见表示”。我毫不怀疑，他们最初是在神灵的直接启示下这样做的，尽管他们的宗教经典没有记载这一启示。

在5年多的时间里，我就这样完全靠自己双手的劳动养活自己，我发现，一年中大约工作6周，就能够支付所有生活必需的开销。整个冬季以及夏季大多数时间，我都有闲暇用来读书。我曾一心一意地试过办学校，发现支出和收入相抵，有时支出还超过了收入，因为我不得不穿戴，训练，更不要说还得照着样子思考和判断了，再说，我还损失了时间。由于我教书不是为了同胞的好处，而仅仅是为了谋生，自然不会成功。我还试过做买卖；但是发现需要10年才能够发展起来，而那时我说不定即将成为魔鬼了。其实我倒是担心，到那个时候我的买卖会做得所谓的兴隆起来。以前当我考虑找个什么样的谋生之道时，因为顺从朋友的意愿而有过的一些可悲的经历仍然记忆犹新，迫使我动脑筋想办法，我常常认真地想靠采摘黑果为生；这件事我肯定能做，它的微薄的利润可能够我生活了，——因为我最大的本领是需求极少，——因此资金的需要也很少，娱乐排遣一般情绪的需要也很少，我这样愚蠢地想道。当我的熟人毫不犹豫地去经商或从事专业工作的时候，我琢磨采摘黑果这个职业和他们的职业最像了；整个夏天在山中四处漫游，采摘碰到的浆果，然后又毫不在意地把它们处理掉；就这样来放牧阿得墨托斯[①]的羊群。我还梦想自己可以采集野草，或者用运干草的车把常绿植物运给喜爱看到林木的村民，甚至运到城市里去。但是此后我明白了，商业将厄运带给它经营的一切；就算你经营的是来自上天的启示，也摆脱不了和商业有关的一切厄运。

由于我对某些事物的偏爱，尤其重视我的自由，由于我能够过艰苦的生活而获得成功，目前我还不想把自己的时间花费在挣得昂贵的地毯或其他漂亮的家具，或精美的厨房，或希腊式或哥特式的

① 希腊神话中的国王，希腊神话中的诗神阿波罗被驱逐出奥林匹斯山时，为阿得墨托斯放牧羊群。

房屋上。如果有什么人在获取这些东西的时候生活不受干扰，得到了之后又知道怎样使用它们，我就把这种追求拱手让给他们。有些人很“勤劳”，好像为劳动而爱劳动，或许因为劳动可以防止他们惹更大的祸；对于这些人，眼下我没有什么话要说。那些不知道有了比现在更多的空闲之后该怎么办的人，我的建议是加倍努力工作，——一直干到能够养活自己，取得了自由证书为止。就我自己而言，我发现打零工是最不受约束的行当了，特别是，一年只需要干30或40天就能养活自己。太阳下山，打工人的劳动就结束了，他便能够自由地致力于他所选择的、和他干的活无关的爱好；而他的雇主则月复一月地推测估算，一年到头没有个喘息的时候。

总之，信念和经验使我深信，在这个世界上，只要我们过简朴明智的生活，养活自己不是件苦事，而是个消遣；正如较为纯朴的民族从事的工作，对于崇尚人造物质的民族只是娱乐而已。人并不需要满头大汗才能养活自己，除非他比我容易出汗。

我认识的一个继承了几英亩土地的年轻人，他告诉我，如果他有足够的手段的话，他想过我这样生活。无论如何，我不愿任何人采取我的生活方式；因为，没有等到他学会之前我可能已经为自己找到了另外一种生活方式，除此之外，我希望在这个世界上有尽量多的不同的人；我希望每一个人都非常谨慎地找到并追随自己的生活方式，而不是他父亲的或母亲的或邻居的生活方式。年轻人可以盖房子，种地或航海，只要不妨碍他告诉我他想做的事情就好。我们的聪明仅在于目标的精确上，就像水手或逃奴眼睛紧盯着北极星一样；但是这已经足够指导我们一生的了。我们不一定能够在计算好的期间抵达我们的港口，但是我们会保持正确的航线。

无疑，这种情况如果对一个人适用，对一千个人也更是适用的，正如一幢大房子，按其大小的比例来说，并不比一所小房子更贵，因为一个屋顶就可以盖住几个房间，下面只要一个地窖，一道墙可以分隔开几个屋子。但是对我来说，我喜欢单独的住处。何况，通常来说，自己盖整个的房子，要比说服另外一个人，要他相信共用一堵墙的好处来得便宜；当你说服了他以后，要想使这道共用的墙省钱得多，墙就一定很薄，而结果那个人又不是个好邻居，还不保养好他的那一边的墙。通常，人们唯一可能进行的合作是极其局部的和表面的；而能够有的那一点点真正的合作却好像并不存在，因为那是一种听不见的和谐。如果一个人有自己的信念，无论在什么地方，他将以同样的信念与人合作；如果他没有信念，不论他和什么样的人交往，他都将和别人一样过自己的日子。最高和最低意义上的合作意味着一起谋生。最近，我听说有人建议，两个年轻人应该一起周游世界，一个没有钱，一路走一路做水手或犁地挣钱，另一个口袋里装着汇票。不难看出，他们不可能长久结伴或合作，因为其中之一根本就什么都不做。他们经历中的第一个有趣的危机就会使他们分手。尤其是，如我已经表示的，独自出行的人今天就可以出发；但是和另一个人一起旅行的人必须等到那人准备就绪，也许要等很长时间才能动身。

但是我听到有些同乡说，这想法很自私啊。我承认，到目前为止，我很少从事慈善事业。我出于责任感做出过一些牺牲，其中包括牺牲了慈善这一令人愉快的事情。有一些人用尽办法，想说服我承担起对城里某个贫困家庭的资助；如果我无事可做，——因为魔鬼专门给游手好闲的人找活干，——我可能会试一试这类消遣。但是，当我想到要这样做，使某些穷人过得和我一样舒服，视他们的天堂为己任，甚至已经主动向他们提了出来，他们却无一例外地、毫不犹豫地宁愿继续这样穷下去。当我的男女同乡以这样多的方式致力于为同胞做好事之时，我相信至少可以有一个人用不着这样做，而去做其他不那么人道的事业。做慈善和别的事情一样，需要天才。至于说做好事，这是人浮于事的职业中的一种。况且，我也还是试了一番的，尽管可能很奇怪，但我满意地看到这事不合我的本性。也许我不应该有意识地、故意地摒弃了社会要求我去做的、为的是拯救世界不遭毁灭的具体的善事；我相信在别的地方有着一种类似的、但无比坚定的力量正在保护着世界。但是我不会阻碍任何人去施展他的天才；我自己没有做，但对于全身心终身行善的人，我会说，坚持下去，哪怕全世界都称此为作恶，而他们很可能会这样说的。

我远不是说我的情况特殊；无疑许多读者会做出同样的辩护。在做事情方面，——我不能保证我的邻居会说好，——我毫不犹豫地说，我是个第一流的雇工；但是好在哪里要由我的雇主去发现。我做的任何“好事”，即常识中的好事，都必定是我主要事业之外的，而且大多数是无意中做的。人们很实际地说，就从你所在的地方开始，按你的本来面目开始，不要一心想成为更重要的人物，怀着预先的善意去做善事。如果我也按着这个格调说教的话，我会这样说，开始去做好人吧。仿佛太阳把他火焰的光辉燃烧到月亮或一颗六级亮度的星星以后就停了下来，然后像罗宾·古德费罗[①]一样行事，向每一所村屋的窗子里张望，引人发疯，使肉变质，使黑暗能够为人眼所见，而不是逐渐不停地增加他和煦的热度和恩惠，直到他明亮得没有哪个人能够直视他的脸，然后，也是同时，他在自己的轨道上绕着地球运转，给地球带来好处，或者说，如某种更为真正的哲学所发现的那样，世界围绕着他转，获得他给与的好处。当法厄同[②]想以他的恩惠来证明他的天神出身，仅仅驾了一天太阳车，就驶出了轨道，烧掉了天堂下层几个街区的房子，烧焦了地球表面，使每一条泉水干涸，造成了撒哈拉大沙漠，直到最后主神朱庇特[③]用一个霹雳把他一个倒栽葱地打到地球上，而太阳，由于为他的死感到悲伤，一年没有照耀。

没有任何气味比走了味的行善更难闻的了。那是人的、是神的腐尸气味。如果我确切地知道，有个人有意识地怀着为我做好事的目的往我家来，我一定会逃命，就像遇到非洲沙漠中叫做西蒙风的干热风要逃命一样，那风会在你嘴里、鼻子里、耳朵里和眼睛里灌满了沙子，直到你窒息，我怕自己会传染上他在我身上做的一些好事，——那上面的病毒会混在我的血液之中。不，——要是这样，

---

① “古德费罗”（Goodfellow）意思是“好人”，罗宾·古德费罗是传说中顽皮的小精灵，在莎士比亚的《仲夏夜之梦》中以普克的名字出现。

② 法厄同，希腊罗马神话中太阳神之子，驾其父的太阳车狂奔，险使整个世界着火焚烧，幸天神宙斯用雷将其击毙，使世界免遭此难。

③ 朱庇特，罗马神话中的主神，相当于希腊神话中的宙斯。

我宁可自然地遭到伤害。对我来说，一个人在我挨饿的时候给我吃的，或挨冻的时候使我温暖，或如果我掉进沟里把我拉出来，他不一定是好的人。我能够给你找到一只能够做这一切的纽芬兰狗。慈善不是在最广泛的意义上对你的同胞的爱。霍华德[1]无疑是一个别具特点的极其仁慈和杰出的人，也得到了回报；但是比较而言，如果他们的善举并不能在我们人生的最好阶段，在我们最值得帮助的时候帮助我们，一百个霍华德对我们又有什么用处呢？我从来没有听到过任何慈善会议，曾诚心诚意地提出对我，或像我这样的人做好事。

耶稣会的会士被印第安人弄得无计可施，这些印第安人在被绑在火刑柱上烧死时，还在向折磨他们的人建议一些新的折磨方法。他们超越了肉体的痛苦，因此有时就会超越传教士所能提供的任何慰藉；己所不欲、勿施于人的法则，对于那些本身不在乎会受到什么样的对待、以一种新方式爱他们的敌人、几乎完全宽恕他们的行为的人来说，是没有多少说服力的。

要确保你给穷人他们最需要的帮助，尽管是你的所作所为使他们远远落在了后面。如果你给他们钱，你们自己要和他们一起去花，而不要仅仅把钱一给了事。有时候我们会犯奇怪的错误。其实穷人并不是又冷又饿，而是肮脏邋遢，破衣烂衫，举止粗俗。其原因一部分是出于他的个人趣味，而不只是由于他的不幸。如果你给他钱，他说不定会拿来买更多的破衣烂衫。你往往会可怜在湖上切割冰块

① 霍华德（1726？—1790），英国监狱改革者。

的笨手笨脚的爱尔兰劳工，穿着这么破烂的衣服，而我身穿整洁而更时髦一些的衣服却在那里冻得发抖，直到在一个严寒的日子，一个掉进水里的工人到我家里来取暖，我看见他脱去了三条裤子，两双袜子，才露出了皮肤，虽然这些衣物确实又脏又破，他能够拒绝我要给他的额外的衣服，因为他有这么多里面的衣服。他正需要这样一次落水。于是我开始可怜起自己来，我看到，给我一件法兰绒衬衫，比给他一整家廉价衣店是个更大的善行。每一千个人砍罪恶的枝丫，只有一个人在砍罪恶之根，很可能在穷人身上花去了最多的时间和金钱的人，正是以自己的生活方式最努力地制造出了贫穷的人，他的努力是徒劳的。正是虔诚的奴隶主，把从奴隶身上收益的十分之一，用来换取其余的奴隶一个星期日的自由。有的人雇用穷人在他们的厨房里干活，以此表示对他们的仁慈。如果他们雇用自己在那里干活不是更仁慈一些吗？你吹嘘把十分之一的收入用在了慈善事业上；或许你该把那十分之九也用在上面就算完了。然而，社会追回的只是财产的十分之一。这是出于财产所有人的慷慨，还是由于主持正义的官员的失职？

慈善几乎是唯一获得人类充分赞赏的美德。不，对它的评价实在是高得太过分了；而正是我们的自私才造成了对它的过高评价。一个阳光明媚的日子，在康科德这里，有一位健壮的穷人向我夸赞一个同镇的人，因为，如他所说，他对穷人很好，他指的是他自己。人类的慈善的大叔大婶们比他们真正的精神父母受到更大的尊敬。有一次我听到一位牧师关于英国的讲演，这是一个有学问、有才智的人，在历数了英国的科学、文学和政治伟人如莎士比亚、培根、克伦威尔、弥尔顿、牛顿等人之后，还讲到了她的基督教英雄，仿佛是牧师的职业对他的要求似的，他把这些人提到了远高于上述人物的地位，称他们是伟人中的最伟大者。他们是佩恩①，霍华德，以及弗莱夫人②。人人都会感到这是一派胡言。后三人不是英国最优秀的男女；也许，只能说是她最好的慈善家。

我不会从慈善应得的赞扬中减去什么，而只是要求公道地对待所有以自己的工作和生活有益于人类的人。我重视的主要不是人的正直和善意，这可以说是他的枝叶。绿叶枯萎了的植物，我们用来做草药茶给病人喝，起的只不过是一个微不足道的作用，而且大多被江湖郎中所用。我需要的是人的花朵和果实；希望有芳香从他那里飘向我，给我们的交流增添成熟的风趣。他的善良不能是局部的、昙花一现的行为，而是持久不断的，大量充足的，他不需为此付出代价，而且是一种自己没有意识到的行为。这是一种掩盖了万恶的慈善。慈善家总是用回忆他自己已经丢开了的悲伤作为一种气氛将人类包围起来，并称之为同情。我们应该传播的是我们的勇气，而不是我们的绝望，我们的健康安适，而不是我们的疾病，并且要注意这病不会传染开去。从哪片南方平原传来了恸哭声？在哪个纬度上居住着我们应该给他们送去光明的异教徒？谁是我们要拯救的放纵而残忍的人？如果有什么使人病了，因此他无法履行职责了，甚至如果他肚子痛，——因为这正是值得同情之处，——慈善家立即

① 佩恩（1644—1718），基督教贵格会领袖，宾夕法尼亚殖民地的领主。

② 弗莱夫人（1780—1845），基督教贵格会友，监狱改革者。

开始着手改革世界。作为宇宙的缩影，他发现，这是一个真正的发现，而他是这个发现者，——世界一直在吃青苹果；事实上，在他看来，地球本身就是一只巨大的青苹果，想想人类的子孙在它尚未成熟时就有去啃吃它的危险，这是多么可怕；于是那激进的慈善使他直接就去找上了爱斯基摩人和巴塔哥尼亚人①，还包罗了人口众多的印度和中国的村庄；就这样，通过几年的慈善活动，有权有势的人物利用他来达到自己的目的，与此同时，他也治愈了自己的消化不良症，地球在它的一侧或双侧面颊上有了淡淡的红晕，仿佛它在开始成熟，生活失去了粗野，再一次温馨健康起来。我做梦也想不到有比我犯下的更大的滔天大罪。我从来没有见到过，而且永远也不会见到比我自己更坏的人了。

我相信，使改革者感到如此悲哀的，并不是他对不幸的同胞的同情，而是他自身的苦恼，尽管他是上帝最神圣的儿子。让这一切得到改正，让春天来到他面前，黎明在他床前升起，他会连道歉的话都不说，就抛弃他慷慨的伙伴。我不谴责嚼烟草，理由是我自己从来不嚼；嚼用烟草的人都必得付出代价，戒了的也一样；虽说我自己也尝过不少东西，是我该加以谴责的。如果有朝一日你上了歧途，干了任何慈善之举，不要让你的左手知道你的右手干了些什么，因为不值得知道。救起溺水者，系好你的鞋带。从从容容，开始做一些自由的劳动吧。

我们的举止在和圣贤交际过程中被败坏了。我们的赞美诗集回

---

① 生活在南美洲东南部巴塔哥尼亚高原上的民族。

响着对上帝悦耳的亵渎和永远的忍受。人们会说，就连先知和救世主们都宁愿抚慰人的恐惧而不愿加强人的希望。哪儿也没有记载下对赐予的生命的简朴的、由衷的满足，也没有对上帝的令人难忘的赞美。一切健康和成就都对我有益，无论看起来多么遥不可及；一切疾病和失败都使我悲伤对我有害，无论它可能对我或我对它有多么大的同情。如果我们确实想用真正的印第安式的、植物的、磁性的或自然的方式使人类得到恢复，让我们首先使自己像大自然一样简朴健康，驱散聚集在我们自己眉头的阴云，在我们的毛孔里注入一点活力。不要做济贫的助理，而要努力成为世界上一个杰出的人。

我在设拉子的德高望重的萨迪的《蔷薇园》[1] 中读到，“他们询问一个智者，在至高无上的神创造的许多著名的高大成荫的树之中，没有一棵可称作 azad，或自由树的，只有柏树例外，而柏树却不结果，这里面有什么奥秘吗？他回答说，每一棵树都有自己相应的果实和特定的季节，季节持续期间繁茂开花，时令不对则枯萎凋谢；柏树不受这两者的影响，永远繁茂，azads，或宗教独立者，就具有这个特性。——切勿一心只放在转瞬即逝的东西上；因为 Dijlah，或底格里斯河，在哈里发[2]的宗族绝灭后，仍将继续流过巴格达：如果你手头富足，就像椰枣树那样慷慨吧；但是如果你手头没有能够施舍的，就像柏树那样，做个 azad，或自由人吧。”

---

① 萨迪（约1184—1292），诗人，波斯古典文坛最伟大的人物之一。出生在设拉子，并在那里度过了后半生。《蔷薇园》主要为散文，穿插点缀着各式短诗。

② 哈里发，穆罕默德的继承人，中世纪政教合一的阿拉伯国家和奥斯曼帝国国家元首的称号。

## 补充诗篇①

## 贫困的虚荣

可怜的贫困家伙，你实在过于放肆，
竟然要求在苍穹之下拥有一席之地，
因为你那简陋的茅屋，或木桶，
只会培养一些使人懒惰或迂腐的品性，
在唾手可得的阳光下或荫凉的泉水旁，
处处有根茎和野菜；在那里你的右手，
从心灵上撕去了仁爱的激情，
而灿烂美丽的美德正是从激情的茎干上怒放出来的，
你使人性堕落，感觉麻木，
像戈尔戈那样将鲜活的人变成了顽石②。
我们并不需要你那迫使人节制的
单调乏味的社会，
或那不知欢乐或忧愁的
反常的愚蠢；也不需要你那被迫表现出的
虚伪的消极的坚毅，被拔高到了

① 选自英国17世纪查理一世时代的保王党诗人托马斯·卡鲁（1594？—1640？）的《不列颠的天空》。

② 希腊神话中三个蛇发女怪之一，人看见后立即化为顽石。

积极的坚毅之上。这低劣卑鄙的一伙，
将他们的位置固定在了平庸上，
成为你们卑贱的心灵；但是我们
只倡导这样的美德，容许超常、
勇敢和慷慨的行为，威严高贵，
明察秋毫的审慎，无限的宽宏，
以及那古人未曾留下名字而只有
典范的英雄美德，如赫拉克勒斯，
阿基里斯，忒修斯①。回到你那可憎的小屋里去吧；
当你看到新的文明的天空时，
尽力弄明白那些杰出人物是谁吧。

① 三者均为希腊神话中的英雄。

# 我生活的地方，我生活的目的

在我们生命的某个时期，我们通常会把每一个地方都看作是可以盖房子安家的处所。我就是这样把我住处周围方圆 12 英里之内的地方都考察过了。在我的想象中，我接连买下了所有的农场，因为所有的都得买下，我也知道它们的价格。我走遍每一个农场主的田地，尝尝他们的野苹果，和他讨论讨论农业耕作，在心里按他的价格买下农场，再以不论什么价格抵押给他；甚至把价格定得高一些，——买下一切，就是没有立契约，——把他的话当作了契约，因为我特别喜爱谈话，——我耕耘这片土地，相信在某种程度上也耕耘了他，在享受到了足够的乐趣后就离开了，由他一个人继续下去。这番经历使得朋友们把我当作某种房地产经纪人。不管把我搁在什么地方，都可以在那里生活，景色便相应地从我这里伸展出去。家宅无非就是一个所在而已——如果是个乡村的所在就更好了。我发现了不少地价似乎不会很快提高的建造房屋的地方，有的人可能觉得离村子太远了，但是在我的眼里是村子离它太远了。好吧，我说，我可以在那里生活；也确实在那里过了一个小时的冬夏生活；看到我如何能够让岁月流逝，与严冬搏斗，看着春天的到来。这个地区未来的居民，无论他们把房子造在哪里，都可以相信，有人已先于他们在这里生活过了。一个下午的时间就足够在这片土地上安排好果园，林地，和牧场的位置，并决定在门前应该留下哪些好看的栎树或松树，以及从什么地方看每一棵枯萎的树更好；然后我就不管了，或者休耕了，因为一个人能够放得下的东西越多，他就越是富有。

我的想象力把我带得如此之远，我甚至想到有几处农场拒绝了我，——而我所希望的正是被拒绝，——但是我从来没有因为实际拥有农场而吃苦头。我最接近于实际拥有农场的，是我买下了霍洛韦尔农场的那一次，而且已经开始选种、收集材料做运送种子用的手推车；但是在农场主给我地契之前，他的妻子——每个男人都有这样一个妻子——改主意了，想保留农场，于是他提出付给我 10 美元解约。说实话，我在世上的全部所有是 10 美分，要算清我是拥有 10 美分的那个人，还是拥有一个农场，或 10 美元，或所有这一切的人，这超过了我的算术能力。不过我让他留下那 10 美元，以及他的农场，因为在这件事上我已经走得够远的了；或者说，我很慷慨，按付给他的原价把农场又卖给了他，而且，既然他不是个有钱的人，就把 10 美元作为礼物送给了他，我仍然保留我的 10 美分、种子和做手推车的材料。我发现，就这样，我当了一回富人而又没有损伤到我的贫穷。但是我保留了那儿的景色，并且从此年年不用手推车就带走了那片景色的果实。至于风景，——

> 我是我眺望到的一切的君王，
> 我对它具有的权利无可争辩。①

我常常看到诗人在欣赏了农场上最宝贵的部分以后就离开了，而乖戾的农夫却以为他只不过得到了几个野苹果而已。咳，诗人已经把他的农场写在了诗中，而农场的主人许多年对此都一无所知，这是一道绝妙的无形的栅栏，它已经将农场完全围起，挤出了它的乳汁，脱脂后取得了全部的奶油，只把脱脂奶留给了农场主。

霍洛韦尔农场的真正吸引人之处，对我来说，是它与世隔离的位置，离村子约有两英里，最近的邻居在半英里之外，而且有一大片田地将它和公路隔开；它紧傍一条河，农场主说，河上的雾使田地在春天不会受到霜冻，虽说我对此并不在意；灰色的房屋和谷仓及其残破的状态，还有失修的栅栏，全都拉大了我和上一个居住在此的人之间的间隔；被兔子啃啮、树身空洞布满苔藓的苹果树显示出我会有什么样的邻居，尤其是我最早乘船沿河而上时对它的那段记忆，那时房屋掩映在浓密的枫树丛中，我听到从树丛中传出来的家狗的吠声。我急于想购买它，在业主还没有来得及把一些石块完全清理掉、砍倒空心的苹果树和挖掉在牧场上窜出来的幼小的白桦树之前，总之，在他能够做出进一步的改善之前买下。为了享受农

---

① 作者是库柏（1731—1800），英国诗人。

场的有利条件，我准备继续经营下去；就像阿特拉斯①用肩扛住天，——我从来没有听说他因此得到了什么补偿，——并且做所有的一切事情，没有任何别的动机和借口，只是为了付清账款，不受干扰地拥有这座农场；因为我一直知道，如果我能够听之任之，农场会给我所希望的最大的丰收。但是结果却是我上面说的那样。

那么，关于大规模的耕种（我一直种着一个园子），我唯一能说的就是我准备好了种子。许多人认为种子会随着时间改进。我不怀疑时间能够分辨出好坏来；当我最终要种植的时候，我想是不会太失望的。但是，仅有的、也是最后的一次，我要对同胞们说，只要可能，就过自由自在的、不受约束的生活。为献身一座农场而禁锢自己，或者禁锢在县监牢里，二者之间没有多大区别。

大加图的《农书》是我的“栽培者”，他在书中说，——我见到的唯一的译本把下面这段话翻得一团糟——“你想要买农场的时候，在脑子里好好琢磨琢磨，不要出于贪婪而去买；也不要为了怕麻烦而不去看它，不要觉得去转上一次就够了。如果农场好的话，你去得越勤，就越会喜欢它。”我想我不会出于贪婪而去买，而是在有生之年经常去转上一转，先深深地隐于其间，以便最终会使我得到更大的乐趣。

眼下的是我接下来的一个这类试验，我打算更详细地叙述一番；为了方便起见，把两年的经验合并成一年来写。如我已经说过的那

① 希腊神话中以肩顶天的巨人。

样，我不打算写一曲沮丧之歌，而是像一只黎明时的雄鸡，站立在鸡棚之上引颈高歌，哪怕只是为了唤醒我的邻人。

我开始在林中居住，也就是说，开始昼夜都在那里生活的那一天，恰好是1845年7月4日独立日，我的房子还不能过冬，只能挡挡雨，没有抹灰泥，也没有烟囱，墙是用风雨侵蚀、斑驳变色的粗糙的旧木板，缝隙很大，因此晚上很凉。笔直的砍削出来的白立柱，和新刨好的门和窗框使房子看上去洁净通风，特别是在早晨，木头浸透了露水，使我幻想中午时分会有甜甜的树汁从里面渗出来。在我的想象中，房子一整天都多多少少保留着这黎明时的特点，让我想起了头一年拜访过的在山上的一所房子。这是一所宽敞通风的没有抹灰泥的小屋，适于招待旅途上的神仙，女神也可以在那里拖曳着裙裾翩然行走。吹过我的屋子的风如同扫过山岭的风，带来断续的旋律，或许只是人间音乐中仙乐的片段。晨风不停地吹拂，创世的诗篇连续不断；但是却几乎没有耳朵听得到它。天国就是地球的外部，处处皆在。

此前我拥有过的唯一房子，如果不算一条船的话，就是一顶帐篷了，夏天出去远足时偶尔使用过，现在仍旧卷着放在阁楼上；但是那条船在几经转手后，已经消失在时间的长河之中了。有了这个更为牢固的遮身的屋子，我在世界上又进一步安顿了下来。覆盖在屋架外的材料虽然很单薄，却是我周围的某种晶体，并在造屋子的人身上产生了影响。它使人联想到一幅素描。我用不着走到户外去呼吸新鲜空气，因为屋子里的空气丝毫没有失去它的清新。说我坐在室内，不如说是坐在门的后面，即使是在多雨季节也是如此。《哈利凡萨》[①] 中说，“无鸟之住所犹如未经调味之肉。”我的住所却并非如此，因为我发现自己突然成了鸟儿的邻居；不是抓住一只鸟关起来，而是把自己关在了鸟儿附近的笼子里。我不仅离那些常常到花园和果园来的鸟更近了，而且离森林中那些更狂放、更令人激动的鸣禽也更近了，它们从来不、或者很少向村民鸣唱小夜曲，——如鸫科鸣禽，威尔逊鸫，猩红比蓝雀，原野雀鹀，三声夜莺，以及许多其他的鸟。

我的屋子坐落在一个小池塘的岸边，在康科德村南约一英里半，比村子略高出一些，处于那个镇子和林肯之间的一大片树林之中，往北 2 英里是我们唯一的一个著名的场所：康科德战场[②]；但是因为我在林中低处，我目力所见的最远的范围就是半英里以外的湖对岸，那儿和别的地方一样，覆盖着林木。第一个星期，每当我远眺湖面的时候，它给我的印象是一个高高在山坡上的湖，湖底远远高出其他湖的湖面，日出时分，我看到它脱去夜雾的衣衫，逐渐，这儿那儿显露出了轻柔的涟漪或如镜的湖面，而雾如幽灵般悄然从四处隐入林中，仿佛某种夜间的秘密宗教集会散会了一样。连挂在树上的露珠都似乎比在山坡上挂的时间长，直到白天更晚的时候才消失。

在八月小暴雨的间隙，这个小湖是我最宝贵的邻居，那时，风平浪静，但是天空中乌云密布，下午三点左右却宁静得和黄昏一样，鸫科鸣禽类的鸟在四周欢唱，隔岸都能听到。这样的湖在这个时候

① 印度史诗。

② 1775 年 4 月 19 日美国独立战争第一天作战的战场。

才最为平静；因为乌云，湖上的清澈空气只有薄薄的暗淡的一层，满布着光和倒影的水面本身就是一个下层天空，更加珍贵。近处的一个山顶上，树木新近被砍伐了，从那里越过小湖向南看去，有一片怡人的景色，穿过构成湖岸的小山之间巨大的山坳，两面山坡相对着倾斜下来，使人感到有一条小溪经过树木葱郁的山谷从那个方向流出来，但是其实并没有小溪。就那样，我穿越近处的青山，看到了远处地平线上染上了一层蓝色的更高的山脉。实际上，踮起脚尖，我能够看见西北方向更远处的山脉的更蓝的山峰，那是上天的铸币厂中铸造出来的纯蓝色硬币，我还能够看见村子的一角。但是换了其他的方向，即使在同样的地方，在树林的包围之中，我无法穿透或越过树木看见任何东西。在你的附近有一片水真不错，可以给大地以浮力，使其漂浮。就连最小的水井都有它的价值，其中之一是，当你向井里看去的时候，你看到地球不是连片的大陆而是孤立的岛屿。这和井水能够冷藏黄油具有同样的重要性。我从这个山顶越过小湖向萨德伯里草地看去，在洪水季节，我发现草地上升了，也许是蒸腾的山谷中形成的海市蜃楼的作用，像盆底的一枚硬币，小湖另一边的大地看上去像薄薄的一层硬壳，就连介于其间的这么一小片水都能使它成为孤岛，漂浮在那里，这使我想到，我居住其上的这块地方只不过是干地而已。

虽然从我的屋门口看出去，看到的范围很小，我却一点也不感到挤塞和局限。有足够的牧场供我的想象力驰骋。湖对岸耸起的长满矮栎木丛的高地伸向西部的大草原和鞑靼地方的干草原，为人类所有的游牧家庭提供了充足的空间。“世界上只有能够自由自在地享受广阔的地平线的人才是幸福的。”达莫达拉[1]在他的牧群需要新的更大的牧场时这样说道。

地点和时间都改变了，我住在更接近宇宙最吸引我的地区和历史上最吸引我的时代。我生活的地方和天文学家每晚观察的许多天体一样遥远。我们常常会想象，在宇宙体系中某个偏远和更为神圣的角落，在仙后座五亮星的后面，远离喧嚣和骚扰之处，有着罕见的令人愉快的地方。我发现我的屋子其实就位于宇宙的这样一个孤立僻静，但却永远清新、未被玷污的部分。如果值得努力到靠近昴星团或毕星团，金牛座或天鹰座的地方去定居的话，那么我真的已经在那些地方了，或者说，我抛在身后的生活离我和这些星座同样遥远，我以同样闪烁着的微光照向我最近的邻居，只有在月黑夜他才能够看得见。我居住的就是造物世界这样的一个部分；——

> 从前生活过一个牧羊人，
> 他的思想如
> 高山般崇高
> 他身边的羊群每小时都在那儿吃草。

如果他的羊群总是游荡到比他的思想更高的牧场去，我们会怎样看待牧羊人的生活呢？

每一个清晨都是一份快乐的邀请，要我过和大自然一样简朴的、

---

① 亦名克利须那，印度教三大神之一毗湿奴的第八代化身。

也可以说同样纯洁的生活。我和希腊人一样，是曙光女神奥罗拉的真诚的崇拜者。我很早起身，在小湖中沐浴；这是一项虔诚的仪式，是我做的最好的事情之一。据说在成汤王的浴盆上刻有这样的文字，“苟日新，日日新，又日新”。[①]这个道理我懂得。清晨带回了英雄时代。在曙光熹微的时分，当我门窗大开坐在屋子里的时候，一只蚊子在我的房间里做着看不见的也无法想象的旅行，发出的微弱的嗡嗡声打动了我，就像听到任何歌颂美名的号声一样。这是荷马的安魂曲；本身就是空中传播的《伊利亚特》和《奥德赛》，歌唱着自己的愤怒和漂泊。在它里面有着某种宇宙性的东西；只要不被禁止，就会永远张扬着世界永恒的活力和生生不息。清晨，一天中最难忘的时刻，是苏醒的时刻。那时，我们最没有困倦感；至少有一个小时的时间，我们身体的某个日夜沉睡的部分醒来了。如果我们不是被我们的创造力唤醒，而是被某个仆人机械地推醒的；如果唤醒我们的不是自己新获得的内心的力量和强烈愿望，并且还伴随着抑扬的仙乐和弥漫在空气中的沁香，而是工厂的铃声——如果醒来面对的不是一个比入睡时更为高尚的生活；那么这一天，如果还能够称作一天的话，是没有多少指望的。如果这样，黑夜也能结出果实，证明自己是有益的，并不比白天逊色。不相信每一天都有着一个尚未被他玷污的更早、更神圣的破晓时刻的人，是对生活已经绝望的人，踏上的是一条越来越往下、越来越黑暗的路。每一天，在感官生活中断了部分时间以后，人的灵魂，或者说他的官能，就会注入

---

① 《大学》，“汤之盘铭”。

新的活力，他的创造力再一次试图尽其所能创造高贵生活。一切值得记忆的事件，我认为，都是在清晨时刻和清晨的气氛中发生的。《吠陀经》[1] 说，“一切智慧与黎明同醒。”诗歌和艺术，以及人类最美好最值得记忆的行为，都始于这样的时刻。所有的诗人和英雄，都和门农[2]一样，是曙光女神奥罗拉的儿女，在日出时发出他们的乐声。对那些思想灵活和充满活力，和太阳同步前进的人，白天是永恒的清晨。时钟的指向和人们的态度及劳动都无关紧要。清晨是我清醒的时刻，黎明在我心中。道德自新就是抛弃睡眠的努力。人如果不是在瞌睡状态，为什么一天中会表现得这么糟呢？他们并不是不会算计的人嘛。如果他们不是昏昏欲睡，就会干出点什么来。千百万人清醒到可以从事体力劳动；但是一百万人中只有一个人清醒到可以从事有效的脑力劳动，一亿人中只有一个人能够拥有富有诗意的或神圣的生活。清醒就是有活力。我还从来没有遇到过一个非常清醒的人。如果遇到了，我又怎能问心无愧地直面他呢？

我们必须学会重新醒来并保持清醒，不是通过机械的方式，而是通过对黎明的无限期待，即使在最沉睡的时候它也不会抛弃我们。我所知道的最令人鼓舞的事情，就是人具有通过有意识的努力来提高他的生活的能力。画出一幅具体的画，或者雕刻出一尊塑像，因而做出几件美丽的东西来，这是很了不起的；但是能够塑造和画出

---

① 印度婆罗门教最古经典，共四部。

② 希腊神话中黎明女神奥罗拉之子，在特洛伊战争中被阿喀琉斯所杀。文中指的是在埃及底比斯门农神庙每在日出时发出的竖琴声。

我们透过它进行观察的氛围和媒介，那就更加值得称道了，这一点我们在精神上是能够做到的。能够影响生活的质量，这是艺术的最高境界。每一个人都有责任使自己的生活，哪怕是微小的细节，都值得在他最高尚最谨严的时刻进行审视。如果我们拒绝了，或者不如说用尽了我们得到的这点微不足道的知识，便会有神谕明确地告诉我们如何做到这一点。

我到林中居住，因为我希望生活得从容一些，只面对基本的生活事实，看看是否能够学到生活要教给我的东西，而不要等到死之将临时发现自己没有生活过。我不希望过不是生活的生活，活着是这样珍贵；也不希望过退隐的生活，除非必需如此。我想要深深地生活，吸取生活的全部精髓，过坚强的、斯巴达式[①]的生活，除去一切不是生活的东西，刈出大片地带，仔细修整，把生活逼入困境，降到最低的地位，如果证明生活是平庸的，那么就把它全部的、真正的平庸之处认识清楚，公之于众；而如果生活是崇高的，那就去亲身体会它，然后在我的下一次旅行时给以真切的记载。在我看来，多数人都奇怪地拿不准生活究竟是属于魔鬼的，还是属于上帝的，都多少有点轻率地得出结论，认为人生在世的主要目的是“赞美上帝，永享神恩”。

然而我们还是生活得很平庸，像蚂蚁一样；虽然神话告诉我们，

---

① 简朴刻苦，坚韧刚毅。

很久以前我们已经变成了人①；我们像俾格米矮人，和仙鹤战斗②；这是错上加错，打击加打击，我们最好的美德此刻成了多余的、本可避免的苦难。我们的生命消磨在了琐碎之中。一个老实人几乎不需要数到十个手指以上，在极端情况下，加上十个脚趾就可以了，其他的都放在一边就行了。简单，简单，再简单！我说，让你的事情只有两三件，而不是一百或一千件；不必数上一百万，数半打就行了，账就记在拇指指甲上。在文明世界这个波涛翻滚的海洋上，考虑到乌云、风暴、流沙和无数事件，人要靠准确的计算才能生存下来，才不会沉没海底，根本到达不了他的目的港，成功地做到这一点的人必定得是个伟大的计算家。简单化，再简单化。一天不必三顿饭，必要的话，一顿就行了；不必一百道菜，五道就行了；并且按比例把别的东西也减下来。我们的生活就像一个德意志联邦，由许多小邦国组成，边界永远不固定，就连一个德国人也无法告诉你某一时刻边界在那里。国家和它所谓的内部改进，附带说一句，都是外表和肤浅的东西，国家本身只不过是这样一个运作不便的、过于庞大的机构，里面塞满了家具，作茧自缚，毁在了奢侈和任意挥霍、缺乏计算及有价值的目标上，就像这个国家里的成百万户居民一样；对国家和对居民一样，唯一的有效措施就是厉行节约，过极为严格的、比斯巴达式还要简单的生活，以及提高生活的目的。现在生活是太放荡了。人们认为商业对国家是绝对必要的，出口冰

---

① 在希腊神话中，宙斯之子说服了宙斯，将蚂蚁变成了人。

② 《伊利亚特》中，特洛伊人被比作仙鹤，和俾格米矮人战斗。

块，通过电报交流，一小时行进 30 英里，毫不怀疑是否真需要如此；但是究竟我们应该活得像狒狒还是像人，还有点难以断定。如果我们不铺枕木，不锻造铁轨，不白天黑夜地干，而是将就着过日子使生活得到提高，那么谁来修建铁路呢？如果没有修建铁路，我们又怎么能够及时到达天堂呢？但是如果我们呆在家里，专心干自己的事情，谁又需要铁路呢？不是铁路承载我们，而是我们承载着铁路。你有没有想过，铺在铁路下面的那些枕木是什么？每一根都是一个人，一个爱尔兰人，或者是一个新英格兰人。铁轨就铺在他们身上，他们满身盖着沙土，车厢平稳地从他们身上驶过。我保证，他们都是沉睡着的。① 每隔几年会铺上一批新的枕木，火车在上面驶过；因此，如果有些人愉快地乘火车，别的人就会不幸地被碾压。当他们压过一个梦游者，一根在不该在的地方的枕木，并且弄醒了他，他们就会突然停下火车，大喊大叫，仿佛这是一个例外似的。我很高兴地得知，每五英里就需要有一帮人负责使枕木稳而平地卧在路基上，因为这是一个迹象，表明哪一天他们可能会重新站起来的。

为什么我们要生活得这么匆忙，这样浪费生命？我们决意要在还没有感到肚子饿的时候就忍饥挨饿。人们说，及时缝一针，省得缝九针，因此他们今天缝上一千针，省得明天缝九千针。至于说工作，我们没有任何有意义的工作。我们得了圣维特斯舞蹈病，根本

---

① 梭罗此处用的“sound sleepers”，一语双关，既是“结实的枕木”，又是“沉睡的人”。

无法保持脑袋静止不动。我只要拉了几下堂区教堂的钟绳，像是报火警那样，不等钟声响彻，我敢说康科德近郊的农场上几乎没有一个男人，尽管在早晨还一再借口说事情多得要命，也没有一个男孩或妇女，会不丢下手头的一切应钟声而来，主要不是为了从烈火下救出财产，而是，如果我们说实话的话，他们是为了来看火烧的场面的，因为它一定会烧下去的，要知道，火不是我们放的，——或者，他们是来看救火的，并且，如果合适的话，助上一臂之力；是的，哪怕着火的是堂区的教堂也一样。人们午饭后午觉睡了不到半小时，可是醒过来后抬头就问“有什么新闻？”仿佛世界上别的人都在为他站岗。有人指示每半个小时叫醒他一次，无疑也是为了同样的目的；然后，作为回报，他们讲自己梦见了什么。睡了一夜之后，新闻和早餐一样不可或缺。“请告诉我在这个星球上任何地方、发生在任何人身上的新鲜事情”，——然后他一边喝咖啡吃面包卷一边看新闻，读到今天早上一个人在瓦奇多河上被挖掉了眼睛；可是却连做梦都没有想到，他自己就生活在这个世界的巨大的深不可测的黑洞里，只有退化了的眼睛了。

就我而言，没有邮局也能过日子。我认为，通过邮局进行的重要交流是非常少的。严格地说，我一辈子——这话是几年前写下的——收到的信中，值得花费那份邮资的不超过一两封。便士邮政①一般说来是这样一个机构，你认真地为一个人付了那个便士，目的是得知他的思想，而得到的常常是玩笑话。我可以肯定地说，我从来

① 指旧时不论路程远近均收一便士邮资的邮政制度。

没有在报纸上读到过什么值得注意的新闻。如果我们读到有一个人被抢了，或被杀害了，或死于事故，或有所房子被烧了，或一条船失事了，或汽船爆炸了，或一条奶牛在西部铁路上给压死了，或把一条疯狗杀死了，或冬季出现了一大群蝗虫，——我们再也用不着读下去了。一条就足够了。如果你了解了原则，又为什么要在意它包罗万象的实例和运用呢？对一个哲学家来说，所有的被称作新闻的东西都是些闲言碎语，是些上了年纪的女人在一边喝茶，一边编辑和阅读它们。然而贪婪地追求这种闲言碎语的却大有人在。我听说，前几天有一大群人拥到一家报社，想听听最新的国际新闻，以至于报社的好几面大平板玻璃窗都被挤碎了，——我当真觉得，这种新闻，一个脑袋灵活的人在 12 个月或 12 年前就能足够准确地写出来了。比如说到西班牙，如果你知道怎样时不时地以恰当的比例插进像堂卡洛斯和公主，以及堂佩德罗，塞维利亚和格拉纳达这一类名字，——有的名字可能和我当年看报的时候不同了，——在没有别的娱乐新闻可写的时候，拿出斗牛来登一登，这就真切地告诉了我们西班牙的事务，或者它衰落的具体状况的概念，和报纸上这个标题之下的最简明最清晰的报道没什么不同；至于英国，从那个地方来的几乎是最后的一点有意义的新闻是 1649 年的革命；如果你已经知道了英国谷物平常年份产量的历史，你就再也不用去关注这件事了，除非你的推测的目的完全是出于想赚钱。如果要一个很少看报纸的人来判断的话，国外很少发生什么新鲜事情，连法国革命也不例外。

新闻算什么！了解永远不会过时的事情要重要得多！“蘧伯玉

(卫大夫）使人于孔子。孔子与之坐而问焉。曰：夫子何为？对曰：夫子欲寡其过而未能也。使者出。子曰：使乎，使乎。”① 牧师在农夫一周工作后的休息日里，不应该用又一种拖泥带水的布道去折磨这些昏昏欲睡的人的耳朵，——因为星期日是过得不怎么样的一周的恰当结尾，而不是新的一周的新鲜勇敢的开始，——而应该雷鸣般大吼一声，——“停下！停住！为什么看上去这么快，可实际上却慢得要命？”

欺骗和谬论被尊为最可靠的真理，而现实却成了虚构。如果人们持续稳定地只是观察现实，而不让自己受骗，生活和我们已知的事情比较起来，就会像个童话和《天方夜谭》里的故事。如果我们尊重的只是不可避免的和有权存在的事物，音乐和诗歌就会响彻街巷。当我们从容不迫和明智的时候，我们就会意识到，只有伟大和有价值的事物才具有永久和绝对的存在，——细小的恐惧和细小的欢乐只不过是现实的影子。认识到这一点总是令人兴奋，感到崇高。人们闭上眼睛，迟钝麻木，听任假象欺骗，才会处处建立并加强了他们日常生活中惯常的习俗，而这些是建立在纯粹幻想的基础上的。玩过家家的儿童比大人更清楚地看出它的真正规律和关系，而大人没有能够过有价值的生活，却觉得他们积累了经验，所以更聪明，其实积累的是失败。我在一本印度的书里读到，“有一个王子，从小就被赶出了故乡，被住在森林里的一个人收养，在那个环境下长大成人，他认为自己是生活于其中的原始民族的一员。他父亲的一个

① 见《论语》第十四篇《宪问》。

大臣发现了他，向他揭示了他的身世，他消除了对自己出身的误会，他才知道自己是个王子。”这位印度哲学家继续说道，“由于它所处的环境，灵魂弄错了自己的身份，直到某个神圣的导师向他揭示了真相，他才知道自己是梵[1]。”我感到，我们新英格兰的居民过着我们现在这样的卑微生活，是因为我们的目光穿不透事物的表面。我们认为表面现象就是本质了。如果有人步行穿过这个小镇，看见的只是现实的东西，那么你想想，“磨坊水坝”[2] 会在哪里？如果他向我们描述他在那里看到的现实，我们就不会从他的描述中认出这个地方来。看看礼拜堂，或县府大楼，或监狱，或商店，或住宅，然后说一说，在真正的端详下那东西究竟是什么，它们在你的叙述中就都会变得支离破碎。人们尊崇的是遥远的真理，在体制边缘的，在最远的星球背后的，在亚当之前和人类灭绝之后的真理。在永恒之中确实存在某种真实的崇高的东西。但是一切的时间、地点和场合都是此时和此刻。上帝本身的伟大存在于现在，不会随着时间的逝去而更加神圣。我们只有终身渗入并完全浸透在包围我们的现实之中，才能够领悟什么是崇高和高尚。宇宙不断地顺从地适应着我们的观念，无论我们行进得快还是慢，轨道已经为我们铺好。那就让我们把一生都用来领悟吧。诗人或艺术家还从来没有过这样美好和崇高的设计，但是至少他们后代中有人能够完成它。

让我们像大自然那样从容不迫地过上一天，而不要因落在路轨

---

① 梵，印度教三位主神中的创造之神。

② 康科德的商业中心，

上的坚果壳和蚊子翅膀而出了轨。让我们早早起身，轻轻地、平心静气地，吃不吃早餐都行；任凭人群来往，任凭钟声响起，小孩啼哭，——决心好好过上一天。我们为什么要屈服，要随波逐流呢？让我们不要在那处于子午线浅滩处的、称作午餐的可怕的激流和漩涡中翻船沉没。度过了这个险关，你就平安了，因为剩下的就是下坡路了。以毫不松懈的精神，以清晨的活力，像尤利西斯[①]那样把自己捆在桅杆上，眼睛望着另一个方向从它旁边航行而过。如果汽笛鸣叫，就让它辛苦地叫到嘶哑吧。如果响起钟声，我们为什么要跑？我们还要听听是什么音乐呢。让我们安顿下来，把脚向下伸，穿越观点、偏见、传统、欺骗和表象的泥沼，那覆盖地球的淤积层，穿越巴黎和伦敦，穿越纽约、波士顿和康科德，穿越政教，穿越诗歌和哲学和宗教，直到我们抵达坚硬的底部和稳固的岩石，可以称之为现实的地方，并且说，这就是了，没有错。然后，有了这个基础点[②]，你就可以在山洪、冰霜和火焰之下的一个地方，开始兴建一道墙或一个国家，或者牢固地立一根灯柱，也许是测量仪器，不是尼罗河水位测量标尺，而是现实测量仪，这样，未来的时代就可以知道，时不时积聚起的山洪般的假象和表象有多么深。如果你直立面对一个事实，就会看到在事实的两面都有太阳在闪着光，仿佛它是一把短弯刀，你会感受到它那可爱的刀锋将你从心脏和骨髓一分为

---

① 在希腊神话中，半人半鸟的女海妖塞壬，以美妙歌声诱惑过往海员，使驶近的船只触礁沉没。为了使自己不受诱惑，尤利西斯把自己拴在了桅杆上。

② “基础点”，原文为法语。

二，你会乐意地结束自己的人间生涯。不论是生还是死，我们渴望得到的只是真实。如果我们真的在死去，让我们听到我们的临终喉鸣，感觉到四肢变冷；如果我们活着，就让我们着手干自己的事情吧。

时间只不过是我钓鱼的小溪。我喝它的水；但是当我喝水的时候，我看到了细沙的溪底，发现它竟是多么浅啊。浅浅的溪水悄悄流逝，但永恒长存。我愿痛饮；在天空钓鱼，天底布满了卵石般的星星。我连一颗都数不出来。连字母表上的第一个字母都不认识。我一直都很遗憾，自己不像初生时那么聪明。智力是一把切肉刀，它分辨清楚后，从缝隙一路切下去，直切到事物的秘密所在。我不想让双手不必要地忙碌。我的头脑就是手和脚。我感到自己最优秀的官能都集中在那里。我的本能告诉我，我的头脑是挖掘的器官，正如有的动物用鼻子和前爪挖掘，我用头脑挖掘，穿山挖出一条路来。我认为蕴藏最丰富的矿脉就在这里附近；因此我根据占卜杖和腾起的薄雾作出判断；我将在这里开始挖矿。

# 读　书

人们在选择他们从事的事业时，如果考虑得更仔细一些，也许所有的人主要都会成为学者和观察家，因为无疑大家对二者的性质和命运都很感兴趣。在为我们自己或后代积累财富，成家，兴国，甚至获得名望等方面，我们都是终有一死的凡人；但是在对待真理时我们却是永世长存的，既不必担心变化，也不必担心意外。最古老的埃及或印度的哲学家从神像上撩起了面纱的一角；那颤抖着的袍子现在仍然撩起在那里，我凝视着和他当初看到的同样新鲜的天国的荣耀，因为那时如此大胆的正是在他身上的我，而现在重新回顾这一景象的，又是在我身上的他。那件袍子上没有积下任何灰尘；自从那神明被揭示以来，也没有任何岁月的流逝。我们真正改进的，或者可以改进的时间，既不是过去，也不是现在，也不是将来。

比起大学来，我的住所不仅更适于思考，而且也更适于严肃地读书；虽然我阅读的范围超过一般的流动图书馆的藏书，但我却比以往更加受到在全世界流通的那些书籍的影响，那些书的字句最初是写在树皮上的，现在只是有时被抄写在亚麻纸上。诗人米尔·卡马尔·乌丁·马斯特[1]说过，“坐在那里就可以驰骋于精神世界中，书籍给了我这个好处。一杯美酒就使人陶醉；我痛饮秘传教义的美酒时就感受到了这种乐趣。”整个夏天，我把荷马的《伊利亚特》放在案头，虽然我只是偶尔看上一看。一开始，有连续不断的体力活要干，因为得把房子盖完，同时豆子也得锄，使我不可能更多看书。但是想到将来可以这样看书，就给了我力量。在工作的间隙，我读了一两本肤浅的关于旅行的书籍，随后我感到很是羞愧，我问自己，我究竟是在什么地方生活。

学生可以读荷马或埃斯库罗斯[2]作品的希腊文原著，而不会有放荡或奢侈的危险，因为这意味着他会在某种程度上仿效其中的英雄，将早晨的时光奉献给作品的篇章。这些英雄的诗篇，即使是用我们的母语印刷出版，对于一个堕落的时代，其文字也是永远没有活力的；我们必须辛勤地探询每个字、每一行的意义，用我们拥有的智慧，勇气和气量，揣摩出比一般运用下更深的含义来。现代的廉价而多产的出版业，尽管出了那么多的译本，却没有能够使我们更接近古代的英雄作家。他们似乎依然那么孤独，印刷他们作品的文字依然那么离奇古怪。年轻的时候花上一些日子和宝贵的时间去学习一种古代的语言，哪怕只是一些单词，也是值得的，因为它们是从

---

① 18 世纪一位印度诗人。

② 埃斯库罗斯（前 525？—前 426），古希腊三大悲剧作家之一。

老百姓平凡的语言中提炼出来的，成了永恒的启发和激励。农夫记住并重复他听到的几个拉丁词语，也不是没有好处的。人们有的时候说起来，好像古典作品的研究最后会让位给更现代更实用的研究；但是有进取心的学者永远会研究古典文学，不论是用什么语言写的，也不论它们有多么古老。因为，古典作品不就是人类最崇高的思想的记录吗？他们是唯一不朽的神谕，为最现代的探询提供了答案，是特尔斐和多多那[①]永远不能提供的。我们不妨略去对大自然的研究，因为她太古老了。好好读书，也就是说，以真正的精神读真正的书，是一项崇高的活动，会比被它同时代的习俗所推崇的任何一项活动都更需要读者竭尽心力。读书需要的训练是运动员经受的那种训练，几乎要毕生向着这个目标不懈地努力。读书时要像写书时那样慎重和克制。甚至仅仅会说创作原书时使用的语言还是不够的，因为在口语和书面语、听到的语言和读到的语言之间存在着值得注意的区别。前者一般是稍纵即逝的，是一个声音，是语言，仅仅是一种方言，几乎是粗野的，我们也像野蛮人一样，于不知不觉之中从母亲那里学会了这口头语言。后者是前者的成熟和凝聚了经验的形式；如果前者是我们的母语，后者便是我们的父语，一种克制的、精粹的表达方式，意味深长，耳朵是听不出来的，我们必须重生，方能学会使用它。中世纪时只会说希腊和拉丁语的人群，由于出身的缘故，没有资格阅读用这两种语言创作的天才作品；因为这些作品不是用他们熟悉的希腊或拉丁语写的，而是用精粹的文学语言写

① 古希腊的两个神示所。

的。他们没有学会希腊和罗马的更为高贵的方言，因而用这种方言所写的书在他们眼里就是一堆废纸，他们看重的是低劣的和他们同时代的文学。但是，当欧洲的几个国家具有了自己的虽然原始但却独立的书面语言，足以应付他们新兴的文学需要的时候，对最早的学问的研究复苏了，学者们能够从久远的过去中识别出古代的珍宝。罗马和希腊的民众听不懂的，经历了岁月的推移，一些学者在阅读，现在仍然在阅读的也只有少数学者了。

无论我们多么赞赏演说家偶尔爆发出的流利的口才，但是，往往远处于稍纵即逝的口头语言的背后或高踞其上的，是最崇高的书面文字，就像布满繁星的苍穹隐在浮云的背后一样。星星就在那里，有能力的人都可以去研读它们。天文学家们在不断地发表对它们的看法，观察它们。它们不像我们日常谈话那样，是呼出的带水汽的气息。在论坛上称作口才的，在书斋里往往是修辞。演说家抓住瞬息时机所激发的灵感，对面前的人群讲演，对那些能够听得见他的人讲演；但是作家的时机是他更为稳定平和的生活，激发了演讲者灵感的事件和人群会使他分心，作家是对人类的智力和心灵讲话的，是对任何时代一切能够理解他的人讲话的。

难怪亚历山大①远征时要把《伊利亚特》放在一个宝盒里随身带着。文字是最珍贵的纪念物。比起任何别的艺术品来，它既和我们更为亲密，又更具普遍性。这是最接近于生活本身的艺术。它可

---

① 亚历山大（前356—前323），马其顿国王，先后征服希腊、埃及和波斯，建立亚历山大帝国。

以被翻译成各种文字，不仅被阅读，而且还从人类的嘴唇里轻声吐出；——不仅用画布或大理石来表现，而且还用生命本身不可或缺的东西雕塑出来。古人思想的符号成了今人的用语。在希腊文学的纪念碑上，如同在她的大理石雕刻物上那样，两千个夏季仅仅增添了一层更为成熟的秋色，因为它们把自己宁静神圣的氛围带到了所有的国土上，保护它们不受时间的侵蚀。书籍是世界珍贵的财富，是世世代代和一切国家最好的继承。最古老和最优秀的书籍自然而然地、合情合理地占据着每一所房子里的书架。它们没有自己的利益需要诉求，但是在它们给读者以启迪和激励的时候，读者的常识使他不会拒绝书籍。在任何一个社会中，书籍的作者都是天生的极富魅力的精英分子，对人类发挥着比帝王们更大的影响。当目不识丁的、也许还是鄙视一切的商人，通过魄力和勤奋挣得了垂涎已久的闲暇和衣食无忧的生活，进入了财富和时尚的圈子以后，最终不可避免地会转向那更高的然而却难以企及的知识和才赋的圈子，这时他才会意识到自己文化的残缺，以及他一切财富的空虚无用；于是他不遗余力地要使子女获得知识文化，他深刻地感到自己这方面的不足，从而证明了他的明智；就这样，他成了一个家族的缔造者。

那些没有学会用原文阅读古典作品的人，对于人类历史的知识必定是非常不完整的；因为，令人感到惊异的是，它们至今没有任何现代语言的文本，除非可以把我们的文明本身看作是这样一种文本。荷马的作品还从来没有过英文版，埃斯库罗斯的也没有，甚至连维吉尔的都没有，——这些作品优雅、缜密，几乎美若黎明；不论我们怎样评说后来的作家的才赋，在他们之中很少有人能比得上古代作家作品的精美优雅，以及他们毕生造就的英雄的文学业绩。只谈论着要忘记他们的人，是那些对他们从无了解的人。我们有了能够使我们专心阅读和欣赏他们的学问和才赋后，就会很快忘记那些人的。当我们称作古典文学的遗产，还有各国更为古老并更为经典但却更不为人所知的圣典积累得越来越多的时候，当收藏珍品的图书馆中放满了《吠陀本集》① 和《阿维斯陀古经》② 和《圣经》，放满了荷马和但丁和莎士比亚的作品，未来的世纪也将相继把它们的胜利纪念品陈列在世界论坛之上，这样的时代将一定是丰富多彩的。有了这样大量的作品，我们就能够有希望最终登上天堂。

伟大的诗人的作品还从来没有被人类读懂过，因为只有伟大的诗人才能够读懂它们。人类读这些诗作就像大众观察星星一样，最多是占星术式的，而不是从天文学的角度来观察的。大多数人学会阅读是为了一些微不足道的方便，正如他们学会计算是为了记账，做买卖的时候不会受骗；但是阅读作为一种高尚的智力活动，他们只是略知一二，或者根本一无所知；然而，从高级意义上，只有这才是阅读，而不是那种像奢侈品一样使我们宁静，允许我们较为高尚的官能处于休眠状态的阅读；是我们必需踮起脚尖，将我们最机敏最清醒的时光贡献给它们的，才是阅读。

我认为，在识字以后，我们应该阅读最优秀的文学作品，而不是永远重复最基本的东西和单音节词，毕生停留在四五年级，坐在

---

① 印度婆罗门教最古经典。

② 波斯的琐罗亚斯德教圣书。

最低年级最靠前的座位上。[1] 多数人如果自己会阅读或听懂别人读就很满足了，也许他们被一本叫做《圣经》的好书中的智慧判定，余生应在所谓的简易作品中单调乏味地消磨他们的才能。在我们的流动图书馆里有一部叫做《小读物》的多卷本作品，我以为指的是一个我没有去过的叫这个名字的小镇[2]。有些人就像鸬鹚和鸵鸟，能够消化各种各样的东西，即便在饱餐了有肉有菜的一顿以后也是如此，因为他们不能容忍任何浪费。如果别人是提供这些食物的机器，他们就是阅读这些东西的机器。他们读了第九千个关于希布伦和塞弗隆尼亚的故事，他们如何相爱，亘古以来还没有别人这样相爱过，而他们真正的爱情之路并非一帆风顺，——总之是，他们的爱情如何发展，摔倒，爬起来，继续向前发展！一个不幸的可怜人怎样爬上了教堂的尖顶，而他最好连钟楼那么高都不要爬到；然后，既然已经毫无必要地把他弄到了那里，快活的小说家敲响了钟，让众人都聚集起来听，哎呀，天哪！他是如何又爬了下来的呀！至于我嘛，我想他们最好把天下小说王国里所有这样的具有雄心壮志的主人公都变成风标人，就像他们过去常常把主人公放在星座间一样，让他们在那里一直转到生锈，不要下来用他们的恶作剧作弄老实人。下次小说家再敲钟的时候，就算礼拜堂烧成平地，我也不会动一动身子的。“一部中世纪的传奇故事《踮脚跳号船的船长，著名的〈铁特

① 在只有一间大教室的学校里，最低年级的学生坐在教室的前面。

② 在英美两国，都有一个叫做 Reading（雷丁）的地方，而“小读物”英文是“Little Reading”，故梭罗出此语。

尔—托尔—谭〉的作者所著》[1]，按月连载；争相阅读；欲购从速。”他们圆睁着眼睛挺直身子怀着原始的好奇读着这一切，一副不知疲倦的肠胃，连内壁的皱褶都还用不着强化，就像一个四岁的坐在那里连桌子都还够不着的小孩，读着两美分一本的烫金封面的《灰姑娘》，——就我所看到的，他们在发音，重音，加强语气方面都没有任何进步，也没有获得吸取或运用其道德教育意义方面的本事。其结果是视力削弱，生机停滞，以及一切智力功能总体下降。在几乎每一只烤箱里，每天都在烤制着这样的姜汁面包，比烤制纯麦或黑麦加玉米粉的面包更加起劲，并且有着更可靠的市场。

甚至那些被称作是好读者的人，也没有读过最好的书。我们康科德的文化有什么价值？在这个城镇里，除了极少数的例外，人们对即使是英国文学中最好的或相当好的书也不感兴趣，虽然大家都能读能拼英文字，就连大学出身的和受过所谓开明教育的人，无论是在这里或别的地方，也对英国的经典作品极少或完全没有了解；至于说记载了人类智慧的书籍，那些古典作品和宗教经典，任何人想要了解它们是能够很容易得到这些书的，但是，不论何处，想去了解它们的努力微乎其微。我认识一个中年樵夫，他订了一份法文报纸，他说，不是为了读新闻，他已经不屑于此了，而是“使自己不断练习使用法语”，因为他父母是加拿大人；当我问他，他认为他在世界上能做的最好的事是什么，他说，除了法语之外，就是保持

---

① 根据《诺顿美国文学选集》的注释，梭罗可能是在讽刺美国小说家库珀（1789—1851）的《威西顿—威西的悲叹》。

和提高英语水平。大学出身的人一般在做的和想做的也无非如此，为此他们订阅一份英文报纸。刚刚读完也许是最好的一本英文书的人，他能够找到多少人和他进行交流？假设他刚读完一本希腊或拉丁语的古典作品的原著，对它的赞扬甚至连所谓的文盲也熟知；但是他却根本找不到一个可以谈谈这本书的人，只能保持沉默。实际上，在我们的大学里，几乎没有哪个教授能够在克服困难掌握了语言以后，同时相应地克服了一个希腊诗人风趣的语言和诗歌艺术所造成的困难，并且怀着同感将此传授给全神贯注的、无畏的读者；至于那些神圣的宗教经典，或者说人类的各种圣经，在这个城镇里谁能告诉我哪怕是它们的名字？多数人并不知道除了希伯来人之外，别的民族也有一部宗教经典。一个人，任何人，都会不怕麻烦地去拾起一枚一美元的银币；但是这里就有黄金般的文字，是古代的大智者留下的话，历代的智者都向我们证实了它们的价值；——然而我们只学到会读简易读物，初级读本和教科书，当我们离开学校以后，就读些“小读物”和故事书，这些是适合于少年和初学者的；我们的阅读、谈话和思想都处于一个非常低级的水平上，只配得上智力低下的人和侏儒。

我渴望结识比我们康科德的土地上产生的更为智慧的哲人，他们的名字在这里几乎不为人知。难道我应该听到了柏拉图的名字却永远不去读他的作品？就好像柏拉图是我镇上的同乡，而我从来没有见过他，——我的隔壁邻居，而我从来没有听见过他说话，或者留意过他言词中饱含着的智慧。但是实际情况是怎样的呢？他的包含了他不朽的思想的《对话录》就放在紧挨着的书架上，而我却从来没有读过。我们缺乏教养，粗俗卑下，目不识丁；我承认，在这方面，我根本不怎么去区分这两类文盲，一类是我的根本不识字的同乡，一类是只会读写给儿童和弱智者看的书的人。我们应该和古代的圣贤一样优秀，但是首先要知道他们有多么优秀。我们是一群矮子，我们智力翱翔所达之处只不过稍高于报纸的专栏而已。

并不是所有的书籍都和它们的读者一样愚钝乏味。很可能有针对我们状况的文字，如果我们能够真正听进去并且理解的话，也许会比清晨或春天更有益于我们的生活，并使我们看到事物的新的一面。有多少人因阅读一本书而开始了生活中的新时代。也许解释我们的奇迹并揭示新奇迹的书对我们来说是存在的。我们可能发现，眼前无法用言语表达的事物，已经在别的地方表达过了。纠缠、困扰和迷惑我们的问题，同样也曾在所有智者的身上出现过；无一例外；而他们每个人都根据自己的能力，用自己的语言和生活回答了这些问题。更何况，有了智慧，我们还能学到心胸开阔。康科德郊区农场上的一个孤独的雇工，获得了重生和奇特的宗教经历，相信自己受信仰驱使，进入沉默的庄严和孤傲状态，他可能认为书中的说法不对；但是琐罗亚斯德①在几千年前就走过了和雇工同样的道路，有着同样的经历；然而因为他的智慧，知道这带有普遍性，故而照此对待他的邻居，据说他甚至发明和创建了人类拜神活动。让雇工谦恭地和琐罗亚斯德交流吧，并且，在所有圣贤的自由化的影响下，让他和耶稣基督本人交流，并将“我们的教会”抛在一边吧。

---

① 琐罗亚斯德（前628？—前551？），古代波斯琐罗亚斯德教的创始人。

我们吹嘘说我们属于19世纪，我们的进步比任何别的国家都要迅速。但是想想看，这个村子为自身的文化作出的贡献是多么少啊。我不希望奉承我的同乡，也不希望他们奉承我，因为这使彼此都不能进步。我们需要刺激，——像牛一样被驱赶得跑起来。我们有着相对比较像样的公立中小学系统，但只是为小孩子开的；除了冬天有那半饥饿状态的讲学厅①，以及近来由州政府提出开始建立的简陋的图书馆之外，没有适合于我们自己的学校。我们花在几乎任何一种身体的营养品和治疗肉体的疾病方面的钱，比花在精神营养品上的钱要多。到了应该建立与众不同的学校的时候了，我们不应在开始成为成年男女后就不再接受教育。村庄就是大学，村里的老年居民是大学的研究生，有充分的闲暇——如果他们确实生活很宽裕的话——在余生从事文科的学习。难道世界应该永远只限于有一个巴黎或一个牛津吗？难道学生不能在这里寄宿，在康科德的天空下获得文科教育吗？难道我们不能请来某个阿贝拉尔②式的教师给我们讲课？唉！我们又是养牛，又是开店，脱离学校的时间太长了，可悲地忽视了自己的教育。在这个国家里，村庄在某些方面应该取代欧洲贵族的地位。它应该成为艺术品的资助者。它有足够的钱，所缺乏的只是度量和教养。它在农民和商人认为有价值的东西上很肯花钱，但是建议把钱花在有知识的人认为更有价值的东西上，就会被

① 邀请名人讲学的场所，梭罗曾多年负责组织在康科德讲学厅的系列报告，1844—1845年间因邀请废奴主义者温德尔·菲利普斯作报告而在康科德引起强烈争论。

② 阿贝拉尔（1079—1142），法国中世纪著名的哲学和神学教师。

看作是乌托邦式的空想。我们这个镇子在建造一座市政厅上花了一万七千美元，这要感谢财富和政治，但是也许在一百年之内它也不会在活生生的智慧上——放进那座外壳的真正的实质性东西——花这么多钱。那每年募集到的为冬季办讲学厅用的一百二十五美元，比镇子里募集到的任何别的同等数量的钱花得都要更有价值。如果我们生活在19世纪，为什么不应该享受19世纪提供的有利条件呢？为什么我们的生活在一切方面都是这么狭隘？如果我们要看报纸，为什么不跳过波士顿的说长道短的小报，直接订阅世界上最好的报纸？——不去吸收“中立派别”报纸的幼稚乏味的内容，或者浏览新英格兰这儿的“橄榄枝”。让所有学术团体的报告都到我们这里来，我们好看一看他们到底有没有知识。我们为什么要让哈珀兄弟出版公司和雷丁出版公司来为我们挑选读物？正如具有高雅情趣的贵族，在他周围汇集起有利于他的文化修养的一切——天才——学识——机智——书籍——绘画——雕塑——音乐——物理仪器，等等；让村镇也这样做吧，——不要仅仅因为我们清教徒的祖先曾依靠一个教师，一个牧师，一个教堂司事，一所教区图书馆和三个市镇管理委员会成员，在一块荒凉的岩石上挨过了一个严冬，我们也就止步于此了。集体行动是符合我们体制的精神的；我坚信，由于我们的环境更加繁荣，我们的财力比贵族更强大了。新英格兰能够把世界上所有的智者都请来向她提供教育，供给他们食宿，从而不再有外省的狭隘。这就是我们需要的与众不同的学校。让我们拥有高贵的村民，而不是贵族。如果必需的话，在河上少修一座桥，稍稍绕一点路，但是至少在包围我们的黑暗的无知的深渊上搭起一座拱桥来吧。

# 声　音

当我们局限在书籍之中，哪怕是最杰出最经典的书籍，当我们只读特定的书面文字，而它们本身只不过是方言和地方性的文字的时候，我们就有忘记那一种语言的危险，这正是一切事物都使用的、不用比喻表达的语言，而只有这种语言才是丰富的和标准的。发表的东西很多，印刷出来的很少。从百叶窗缝间涌入的光线，在百叶窗被完全去掉以后就不再被人记起了。任何方法或准则都代替不了永远保持警觉的必要性。能够看得见的东西就永远要去看，比起这条准则来，一门无论经过怎样精选的历史课，或哲学课，或诗歌，也无论什么最好的社会，最值得羡慕的生活规律，又算得了什么呢？你会仅仅做一个读者，一个学生，还是做一个先知？预卜你的命运，看看你面临着什么，再迈向未来。

第一个夏天我没有读书；我锄豆子地。不，不止于此。有的时候，我难以把眼前的美好时光牺牲在任何工作上，无论是脑力还是体力上的工作。我喜欢自己的生活有充分的余地。有的时候，在夏季的早上，和平时一样洗过了澡以后，我会在门口的阳光下从日出一直坐到中午，独自凝神遐想，四周是松树、山核桃树和漆树，一片静寂，而小鸟会在周围鸣唱，或悄无声息地掠过我的屋子，直到太阳照进我的西窗，或者从远处的公路上传来某个旅人的马车声，使我想起了时间的流逝。在那些季节里我成长起来，就像玉米在夜间生长那样。这比任何体力劳动都要有益得多。这并不是从我的生命中消耗掉了的时间，而是大大延长了我应有的生命。我明白东方人敛心沉思和脱离工作意味着什么了。通常我在意的不是时间是怎么过去的。白昼向前推移，仿佛是为了照亮我的某项工作；刚才是早晨，可是，看哪，现在是晚上了，我并没有做成什么值得纪念的事情。我没有像小鸟那样歌唱，而是默默地向自己连续不断的好运气微笑。正如麻雀在我门前的山核桃树上鸣叫，我也在暗自窃窃地笑着，或者压下自己的歌声，怕它会在我的窝外面听到。我的日子不是星期中的一天，没有任何异教神明的印记①，也没有被细分为小时，被钟的滴答声折磨；因为我像普里印第安人②那样生活，据说他们“昨天，今天和明天都是同一个词，他们往后指表示昨天，往前指表示明天，往头顶上指表示正过着的一天”。毫无疑问，对我的同乡来说，这简直是不折不扣的懒惰；但是如果小鸟和花儿以它们的

---

① 英语星期二、三、四、五来自北欧神话中神明的名字，星期六是以罗马农神 Saturn 命名。

② 普里印第安人生活在巴西。下面的引文出自艾达·普法伊弗的《一位女士周游世界》，1852 年出版。

标准来测验我，是不会发现我不合格的。确实，人应该从自身寻找自己的需要。自然的一天是非常平静的，不会责备他的懒散。

比起那些不得不到外面去，到社交界和剧院去寻找消遣的人来，我的生活方式至少有这个好处，即我的生活本身成了我的消遣，而且永远都是新奇的。这是一场不会结束的多幕剧。如果我们真的总是根据我们学到的最新最好的方式去过日子，去制约我们的生活，我们就永远不会感到厌倦无聊。紧紧按照你的天赋行动，每一个小时就都能够为你展现出一个崭新的景象。家务活是种愉快的消遣。当我的地板脏了，我早早起身，把所有的家具搬到外面草地上，床和床架都堆在一起，往地板上洒水，再把湖里的白沙撒在上面，然后用扫帚把地板用力擦洗得又白又干净；到村民吃过早饭的时候，清晨的太阳已经将我的屋子晒到干得可以把东西搬进去了，而我几乎一直都在沉思冥想。看到我所有的家庭用具都放在露天草地上，像吉普赛人的物品堆，我那张三条腿的桌子立在松树和山核桃树之间，上面依然放着书、笔和墨水，是很令人愉快的。它们自己好像很高兴能够出来，似乎不愿意被搬回去。有的时候我都想在上面拉一个遮棚，自己也坐在那里。看到太阳照在这些东西上，听到风自由地吹拂着它们，是颇为值得的一件事；大多数熟悉的东西在户外看起来要比在室内有趣得多。一只小鸟落在旁边的树枝上，桌子下面生长着景天，黑刺莓藤缠绕在桌子腿上；到处落着松球、栗子的刺果和草莓叶。看上去这些形态似乎就是这样被转移到了我们的家具上，到桌子上、椅子上和床架上，——因为家具曾一度放置于它们之间。

我的屋子在一面山坡上，紧挨着那片比较大的树林，周围是油松和山核桃的新生林，离湖有六杆①的距离，有一条狭窄的小路通向湖边。在我的前院里长着草莓，黑刺莓，景天，金丝桃，一枝黄花草，灌木栎树，沙樱，乌饭树和落花生。五月末的时候，沙樱（学名 Cerasus pumila）精致的花朵点缀在小路两旁，围绕着短短的花梗开满了伞形的花簇，到了秋天，就挂满了大大的漂亮的樱桃，一圈圈垂下，就像四射的光芒。尽管很难吃，出于对大自然的敬意，我尝了尝它们。漆树（学名 Rhus glabra）在屋子四周长得非常茂盛，钻过我修的一道矮堤，第一季就长了五六英尺。它那热带的羽状阔叶令人愉快，虽说看起来很怪。晚春时分从似乎已经枯死的干枝上突然萌发出来的巨大的蓓蕾，像变魔术似的长成了直径一英寸的优美的绿色嫩枝；有的时候，我坐在窗前，这些嫩枝冒失地疯长，它们柔弱的关节不堪重负，我会听到一根鲜嫩的树枝突然折断，像把扇子一样落到地上，而此时连一丝风都没有，是它自身的重量使它折断的。八月，大量的浆果逐渐染上了丝绒般鲜亮的红色，它们开花的时候曾吸引了许多的野蜂，也是被自身的重量压得弯了下来，折断了柔嫩的枝子。

今天这个夏日的午后，当我坐在窗前时，鹰在我林中空地的上空盘旋；三三两两疾飞的野鸽斜穿过我的视线，或者不安地停落在我屋后白皮松的枝丫上，对空鸣叫起来；一只鱼鹰啄皱了平静如镜

---

① 一杆为 16.5 英尺。

的湖面，叼起了一条鱼儿；一只水貂从我门前的沼泽里偷偷溜出来，捉住了岸上的一只青蛙；芦苇莺飞来飞去，把莎草压弯了下去；一连半小时，我听到了隆隆的火车声，时而消失，时而又重新响起，像斑翅山鹑在扑动翅膀，把旅客从波士顿运送到乡间。我还不像那个男孩那样生活在离世人那么远的地方，我听说他被送到镇子东边一个农民那里，但是没有多久就逃回了家中，衣衫褴褛，非常想家。他从来没有见过这样沉闷偏僻的地方；那里的人都离开了；哎呀，你连个汽笛声都听不到！我很怀疑，现在马萨诸塞州是否还有这样的地方了——

> 事实上，我们的村庄已成了
> 一枝铁路飞箭的靶子，在我们
> 宁静的平原上令人抚慰的声音是——康科德。①

菲奇堡铁路在离我居住的地方以南大约一百杆处从湖边经过。通常我沿着它的堤道到村子里去，可以说，我是通过这条纽带和社会联系的。在铁路上往返的货运列车上的人像对一个老相识那样向我点头致意，他们常常经过我，显然把我当成了铁路的雇工；我正是一个雇工。我非常乐意在地球轨道的某处做一个轨道护路工。

机车的汽笛声一年四季穿透我的树林，听起来像在农家院子上空翱翔的鹰的尖叫声，通知我许多静不下来的城市商人来到镇子的

---

① 引自埃勒里·钱宁的诗《瓦尔登湖之春》。

圈子之内了，或者是一些爱冒险的乡村买卖人从另一个方向来了。当他们到达同一个范围时，就向对方发出让路的警告，有时候两个市镇都可以听到这种警告。给你们送食品杂货来了，乡村；给你们送口粮来了，老乡！没有哪个农民能够依靠农场自给自足到可以对他们说不。这里是给你们的买这些东西的代价，于是乡下人的汽笛也响了起来；像长长的攻城槌般的木材以每小时20英里的速度砸向城墙，还有足够的椅子，让住在城墙里面的所有的疲累和有沉重负担的人都能坐下。乡村以如此巨大和笨拙的礼节将一把椅子递给了城市。印第安人所有的长满黑果木林的山峦都被砍伐成了秃山，所有的长着越桔的牧草地都耧进了城市之内。棉花上去了，织好的棉布下来了；丝绸上去了，毛织品下来了；书上去了，但是写书的智者下来了。

当我遇到拖着一串车厢的火车头像行星般向前移动，——或者不如说像一颗彗星，因为既然其轨道看上去不像是个返回弧线，旁观者不知道以那样的速度，向着那样的方向，它是否会重返我们太阳系，——机车喷出的团团蒸汽像一面旗帜，形成金色和银色的圆圈在车后招展，就像我看见过的许多松软的云朵，在高高的天空上，在阳光下舒展开它的巨团，——仿佛这位旅行中的半人半神，这个吞云吐雾前进者，不久就会把日落的天空当作他列车的号衣；当我听见这铁马使山岭回响着他雷鸣般的喷气声，他的脚使大地震动，鼻孔喷出烟与火（我不知道他们会把什么样的双翼飞马或火龙放进新神话之中），似乎现在地球有了一个配得上居住在它上面的种族了。如果一切像外表看上去那样，人类就能使自然环境为他们的崇高目标服务！如果飘浮在机车上空的云团是开创英雄业绩时的汗水，或者和飘过农民田野上空的云团一样有益于人类，那么，自然环境和大自然本身就会欣然伴随人类去完成任务，做他们的护卫。

我看着早班车经过，心里怀着和观看日出同样的感情，日出也不见得比它更有规律。火车驶向波士顿之际，它喷出的长串烟雾长长地拖在后面，逐渐越升越高，升向天空，把太阳遮住了片刻，在我远处的田野上投下阴影，在这列天国的火车旁，那紧贴在地面上的区区小串车厢只不过是长矛上的倒钩而已。这个冬天的早晨，这匹铁马的马夫早早地就着山间的星光起身，给他的骏马喂食和上挽具。火也早早点燃，为它注入生命的热力，好让它启程。这件事开始得非常早，如果它也同样无害该有多好！如果雪积得很深，他们会给它扣上雪鞋，驾着一张巨大的铁犁从山上到海边开出一道沟来，火车像紧跟在后面的条播机，把所有焦躁不安的人们和流动的商品撒在乡间做种子。从早到晚，这匹火驹在乡间飞奔，停下来只是为了主人休息，半夜我被它的脚步声和不管不顾的喷气声吵醒，那是它在林中某个偏僻的峡谷里遇到了冰雪包围下的恶劣天气；只有到了晨星出现时才能回到马厩，得不到休息或睡觉就要再次出行。或许，在黄昏时分，我听到它在马厩里释放这一天多余的能量，好使它的神经松弛下来，肝脏和大脑也平息下来，能够铁定睡上几个小时的好觉。这个行当持久而不知疲倦，如果它也同样英勇和威严该有多好！

在远离城镇的人迹罕至的森林里，过去只有猎人在白天深入其中，而现在，在漆黑的夜里，灯火通明的客车飞驰而过，里面的人对此一无所知；火车一会儿停在城市或镇子里某个明亮的车站上，那里聚集着一群社交人士，过一会儿又停在了凄凉沼泽[1]，吓坏了猫头鹰和狐狸。火车的出发和到达现在成了村子里一天的重要事件。它们的来去是这样地规律、准确，这么远就能够听到它们的汽笛声，农民按它们来拨准自己的时钟，就这样，一个管理良好的机构校准了整个国家。发明了铁路以后，人们在遵守时间上不是有了进步吗？他们在火车站里的谈话和思考难道不是比在马车驿站更快了吗？火车站的氛围中有着某种令人振奋的东西。我对它造成的奇迹一直惊奇不已；我原来坚决地认为，我的一些邻居是永远不会乘坐这样快速的交通工具到波士顿去的，现在钟声一响就等在那里了。按"铁路作风"办事现在成了口头禅了；任何权力部门经常地、真诚地警告大家远离铁轨，这是值得听从的。在此种情况下，不能够停下来宣读取缔闹事法，也不能够朝乱民头顶上开枪。我们建造了一座命运女神，一个阿特罗波斯[2]，它是从不避让的。（让它做你机车的名字吧。）公告告诉人们，几点几分，这些弩箭会射向具体的罗盘点；然而它不干预任何人的事情，孩子们沿着另一条路去上学。有了它，我们生活得更稳定了。我们都受到这样的教育，可以做威廉·退尔的儿子[3]了。空气中充满了无形的弩箭。除了你自己的路，条条都是

---

① 实际上，真正的凄凉沼泽在弗吉尼亚州的东南部和北卡罗来纳州的东北部。

② 希腊神话中命运三女神之一，切断生命之线的女神。

③ 威廉·退尔是传说中瑞士反抗奥地利统治的英雄，他被迫用箭射放在儿子头顶上的一只苹果。儿子冷静地纹丝不动，退尔射中苹果。梭罗此处意思是能够冷静地面对危险。

命运安排之路。那么还是沿着你自己的路走吧。

对我来说，商业的可取之处是它的雄心和勇气。它不会紧握双手向主神朱庇特祈祷。我看到这些人每天多少都怀着勇气和满足经营着他们的生意，甚至比他们自己预料的干得还要多，也许比他们有意识地设想的干得还要好。打动我的与其说是在布埃纳维斯塔①前线坚持了半个小时的士兵的英勇行为，不如说是在铲雪机里过冬的人们的坚定乐观的勇气；他们不仅有着拿破仑认为最为难得的清晨三点钟战斗的勇气，而且他们的勇气不会早早歇息下来，只有在暴风雪歇息后，或者他们的铁驹的肌腱冻僵之后才会去歇息。在这个大风雪的早晨，风雪仍在肆虐，冻彻肌骨，我听到了从凝结的厚厚的汽雾层中传来了机车低沉的汽笛声，宣告列车的来到，虽然有新英格兰东北部暴风雪的阻碍，并没有耽搁多久，我看到了开铲雪机的人身上盖满了雪花和冰霜，头露出在推雪板上方，被推雪板推起的雪不仅把雏菊和田鼠洞压在下面，而且还把诸如内华达山脉上的石头也压在下面，那些在世界的表面占据一席之地的东西。

商业出乎意料地自信，平和，机警，进取，孜孜不倦。它的手段非常自然，而且比许多不现实的事业和感情用事的试验要自然得多，因此取得了突出的成功。当一列货车从我身旁隆隆开过的时候，我都感到振作，心胸开阔，我闻到了商品的气味，一直从长码头散发到香普兰湖②，使我想起了外国，珊瑚礁，印度洋，热带地区，以

---

① 1847 年美国和墨西哥战争中的一个战场。

② 长码头在波士顿，香普兰湖在纽约州和弗蒙特州交界处。

及广阔无垠的地球。一看到明年夏季会戴在多少浅黄色头发的新英格兰人的脑袋上的棕榈叶，马尼拉麻和椰子壳，破帆船，黄麻袋，废铁，锈铁钉，我就更觉得自己像个世界公民了。现在的这一满车破船帆比把它们做成了纸、印成书籍更易读懂也更有趣。谁能像这些帆的破裂之处那样，如此生动记下它们经受过的风暴的历史？它们是用不着改正的校样。缅因州森林里的木材正从这里经过，上一次涨水的时候没有能够运到海上去，但是因为有些已经运出去了或者劈开了，所以现在每千根涨了四美元；松木，云杉，雪松，——质量一等，二等，三等和四等，不久以前还是同样质量的树木，摇曳在熊、麋鹿和北美驯鹿的头顶上。接着驶过的是托马斯顿石灰，是头等货色，要运到遥远的山区去进行熟化。这些大包大包的各种颜色和料子的破布，是棉布和亚麻落到的最低下场，衣服的最后结局，——它们的式样和图案现在已经不再受到赞扬，除非在密尔沃基市，从各处，包括上流社会和穷人那里把这些漂亮的货色，英国的，法国的，或者美国的印花布，方格布，平纹细布，等等，收集拢来，变成一种颜色的或者仅有几种不同深浅色泽的纸张，无疑会在这些纸张上写下真实的生活故事，上层的、下层的，都是有事实根据的！这一节封闭的车厢有一股咸鱼的气味，一股强烈的新英格兰和商业气味，使我想起了大浅滩①和渔场。谁会没有看见过为这个世界腌制透了，什么也无法使它变质，使得锲而不舍的圣贤们都惭愧得脸红的咸鱼呢？你可以用它来扫街或铺路，劈柴，赶大车的车

① 指北美洲纽芬兰岛东南广阔的大西洋浅滩，为世界大渔场之一。

夫可以把自己和货物都躲在它后面避风雨遮太阳，——商人，正如康科德的一个商人曾经做过的那样，开张的时候在门旁挂条咸鱼当招牌，直到最后连他最老的主顾都说不清究竟那是动物、植物还是矿物，但是它依然纯净得像一片雪花，如果把它放进锅里煮，煮出来的就会是供星期六正餐吃的美味的干鳕鱼。接着是西班牙的皮革，牛的尾巴仍然保持着弯曲状态，以及当拥有这层皮的牛在西班牙本土的大草原上奔跑时向上翘起的角度，——典型的顽固，表明所有天生的劣癖几乎是不可救药的。我承认，从实际说来，当我知道了一个人的真正秉性以后，我并不指望在目前的生存状态下能使它变好或变坏。正如东方人所说，"一条狗尾巴可以加热，可以压，用绳子捆绑，在上面下了十二年的功夫以后，依然保持它的本来形状。"唯一能够根治像这些尾巴所表现出来的痼疾的，就是把它们做成胶，我相信这就是通常的做法，这样一来，它们就会固定不动，粘住了。这里是一大桶糖浆，也许是白兰地，是运送给佛蒙特州卡丁斯韦尔的约翰·史密斯先生的，他是青山地区的一个商人，为他伐木区附近的农民进口东西，现在也许正站在他的隔墙旁，想着上次到岸的一批货，会在价格上对他产生什么影响，此刻在对他的顾客说，他估计下一趟火车会运来一批上等货，这话在今天早上以前他已经对他们说过二十遍了。在《卡丁斯韦尔时报》上已经登出了广告。

在这些货物运往乡间时，其他货物运向城市。嗖嗖的飞驶声引起了我的注意，我从书本上抬起眼睛，看见了从遥远的北部山区砍伐下来的高大的松树，经过青山地区和康涅狄格州一路飞来，不到十分钟就箭一般地穿过了小镇，几乎没有别的眼睛看到它，"就将成为某个大旗舰的桅杆”。①

听呀！运牲畜的火车过来了，载着千百个山岭上的、羊圈里的、马厩和露天牛棚里的牲畜，以及带着放牧棍的赶牲畜的人和在羊群中的牧羊人，除了高山牧场之外，统统在此，像被九月的大风从山上吹下来的树叶，飞速地一掠而过。空气里充满了牛犊和羊儿的咩咩叫声，和牛群的推挤声，仿佛一个放牧着牛羊的山谷正从你身边经过。当前面系铃的老头羊晃动脖子上的铃铛的时候，大山就真的像公羊一样、小山也像羊羔一样，蹦跳起来。还有一车厢的赶牲畜的人也在其中，他们现在和他们赶的牲畜处于了同等地位，职业没有了，不过仍然紧抓住他们已经没有了用处的放牧棍，作为职务的象征。但是他们的狗，狗在哪儿呢？对它们来说简直是大溃退；他们不知所措；他们失去了嗅觉。我似乎听见它们在彼得伯罗山后吠叫，或在喘着气爬上青山的西坡②。牲畜死亡时它们不会在场。它们也没有了职业。现在它们的忠心和精明都不行了。它们将不光彩地偷偷溜回狗窝，也许回到野生状态，和狼及狐狸结成同盟。你的畜牧生活也飞速一掠而过，消失了。但是铃声响了，我必须离开铁轨，让火车通过；——

铁路于我何干？

① 引自弥尔顿（1608—1674）的《失乐园》，第一部，293—294行。

② 彼得伯罗山在新罕布什尔州的西南，青山从佛蒙特州伸入马萨诸塞州。

我从来不去看
哪里是它的终点站。
它填上了几处洼地，
为燕子筑了堤，
它使黄沙飞扬
黑刺莓生长。

但是我横穿铁路就像横穿林中的乡间马车道一样。我不会让火车的烟雾水汽和嗞嗞声弄瞎我的眼睛，弄聋我的耳朵。

现在火车既然已经驶过，躁动的世界也随之而去，湖里的鱼不再感觉到那隆隆震动，我比任何时候都更加孤单了。在漫长的下午其余的时间里，也许只有远处公路上隐隐的载客或运货马车辚辚的车轮声打断我的沉思。

有时候在星期日，顺风的时候我能够听到钟声，林肯的，阿克顿的，贝德福的，或者康科德的钟声，隐约，柔美，仿佛某种自然的旋律，值得传入到旷野之中。在远处森林的上空，钟声中糅进了某种嗡嗡的颤动，仿佛地平线处的松针是它拂动的竖琴的琴弦。一切声音在传到可能听到的最远处时都产生一个同样的效果，那就是宇宙竖琴的颤动声；仿佛远处的山脉，由于介于其间的大气的作用，被涂上了一抹天蓝色，看去极富情趣。这一次传到我这儿的是被空气过滤后的旋律，和森林中的每一片树叶每一根松针交流过的旋律，被大自然的力量接纳了的这部分声音，在经过调整后回荡在山谷之间。在某种程度上，这回声是种独特的声音，这正是它的魅力和迷人之处。它不仅仅重复了钟声中值得重复的，而且重复了部分林中之音；林中仙女所唱的也是这样平凡的歌词和曲调。

黄昏时分，森林尽头的地平线处传来遥远的牛叫声，甜美悦耳，起初我误认为是一些我有时听到的唱小夜曲的吟游歌手的声音，他们可能正漫游于山谷间；但是很快，声音拖长，我怀着愉快的失望，发现原来是牛发出的平凡而自然的乐声。当我说我清楚地感到那些年轻人的歌声很像牛发出的乐声，我没有讽刺的意思，只想表示对他们歌声的赞美，说到底，这两种声音都是天籁之音。

夏季的一部分时间里，晚班火车在七点半准时开过去以后，夜莺照例停留在我门旁的树桩上或屋子的横梁上，唱半个小时的晚祷曲。它们几乎准确得和时钟一样，每晚根据日落的具体时间，在五分钟之内开始歌唱。我有了一个熟悉它们生活习惯的难得机会。有时候我同时听到四五只夜莺在林中不同的地方鸣唱，偶尔声音先后会差上一个小节，它们离我近到不仅能够分辨出每一个音符之后的咯的一声，而且常常还能辨出那种独特的嗡嗡声，像苍蝇落在了蜘蛛网上，只不过相应地较响而已。有时候，一只夜莺会在林子里绕着我飞，离我只有几英尺，仿佛有绳子牵着似的，可能是我离它们的鸟蛋太近了吧。它们整夜时不时鸣唱一阵，在黎明前后再度歌喉婉转。

当其他的鸟儿沉默下来后，叫枭把旋律接了下去，发出古老的呜—噜—噜的叫声，就像哀号的妇女。它们凄凉的叫声确有本·琼森[①]的风格。智慧的夜半女巫！这不是诗人的那种嘟噎—嘟呼[②]的真诚生硬的呼喊，说正经的，那是最为肃穆的墓地哀歌，是自杀的恋人在地狱的树丛中回忆那神圣的爱情的痛苦和欢乐时的相互安慰。然而，我爱听它们的哀号，它们悲痛的呼应在林间颤动，有时使我想起音乐和鸣禽；仿佛这是音乐的阴郁和令人伤心的一面那渴望被唱出来的悔恨和叹息。它们是幽灵，是曾经有过人的外形，夜行于大地上，干着黑暗的勾当的堕落者的罪恶幽灵和忧郁的预兆，现在，他们在自己罪过和错误的现场，以哀号或挽歌来为自己赎罪。它们使我对我们共同居住的大自然的丰富多样和包容度有了一种全新的感觉。啊—啊—啊—啊要是我根本没有来到这个世界上—上—上！湖的这一边，一只鸟儿在叹息，它怀着绝望的焦躁盘旋着，在老栎树上找到了一个新的栖枝落了下来。这时——要是我根本没有来到这个世界上—上—上！从湖的另一边传来了另一只鸟的颤抖的、忠实的回应，甚至，从遥远的林肯森林也隐隐传来了回声——世界上—上—上。

一只叫枭也给我唱过小夜曲。在近处听，你可以想象这是大自然中最为忧郁的声音，仿佛她通过这声音，想把人类临终的呻吟定型在她的唱诗班的乐曲中，永远保留下来，——人类一点可怜的脆弱的遗迹，没有了希望，像动物般嚎叫，然而在进入黑暗的死亡之

---

① 本·琼森（1572—1637），英国剧作家，诗人，评论家。

② 表示猫头鹰的叫声。

谷前还带着人的抽泣声，因其中含有某种具有旋律的咯咯声而变得更为可怕，——在试图模仿它的时候，我发现自己用带“gl”字母的声音开始，表现了一切正常具有勇气的思想在坏死过程中已经达到了胶状霉变阶段。这使我想到了食尸鬼和白痴和疯子的嚎叫。但是现在，有一只鸟在远处的树林里回应了，距离使得声音分外好听，——呼 呼 呼 呼儿 呼；确实，无论在白天或是晚上、夏天还是冬天听到这声音，引起的大多是愉快的联想。

我为有猫头鹰感到欣喜。让它们为人类去像白痴和疯子般嚎叫吧。这是一个极其适合于沼泽和日光照射不进的阴暗的森林的声音，使人联想到人类尚未认识到的那部分广大而原始的大自然。它象征着人人皆有的全然朦胧的、未能满足的欲念。一整天，太阳一直照射在某个荒凉的沼泽的表面，那里耸立着的高大的云杉上苔藓满枝，小鹰在上空盘旋，山雀在常绿树中沙沙呢喃，山鹑和野兔隐伏在树下；但是现在更为阴沉相称的一天开始破晓了，不同的一批动物醒来，在那里表达着大自然的意义。

夜色稍深的时候，我听到了远处货车过桥时的隆隆声，——在夜里，这声音传得比几乎任何声音都要远，——狗叫声，有时远处牛栏里一条郁郁寡欢的母牛的哞叫声。与此同时，整个湖岸上响彻了蛙声，古时的酒鬼和纵酒欢闹者顽固的幽灵仍然不思悔改，仍然试图在它们的冥湖上唱上一曲轮唱，——希望瓦尔登的山林水泽的仙女们能够原谅我的这个比较，因为虽然湖里几乎没有芦苇，却有着青蛙，——它们一心要保持古时欢宴席上喧闹的规矩，尽管它们的声音已经变得沙哑，却仍一本正经，嘲弄着欢乐，而且葡萄酒也失去了味道，仅仅成了扩张它们腹部的酒精饮料，甜美的醉意未能驱散对过去的回忆，只是浸透它们，使它们胀满了水，大腹便便。那只青蛙头儿，下巴放在一片心形的叶子上，成了它流淌着口水的口颊下面的一块餐巾，在湖的北岸痛饮了一大口过去曾经蔑视的酒，将杯子往下面传递时，发出了特——尔——尔——尔——容克，特——尔——尔——尔——容 克，特——尔——尔——尔——容 克！的叫声。立刻，从远处某个小湾里同样的口令越过水面传了过来，那里的一只资历和肚围仅次于它的青蛙喝下了它的那份酒；当这一仪式绕湖岸一周以后，典礼官满意地发出了特——尔——尔——尔——容克！的叫声，每一只青蛙又依次重复这叫声，一直到那只膨胀最少，漏得最多，腹部最瘪的青蛙，不得有错；然后杯子又一圈圈地传递下去，直到太阳驱散了晨雾，只有青蛙头儿没有跳进湖中，而是在徒劳地不时大声地喊叫特尔容克，然后停下来等待回应。

我没有在我的林中空地上听见过雄鸡的报晓声，我觉得可能值得养一只小公鸡作为鸣禽，就为听它打鸣。这种曾经是野生的印第安雉鸡无疑是鸟类中最为出色的，如果可以使它们适应新环境，引进成功，而又不变成家禽的话，必定会很快变成我们林中最著名的声音，超过鹅叫的嘎嘎声和猫头鹰的叫声；再想象一下，当夫君们嘹亮的号角声停息之后，填补这个间隙的母鸡的咯咯声吧！难怪人要把这种鸣禽加到家禽之中，——更不用说鸡蛋和鸡腿了。冬天的早晨在群鸟生活栖居的林中漫步，倾听野生小公鸡在枝头啼鸣，清亮高亢，在几英里的大地上回荡，淹没了其他鸟儿的较低的声音，——想想吧！这将使国家警觉起来。谁还会不早起呢，而且一辈子会一天比一天起得更早，直到他变得无比健康、富足和明智？一切国家的诗人在歌颂他们本国的鸣禽之时，也歌颂这种外来鸣禽的啼声。一切气候都适于勇猛的雄鸡的生长。它甚至比土生土长的禽类还要本地化。它永远健康，声音洪亮，精神永远振奋。就连航行在大西洋和太平洋上的水手也被它的啼声唤醒；但是它高亢的叫声却从来没有将我从沉睡中唤醒过。我既不养狗、猫、牛、猪，也不养鸡，所以你可以说缺少家畜的声音；我这里没有搅乳器的声音，也没有纺车的声音，甚至没有水壶轻轻的呜呜声，茶壶的嗞嗞声，孩子的啼哭声来安慰我。一个老派的人在这种情况下会发疯或者无聊得死去的。我的墙里连老鼠都没有，都给饿跑了，或者说，从未被吸引进来过，——只有屋顶上和地板下有松鼠，横梁上有只夜莺，窗下有只蓝背樫鸟在尖叫，屋下有只野兔或旱獭，屋后一只叫枭或猫头鹰，湖里一群野鹅或叫声如笑的潜鸟，以及在夜里吠叫的狐狸。甚至连一只云雀和黄鹂，这些种植园常见的温和的小鸟，都没有来拜访过我的林中空地。院子里没有小公鸡的啼声和母鸡的咯咯声。根本没有院子！只有不受围栏约束的大自然一直伸展到窗下。一片小树林在窗外生长，漆树和黑刺莓藤钻进了地窖；壮实的北美油松因为缺少空间，挤擦着墙面板发出嘎吱嘎吱的响声，根则一直伸到屋子的下面。被暴风刮掉的不是天窗盖或百叶窗，——而是屋后一棵松树的树枝被刮断或连根拔起，成了燃料。在大雪中不是没有到前院大门去的路，——没有大门，——没有前院，——而是没有通往文明世界去的路！

# 孤　独

这是一个美好的黄昏，整个身体只有一种感觉，每一个毛孔都吸取着快乐。我奇异地在大自然中自由来往，已与大自然成为一体。当我只穿件衬衫沿着多石的湖岸漫步时，虽然天气很凉，阴沉有风，而且也没有看见什么特别吸引我的东西，但这自然环境却和我极为协调。牛蛙高叫着迎来了黑夜，荡漾的微风送来了对岸夜莺的歌声。我和摇曳的桤木及白杨叶间的感应，几乎使我激动得透不过气来；然而，和湖水一样，我的宁静只起了涟漪而没有波浪。晚风吹起的小浪和平静如镜的湖面一样，离风暴还很远。虽然现在天已经黑了，风仍旧在树林里呼啸，浪仍在拍岸，一些动物在用自己的鸣叫为其他动物催眠。安息从来都不可能是绝对的。最凶狠的野兽不会安息，而是在这个时候寻找猎物；狐狸、臭鼬、兔子在这时毫不害怕地在田野和林中四处走动。它们是大自然的更夫，——是和欢快活跃的白昼生活的联接的环节。

当我回到我的屋子里时，我发现已经来过了客人，并且留下了名片，要不是一束花，就是一个长春藤枝叶编织的花环，或者在一片胡桃树的黄叶或木片上用铅笔写的名字。很少来到林中的人把森林中的什么小东西顺手拿着把玩，然后有意无意地留了下来。有一个人把一根柳树嫩枝的皮剥去后编成了一个戒指，扔在了我的桌子上。我总是能够知道我不在的时候是不是有客人来过，不是嫩枝或青草弯了，就是他们留下的鞋印，一般也能从遗留的细微痕迹中猜到他们的性别、年龄或品性，比如掉在地上的一朵花，拔出来又扔掉的一把青草，甚至远远地扔在半英里以外铁路边上，或者是抽过雪茄或烟斗后的残留不散的气味。不仅如此，我常常能够从他抽的烟斗的气味上，得知在60杆以外的公路上有个旅人走过。

通常在我们周围有着足够的空间。我们的地平线从来也不是近在咫尺。茂密的森林不是就在门口，湖也不是，而是在什么地方总有一片林中空地，是我们熟悉的使用惯了的，被我们私占并以某种方式围了起来，从大自然那里收回的。为什么能有一片范围这样巨大的、人们遗弃的、好几平方英里的人迹罕至的森林，供我独处呢？最近的邻居离我一英里，除非到离我的房子半英里之外的小山顶上眺望，在别的地方是看不见任何房屋的。我的地平线被森林所包围，完全属于我自己；远远看去，一侧是贴近湖边的铁路，另一侧是围着林间道路的围栏。但是，总的说来，我居住的地方就像在大草原上那样杳无人迹。这儿是新英格兰，但要说是亚洲或非洲也差不多。我仿佛有自己的太阳、月亮和星星，以及一个只属于自己的小小世界。夜里，从来没有过客会经过我的屋子，或者敲我的门，简直就像我是世上唯一的人；除非是在春天，那时偶尔有人从村子里来钓鳕鱼，——他们显然在瓦尔登湖更多是按自己的性子钓鱼，无知地乱用鱼饵，——但是他们很快就退走了，通常鱼篓很轻，把“世界交给了黑暗，交给了我”，[1]而夜的黑色中心从未因人类与之为邻而被亵渎。我相信，人类总的来说对黑暗仍然心存一丝恐惧，虽然女巫已经都被吊死了，基督教和蜡烛也已经推广开了。

然而，有时我感觉到，可以在大自然的任何物体中找到最为甜蜜温柔、最为率真和令人鼓舞的伙伴，即使对可怜的遁世者和最忧郁的人也不例外。生活在大自然之中的人，只要感官仍然健全，就不可能极度忧郁。对于健康和纯真的耳朵，没有哪场风暴不是伊奥勒斯的风弦琴的乐声[2]。没有任何事物能够强使一个纯朴勇敢的人陷入庸俗的悲伤之中。在我享受四季的友谊的时候，我相信没有什么东西能够使生活成为我的负担。今天浇了我的豆子、使我出不了门的绵绵细雨一点也不令人感到沉闷，而且对我也很有好处。虽然雨使我不能去锄豆子，却比锄地对豆子更有意义。如果雨下的时间太长，使种子烂在地里，毁掉了低地里的马铃薯，对高地上的草却仍是有好处的，既然对草有好处，对我也就有好处。有时候，当我把自己和别人比较的时候，我感到自己似乎比他们更受到神明的青睐，超过了我应得的奖赏；仿佛他们手里有一张我的证明和保单，而别人是没有的，因而我得到了特别的指引和保护。我不是在奉承自己，

① 引自托马斯·格雷（1716—1771）的诗《写于乡间墓地的哀歌》。

② 伊奥勒斯的风弦琴，伊奥勒斯是希腊神话中的风神。

如果会有这种可能的话，倒是他们在奉承我。我从来没有感到过寂寞，也没有丝毫孤独感的压抑，但是，有一次，那是我来到林中几个星期以后，我曾有过一个小时的怀疑，不知宁静和健康的生活是否必需有人做近邻。不知独处是否是件不愉快的事情。但是我同时意识到自己的情绪有点失常，同时似乎预感到会恢复过来。在这些想法占上风的时候，绵绵细雨飘落下来，我突然感到和大自然为伴是这样甜蜜，受益无穷，就在雨点的啪嗒啪嗒声中，在我屋子周围的每一个声音和景象中，存在着无穷无尽的难以言表的友善，像一种氛围，支撑着我，使得想象中的有人做邻居的好处变得没有了意义，从那以后我就再也没有想到过他们。每一小根松针都会因充满同情而扩大膨胀，成为我的朋友。我是如此清晰地感觉到，即使在我们习惯于称作荒凉阴郁的地方，也存在着我的某种同类，而且和我血缘最近的、最具人性的并不是一个人或村民，我觉得再也没有任何地方会使我产生陌生感了。——

哀痛过早地销蚀了悲伤的人；
在生者的世界里时日已无多，
托斯卡的美丽的女儿啊。①

我最愉快的一些时光是春秋两季长时间的暴风雨期间，我上午

---

① 引自帕特里克·麦克格雷格所译的，传说中3世纪爱尔兰英雄和吟游诗人奥西恩（又译作莪相）的诗《克洛马》。

和下午都不得不呆在屋子里，风的咆哮和雨点的猛烈拍打安慰着我，这时，早临的暮色带来了漫长的黄昏，使许多思想有时间扎根、发展。在挟东北风倾泻而下的滂沱大雨中，村子里的房屋备受考验，女仆们拿着拖把和水桶站在大门口，阻止洪水进门，而我则坐在我小屋仅有的一个门的后面，尽情享受着它给予我的保护。在一场大雷阵雨中，闪电击中了湖对岸一棵高大的油松，从上到下刻出了一道非常明显的、均匀的螺旋形凹槽，深一英寸或稍多，宽四五英寸，就像你会在手杖上这样刻槽一样。前几天我走过这棵树，抬头看见那道刻痕时，敬畏之情油然而生，八年前，一道可怕的、无法抗拒的霹雳，从并无恶意的天空凭空而降，留下的痕迹如今更加清晰了。人们常常对我说，“我想你在那里会感到孤独的，会想离人们近一点，尤其是在下雨下雪的白天和夜里。”对这种话我很想回答说，——我们居住的整个地球只不过是太空中的一个小点。在那边的那颗星星上，你认为两个住得最远的居民之间离得有多远？那颗星的直径我们的仪器都测不出来。我为什么会感到孤独？难道我们的地球不在银河系吗？我感到，你提出的问题没有什么重要性。一个什么样的空间才会把一个人和别的人分隔开，使他感到孤独？我发现，两条腿的任何努力都不可能把两颗心带得更近。我们最希望住得靠近什么？肯定不会是靠近许多人的地方，车站，邮局，酒吧，礼拜堂，学校，食品杂货店，灯塔山①，或五点区②之类的人大量聚

① 波士顿市内的一个地区，州议会大厦在此。

② 五点区在纽约市下曼哈顿，以肮脏腐化闻名。

集之处，而是靠近我们的不息的生命源泉，我们从所有的经验中发现，生命力都来自于此；就像柳树站立在水边，它的根向水伸去。不同的天性之间会有不同，但是一个明智的人会把他的地窖挖在这样的地方。……一天晚上，我在瓦尔登路上赶上了一个同乡，这个人积聚了一笔所谓的“可观的财产”，——虽然我从来没有好好看清过它，他正赶着两头牛到市场去；他问我怎么能够想得出来，放弃掉生活中这样多的安乐。我回答说，我很肯定，我相当喜欢这种生活；我不是在开玩笑。就这样，我回家睡觉去了，留下他在黑暗和泥泞中小心翼翼地往布莱顿走，——或者说是往光明城[①]走，——他在明天上午的什么时候可以到达那儿。

对于死人，只要有苏醒过来或者复活的任何可能性，一切的时间和地点都无关紧要。可能发生这种事情的地方永远是同样的，都使我们的感官感到难以言表的愉快。但我们大多在意的只是表面的、短暂的事情。而事实上这些正是使我们注意力分散的原因。万物的核心是左右它们存在的那股力量。在我们身边，最崇高的规律在不断发挥作用。在我们身边的不是我们雇用的、爱与之聊天的工匠，而是创造了我们的造物主。

“鬼神之为德，其盛矣乎。”

“视之而弗见，听之而弗闻，体物而不可遗。”

“使天下之人，斋明盛服，以承祭祀，洋洋乎，如在其上，如在

---

① 英语中布莱顿（Brighton）和光明城（Bright—town）谐音。

其左右。”①

我们是试验的对象，我对此颇感兴趣。难道在此种情况下，我们就不能把我们这个爱说长道短的社会抛开一段时间，——用自己的思想激励自己？孔子说得对，“德不孤，必有邻。”②

有了思想，我们就可以在心智健全的情况下，放弃对自己感情的控制。通过头脑的有意识的努力，我们可以超越行为及其后果；一切事物，无论好坏，会像洪流从我们身旁流过。我们并不是完全沉醉在大自然之中。我可能是溪流中的漂木，也可能是从天上俯视着它的因陀罗③。我可能被一场戏剧表演感动；但另一方面，一个看上去和我更加相关的具体事件却可能打动不了我。我只知道自己是一个独立存在的个体的人；可以说是产生思想和感情的现场；我意识到自己具有某种双重性，因此我对自己可以像对别人一样超然。无论我的体验有多么强烈，我总能意识到自己的一个部分在旁评论我，好像那不是我的一个部分，而是一个旁观者，没有共同的体验，只是注意到了这件事；这不是你，同样也不是我。当人生之剧，可能是场悲剧，结束后，这个旁观者径自离去。就他这一重存在而言，这仅是某种虚构，是想象力的产物。这种双重性有时候很容易使我们当不了好邻居，交不了朋友。

我发现，大多数时间一个人独处是有益于身心健康的。和朋友

---

① 引自《中庸》。
② 引自《论语》。
③ 因陀罗，印度最古老的宗教文献及文学作品《吠陀》中的主神，司雷雨。

在一起，即便是最好的朋友，也会很快感到厌烦，消耗精力。我爱独处。我从来没有发现比独处更好的伙伴了。在多数情况下，我们外出，到人们中间去时，比呆在自己的屋子里更为孤独。思考或工作着的人总是孤寂的，不管他在什么地方，不要去打搅他吧。孤独不能以一个人和别人之间有多少英里的空间来衡量。在剑桥学院拥挤的场所中的一个真正勤奋的学生，和沙漠里的托钵僧同样孤独。农夫能够一整天独自在田间或林中锄地或伐木而并不感到孤独，因为他有事情做；但是当他夜里回到家中，他却不能独自坐在一个房间里，完全由脑子里的思想来支配，而必需到他能够“遇见大家”的地方，去娱乐消遣，想要补偿自己一天的孤独；因此他不明白学生怎么能够独自一整夜和大半天坐在屋子里而不感到无聊和“沮丧”；可是他没有意识到，学生虽然人在屋子里，却仍然在他自己的田野里工作，在他自己的树林里伐木，和农夫一样，到时候学生也要追求和后者同样的娱乐和社交，尽管可能以比较压缩的方式进行。

社交一般都太平庸了。我们频频见面，却没有时间相互获得什么新的益处。我们一天三顿饭的时候都见面，彼此重新品尝一下我们自己这块发霉的陈奶酪。我们不得不遵守一套规则，叫做礼节和礼貌，才能使这种经常的见面变得可以忍受，而不必发展成公开的冲突。我们在邮局、在社交聚会上碰头，每晚一起聚在壁炉周围；我们挤在一起生活，彼此碍事，相互牵扯，我认为，在这种情况下，我们会失去一些彼此间的尊重。无疑，少见几次面，也足够进行一切重要的、诚挚的交流了。想想在工厂里干活的女工们，——永远不能独处，连梦中也是如此。如果每平方英里只有一个居民，像我现在居住的地方这样，那就好了。人的价值不在皮肤中，并不需要接触才能知道。

我听说过有一个人在树林里迷了路，又饿又累，在一棵树下奄奄一息，由于身体虚弱，被病态的想象所包围，怪异的幻象减轻了他的孤独感，他以为这些幻象都是真的。同样的道理，由于身体和精神的健康和力量，我们也可能从类似的、但是更为正常更为自然的社会中得到不断的鼓舞，并逐渐认识到我们从来就不是孤独的。

我在自己的房子里有许多伙伴；特别是在早上没有人来串门的时候。让我打几个比方，也许能表现出我的一些处境。我并不比湖上发出响亮的像笑一样的声音的潜鸟更孤独，也不比瓦尔登湖本身更孤独。请问，那孤寂的湖有什么伴儿？但是在它那蔚蓝的湖水中并没有忧郁的蓝色魔鬼，只有蓝色的天使。太阳是孤单的，除非天气阴霾，有时会仿佛有两个太阳，但是其中之一是幻日。上帝是孤单的，——但是魔鬼却远不孤单；他结交许多伙伴，不胜枚举。我不比草原上唯一的一朵毛蕊花或蒲公英更孤单，也不比一片豆叶，一棵酢浆草，或一只马蝇或大黄蜂更孤单。我不比密尔溪，或风标，或北极星，或南风，或四月的阵雨，或一月的融雪，或新房子里的第一个蜘蛛更孤单。

在冬天漫长的晚上，当大雪纷飞、林中狂风呼啸的时候，偶尔会有位老开拓者和这里原先的主人来看望我，据说是他挖了瓦尔登湖，铺上石头，并沿湖种上了松林；他对我讲述过去和来世的故事；即使没有苹果或苹果酒，我们还是一起度过一个快乐的晚上，有交往时的欢笑，和对事物看法的愉快交流，——一个十分智慧和幽默的朋友，我很喜欢他，他对自己的情况比戈夫和惠利还要保密[①]；虽然人们认为他已经死了，却谁也不知道他埋在什么地方。还有一位老妇也住在我附近，大多数人都看不见她，我有时很爱在她芳香的百草园里漫步，采集药草，听她讲故事；因为她有着无与伦比的丰富的创造力，她的记忆追溯到比神话更为久远的过去，她能够告诉我每一个神话的起源，哪一个神话是以哪一件事实为基础的，因为事情发生在她年轻的时候。这是一位面色红润生气勃勃的老妇，喜爱一切气候和季节，很可能活得比她所有的子女都要长。[②]

大自然的难以言表的纯洁和恩泽，——太阳、风和雨，夏季和冬季，——永远赐予我们这样多的健康，这样多的欢乐！它们对人类怀着这样的同情，如果任何人因为正当的理由而悲伤，整个大自然都会被打动，太阳的光辉会暗淡，风会同情地叹息，云会洒下泪雨，树林会在仲夏落掉叶子穿上丧服。难道我不应和大地灵性相通吗？难道我自己本身不是绿叶和植物的土壤的一部分吗？

是什么药使我们保持健康、宁静和满足？不是我的或你的曾祖父的药，而是我们大自然曾祖母的万能的、植物性的草药，她依靠它使自己保持永远年轻，当年她活得比这么多的老帕尔[③]都要长久，以植物衰退了的脂肪让自己更健康。我的灵丹妙药不是江湖郎中的

---

① 戈夫和惠利为英国清教徒，支持将英王查理一世处死，后逃往北美康涅狄格和马萨诸塞隐居。

② 根据《诺顿美国文学选读》的注解，此处老开拓者象征某种神明；老妇象征大自然母亲。

③ 帕尔：据说一个名叫托马斯·帕尔的英国人活了152岁（1483—1635）。

用冥河和死海水混合成的、装在那些我们有时候看见的像黑色大篷车那样的又长又浅、专门用来运瓶子的货车里运来的小瓶药水，还是让我吸一口清晨纯净的空气吧。清晨的空气！如果人不在一天的源头吸进它，那么，我们为了那些失去了这个世界的清晨订购券的人的利益，必须把一些装在瓶子里，放在商店中出售。但是请记住，即使是在最冷的地窖里，也不能很好保存到中午，早在中午之前就会冲开瓶塞，跟着黎明女神奥罗拉的脚步往西而去。我并不是许革亚①的崇拜者，她是那位老草药医生埃斯科拉庇俄斯②的女儿，在纪念碑上她的形象是一手拿着一条蛇，另一只手握着一个杯子，那蛇时常喝杯里的水；我是赫伯③的崇拜者，她是朱庇特的执杯者，朱诺④和野莴苣的女儿，具有使神和人恢复青春活力的力量。她很可能是世界上唯一的彻底健全、健康和强壮的少女，不论她到哪里，哪里就是春天。

① 希腊神话中的健康女神。
② 罗马神话中的医神。
③ 赫伯，希腊神话中青春和春天女神，原为斟酒女神。
④ 朱诺，朱庇特之妻。

# 来　客

我认为，我和大多数人一样，喜欢交往，并且很乐意像条水蛭一样，一时把自己紧紧吸附在碰到的任何精力充沛的人身上。我天生不是个隐士，如果我有事情要到酒吧去，很可能最坚定的酒吧常客呆得也没有我久。

我家里有三张椅子；一张用以独坐，两张用以交友，三张用以社交。当客人来得出乎预料地多，只有第三张椅子供他们大家用，但是他们一般站着，以节省地方。一个小小的房子能够容纳这么多大个子的男女，真是令人惊讶。我曾同时有过25或30个人，连灵魂带躯体都在我家里，然而我们分手时，却常常并没有意识到我们彼此曾挨得很近。我们的许多房子，无论是公共建筑还是私家住宅，有着几乎数不清的房间，巨大的大厅和存放美酒以及其他和平时期的军需品的地窖，在我看来，对于里面的居民来说是大得太过分了。它们这么大，这么豪华，居民显得只是寄生在里面的害虫。当侍者在特雷蒙特或阿斯特或米德尔塞克斯大酒店[①]的门前发出通报时，我惊奇地看到从公共的门廊里爬出一只可笑的老鼠，很快又溜进了人行道上的某个洞里。

我有时候感觉到，这样小的房子不方便的地方之一是，当大家开始用大字眼表达深刻的思想的时候，很难和客人之间拉开足够的距离。你要给自己的思想量好启航的空间，跑上一两圈，才能抵达港口。你思想的子弹必需克服倾侧和跳跃，进入最终的稳定路线，才能到达听者的耳朵里，否则会从他脑袋的一侧钻出来。另外，我们的句子也需要有展开并形成它们的纵队的空间。个人，和国家一样，必须有适宜的、宽阔的自然边界，甚至在边界之间有相当一片中立地带。我发现隔着湖和对面的朋友谈天简直是种少有的奢侈。在我的屋子里，我们离得这么近，根本没法听清别人的话，——我们说话的声音不能低却又让人听得见；就像当你把两个石子离得非常近地扔进静水中的时候，它们就破坏了彼此的起伏节奏。如果我们只是些过于健谈，叽叽嘎嘎说个不停的人，那么站得很近，紧挨在一起，能够感觉到彼此的呼吸还不算要紧；但是如果我们说话是含蓄和沉思的，我们就想离得远一些，好让体温和潮气有机会散发。如果我们想享受我们身上具有的可以意会不可言传的最为亲密的交往，就不仅必需沉默，而且一般来说身体之间的距离要远得互相无论如何也听不见彼此的声音。根据这个标准，说话是为了方便听觉不好的人，但是有许多美好的事情，如果需要大声叫喊出来是无法

① 分别是波士顿、纽约和康科德的大旅馆。

说的。随着谈话开始带上了更崇高和更庄严的口气，我们逐渐把我们的椅子拖得越来越远，直到碰到相对的墙角，这时一般就觉得地方不够大了。

然而我“最好”的房间，是我房子后面的松树林，这是我的退隐厅，随时准备好了迎接客人，太阳也很少照到它的地毯上。夏天，当贵客来访的时候，我把他们带到那里，一位无价的仆人清扫地面，擦干净家具，并把一切保持得井然有序。

如果来的客人是一位，他有时会和我一起吃顿简朴的便饭，搅动玉米糊或看着面包在热灰烬里涨起烤熟，是不会打断谈话的。可是如果来了二十个人，坐在屋子里面，虽然可能有够两个人吃的面包，吃饭的事就不提了，好像吃饭是个戒掉了的习惯；我们自然而然地实行禁食；没有人觉得这是对客人的怠慢，反而感到是最恰当和体贴的做法。常常需要恢复的肉体生命的消耗和衰退，似乎在这种情况下神奇地放慢了，生命的活力坚持了下来。我可以这样款待二十个客人，也可以款待一千个；如果有哪一个客人来的时候我在家，离开时却感到失望或饿着肚子，那么他们可以相信至少我对他们是同情的。尽管许多主妇对此表示怀疑，其实确立新的更好的习惯来代替旧习惯是很容易的。你不必把你的名誉建立在你请客的饭菜上。至于我自己，有效地吓得我不到一个人家里去的，绝不是什么看守冥府入口的有三个头的猛犬，而是炫耀款待我的食物，我认为这是非常客气和婉转的暗示，让我再也不要这样麻烦他了。我想，从此我是不会再到这些地方去的了。我的一个客人用一片黄色的胡桃树叶代替名片，并在上面写上了斯宾塞的几行诗，这就是我的小屋铭，我很引以为豪——

> 他们到了那儿，挤满了小屋，
> 没有人寻找本不存在的款待；
> 休息即是他们的盛宴，一切随心所欲：
> 崇高的心灵获得了最大的自在。①

当温斯洛，后来他成了普利茅斯殖民地总督②，和一个同伴去对马萨索伊特③进行礼节性的拜访时，他们步行穿过树林，到达他的木屋时又累又饿，酋长热情地接待了他们，但是，那天一句吃饭的话也没有提。夜晚降临时，引用他们自己的原话——“他让我们和他本人及他的妻子在一张床上躺下，他们睡一头，我们睡另一头，那床只是一块架在离地一英尺高的地方的木板，上面铺了一张薄席子。他的另外两个头目因为没有地方睡，在我们的坚持下和我们挤在了一起；所以我们住宿比旅途还要累。”第二天一点钟的时候，马萨索伊特“拿来了他打的两条鱼”，大约有三条鲤鱼那么大；“把鱼煮了以后，至少有四十个人想分上一份。大多数人都吃到了。这是我们

---

① 斯宾塞（1552—1599），英国诗人。此处诗行引自长篇寓言诗《仙后》。

② 普利茅斯殖民地是1620年英格兰清教徒前辈移民在北美洲马萨诸萨东南部建立的殖民地。

③ 马萨索伊特（1580—1661），北美万帕诺亚格印第安人首领，各部族的大酋长，1621年白人移民乘“五月花”号驶抵普利茅斯后，他和移民订立和平协议，彼此友善相处，直到他去世。

两夜一天里吃的唯一的一顿饭；要不是我们俩中的一个买了一只山鹑，就会饿着肚子上路了。”他们怕既缺吃的又缺觉——这是由于“野蛮人粗野的唱歌声（因为他们习惯把自己唱得入睡）”——会使他们眩晕，想趁还有力气旅行的时候回到家里，就动身离开了。[①] 就住处而言，确实他们并没有受到好的招待，尽管他们觉得不便的地方无疑正是主人敬意的表示；但是就吃而言，我看不出来印第安人还能怎样做得更好。他们自己就没有东西吃，他们也没有傻到认为道歉能够代替给客人的食物；所以他们把裤带再系紧一点，只字不提吃的事情。还有一次，当温斯洛拜访他们的时候，正赶上是他们食物丰富的季节，在这方面就没有任何不足了。

至于说人，几乎在任何地方都不愁没有人。在我一生的各个时期，住在林中时客人最多；我的意思是，我有了客人。我在那里见了几个人，条件比在别的任何地方都好。但是来找我的人很少是为小事而来。在这方面，由于我住得离城比较远，距离就替我筛选了客人。我已经深深隐没到了离群索居的大海洋之中，虽然社交的河流倾入其中，但是，就我的需要来说，大多数情况下，只有最优秀的沉积物才会在我的周围积淀下来。此外，在另一边有着未经勘探和没有开垦的大陆，这方面的证据也在向我漂来。

今天早晨到我的小屋来的，如果不是一个真正的荷马式或帕夫拉哥尼亚[②]的人物，还会是谁呢？——他有如此贴切的又充满了诗意

① 本段中引文出自温斯洛的《普利茅斯的英国种植园》，1622 年在伦敦出版。

② 帕夫拉哥尼亚在小亚细亚山区。

的名字，我在这里不能写出来，真是太遗憾了，——他是加拿大人，一个伐木工和做桩子的人，一天能够在50根桩子上打洞，他最后的晚餐吃的是他的狗捉住的一只旱獭。他也听说过荷马，“要不是有书”，他“真不知道在下雨天该干些什么”，尽管过去了很多个雨季，他也许都没有从头到尾读完过一本书。在他遥远的原籍的教区里，某个会希腊文的牧师曾经教他读过《圣经·新约》里的诗篇；现在他捧着书，得我给他翻译阿喀琉斯因普特洛克勒斯满面愁容而责备他。——“普特洛克勒斯，你为什么哭得像个小女孩？”——

> 还是说只有你从皮提亚那里听到了什么消息？
> 他们说阿克托的儿子门诺提乌斯还活着，
> 爱考士的儿子珀琉斯活在密尔弥多涅人之中，
> 只有他们两个人中死去了一个，我们才应该万分悲痛。①

他说，“这诗真好。”他胳膊底下夹着一捆给一个病人的白栎树皮，是星期日上午采集的。“我想，今天做这样的事情是不要紧的。”他说道。对他来说，荷马是位伟大的作家，虽然他并不知道他写的是什么。要找一个比他更单纯更自然的人是很困难的。在世间的道德上投下了如此阴影的邪恶和疾病，好像对他几乎不存在。他大约二十八岁，十二年前离开了加拿大和他父亲的家，到美国来工作，

---

① 引自《伊利亚特》。

挣钱为的是最后买一个农场，也许在他的故乡买。他是在最粗糙的模子里铸造出来的；身材粗壮而动作缓慢，然而举止优雅，他有晒得黑黑的粗脖子，浓密的黑发，和一双发呆的没精打采的蓝眼睛，偶尔，这双眼睛会闪现出富于表情的光芒。他头上戴一顶偏平的灰布帽子，穿一件邋遢的羊毛色大衣，一双牛皮靴子。他非常能吃肉，常常带着放在马口铁桶里的午饭，到离我屋子两三英里以外他干活的地方去，——因为他整个夏天都在砍伐，——带的是冷肉，常常是冷旱獭肉，石头瓶子里装着咖啡，用绳子系着吊在皮带上；有的时候他还让我喝。他来得很早，穿过我的豆子地，不过并不像北方佬所表现的那样，焦急地匆匆赶去干活。他不想伤着自己。如果挣的钱只够吃饭，他也并不在乎。他经常把午饭留在灌木丛里，如果他的狗在路上捉住了一只旱獭，他会先考虑上半个小时，能不能安全地把旱獭在湖里泡到天黑——他爱在这类问题上琢磨很长的时间——然后回头走一英里半的路把这只旱獭去掉头、毛和内脏，收拾好以后放在他租住的房子的地窖里。他在早晨经过的时候会说，“鸽子真多！如果我不需要每天干活谋生，我能够以打猎来获得所有我需要的肉，——鸽子，旱獭，兔子，山鹑，——天哪！我能够一天就弄到一个星期需要的肉。”

他是个熟练的伐木工，喜欢在这门手艺里搞点花哨炫耀的动作。他砍树时贴地齐根平砍，这样以后抽出的枝子就可能更茁壮，雪橇也可以从树桩上滑过去；而且，他不是在整棵树上系好拽绳把树拽倒，而是把树逐渐砍削成一根细桩或薄片，最后用手一推就倒了。

我对他感兴趣是因为他非常安静，离群索居，却仍然如此快乐；

眼睛里满溢出极度的快乐和满足。他的欢乐是纯净的。有时我看见他在树林里干活，砍伐树木，他会用无法形容的满足的笑声迎接我，并用加拿大腔调的法语和我打招呼，尽管他也会说英语。当我走近他的时候，他会停下工作，半压抑着高兴的心情，躺在他砍倒的一棵松树的树干旁，剥下树皮的里面一层，揉成一团，一面笑着说着一面嚼它。他有着这样旺盛的精力，有时候有任何使他动脑筋而且好笑的事情，他会倒在地上笑着打滚。他看着四周的树木，会大声喊叫，——“真的！在这里砍树我就很高兴了；我不需要更好的娱乐了。”有时他空闲下来，会一整天拿着一把小手枪在树林里消遣，一面走，一面每隔一定时间放上一枪向自己致敬。冬天他生上火，中午的时候在火上加热壶里的咖啡；他坐在一根木头上吃午餐的时候，山雀有时会飞过来落在他的胳膊上，啄他手指上的土豆；他说他“喜欢有这些小家伙在他周围”。

在他身上肉体的人得到了充分发展。在身体的耐力和满足方面，他和松树和岩石可称同类。有一次我问他，白天干了一天活，晚上有时候会不会觉得累；他怀着真诚严肃的神情回答说，“上帝作证，我这辈子从来没有觉得累过”。但是他身上的智力和所谓的精神的人仍在沉睡着，和婴儿身上的一样。他接受的只是天主教牧师教土著人时的那种单纯的、无用的教育，它永远不会使学生自我觉悟，而只能达到信任和崇敬的层次，像一个小孩子没有被教育成人，而是保持在孩子的状态。当大自然创造他的时候，她给了他强健的身体和对自己命运的满足，用尊敬和信赖在四周支撑住他，好让他像一个孩子那样活完他那七十年。他是这样实在，质朴，用不着什么介绍去介绍他，就像你用不着把一只旱獭介绍给你的邻居一样。他必须由你自己去了解他。他从不做作。干了活人们付给他工资，这样就帮助他吃饱穿暖；但是他从不和他们交换意见。他是这样单纯，天生谦恭——如果从来没有什么追求的人可以称作谦恭的话——以致谦恭在他身上并不是一个明显的特征了，他自己也不会想到这一点。对他来说，聪明一点的人就是半个神仙了。如果你告诉他这样一个人要来了，他会认为，这样的大事不会指望他做些什么，别人自然而然地就能把一切办好，还是让人家把他忘了吧。他从来没受到过赞扬。他特别尊敬作家和牧师。他们所做的事都是奇迹。当我告诉他我写了不少东西的时候，他很长时间都以为我指的是写字，他自己字也写得非常好。有时候我发现在公路旁的雪地上，很漂亮地写着他故乡教区的名字，还标上了法语正确的重音，于是我知道他从这里走过。我问他，是否曾有过写下他的思想的想法。他说他曾为不识字的人读过和写过信，但是他从来没有试图写下思想，——没有，他不会，他不知道先写什么，这会要他命的，而且一面写一面还得注意拼法！

我听说，一个著名的智者和改革家问他，是否希望世界得到改变；他不知道这个问题以前已经有人考虑过了，他惊奇地一笑，用一口加拿大口音回答道，“不希望，我挺喜欢它的。”和他打交道，对哲学家会有许多启发。在陌生人面前，他显得对于一般的事情一无所知；但是我有时候在他身上看到一个以前从来没有看见过的人，不知道他是和莎士比亚一样智慧呢，还是根本就和孩子那样无知，是具有美好的诗人气质呢，还是蠢人一个。一个城里人告诉我，当他遇见他戴着一顶紧贴在头上的帽子，独自吹着口哨漫步穿过村子的时候，就使他想起了微服出行的王子。

他只有一本年鉴和一本算术书，后者他相当擅长。前者对他来说是种百科全书，他认为里面包含了人类知识的梗概，在相当程度上也确实如此。我喜欢在当前各种改革问题上试探他的看法，他总是以最单纯和实际的眼光看待它们。他以前从来没有听说过这样的事情。没有工厂他能行吗？我问。他身上穿的是家制的佛蒙特灰布，他说，挺好的。他没有茶和咖啡行吗？这个国家除了水之外还提供过什么饮料吗？他曾用铁杉叶泡水喝，觉得在热天那比白水强。当我问他没有钱是不是也行，他说明了钱的方便之处，其解释和货币起源的最具哲学性的说法，以及 pecunia[①] 一词的词源恰好一致。如果有一头牛是他的财产，他想要在商店里买针和线，他觉得每一次都要按价格抵押掉牛的一部分，那会很不方便，也不可能。他比任何哲学家都能够更好地为许多制度辩护，因为在描述它们与他的关系的时候，他说出了它们广泛流行的真正原因，而他也并没有去设想任何别的原因。另外有一次，他听到了柏拉图给人下的定义，——没有羽毛的两足动物，——还听说有人展示了一只拔了毛的公鸡，称它是柏拉图的人，他却认为膝盖弯的方向相反，这是人和鸡之间一个很重要的区别。有时候他会声称，“我是多么爱谈话呀！真的，我能说上一整天！”有一次，在好几个月没有见到他之后，我问他那年夏天有没有什么新想法。“天哪，”他说，“一个不得

① 拉丁文，以拥有的牛的数量计算的财富。

不像我这样干活的人，要是没有忘记他已有的想法就不错了。也许和你一起锄地的人喜欢比赛速度；那么，上帝作证，你的心思就必须放在这上面；你只想到杂草。”有的时候，在这种场合下他会先问我，我有没有什么改进之处。冬天的时候，有一天我问他是否总是对自己感到满足，希望建议他在内心能够找到代替外界的牧师的东西，以及某种较高的生活目的。“满足！”他说道，“有的人满足于这样，有的满足于那样。如果一个人有了足够的东西，也许会满足于整天背对着火炉、肚子对着桌子坐在那里，真的！”然而无论我使出多少招数，都不能使他从精神的角度去看待事物；似乎他能够想象得出的最高角度就是单纯的方便有利，就像你估计野兽会体会到的那样；而其实大多数人都是如此。如果我建议他在生活方式上做些改进，他仅仅回答说，已经晚了，没有任何遗憾的意思。然而，他一贯信奉诚实以及类似的美德。

在他身上可以发现某种积极的独创性，不管它是多么微弱，偶尔我注意到他在进行独立思考，并发表自己的意见，这种现象太难得了，任何时候我都愿意步行10英里路去观察它，这相当于重新观察许多社会制度的缘起。虽然他有些犹豫，也许没有能够清楚地表明自己的意思，但却总包含着像样的想法。然而他的思想十分原始，深陷于他的肉体生活之中，尽管比一个单纯有学识的人的思想更有可能性，却很少成熟到能够进行报道的地步。他认为在最底层的人中间可能存在着天才人物，尽管终身卑微，目不识丁，却总按自己的见解行事，也从不假装什么都明白；他们和人们认为深不可测的瓦尔登湖一样深，虽然可能暗淡、浑浊。

许多旅行者特地来看我和我屋子的内部，作为拜访的借口，他们向我讨杯水喝。我告诉他们我喝湖水，并指指湖的方向，说可以借给他们一把水舀子。虽然我住得很远，还是不能被排除在每年一次的——我想大约是在四月一日——游览活动之外，大家都活跃异常；我运气也不错，虽然在来访者之中有些怪人。救济院和别的地方来的傻子来看我；但是我尽力让他们运用他们所有的智力，向我坦述他们的情况；在这种场合，智力就成了谈话的题目；这样我就得到了报答。确实，我发现他们中一些人比所谓的贫民的监管人和市镇管理委员会的成员更聪明些，我认为到了他们该换换位置的时候了。说到智力，我明白了在傻子和智力健全的人之间并没有多大的区别。特别在有一天，一个头脑简单的、温顺的贫民来看望我，我常常看见他和别人一起被当作篱笆使用，站在田地里，或坐在一只容量为一蒲式耳的容器上，看着牛和他自己免得走失，他向我表达了想过我这样的生活的愿望。他以极其单纯而真诚的、大大超出了或者不如说低于任何被称作谦卑的态度告诉我，他“智力低下”。这些是他的原话。上帝把他创造成这样，但他认为上帝对他的关心和对别人的关心是一样的。“我一直就是这样，”他说，“从童年时候起；我智力一直很低；我和别的孩子不一样；我脑子笨。我想这是上帝的意思。”那就是他，证明他的话是真的。对我来说，他是个超自然的谜。我难得遇到一个这样大有希望的同胞，——他所说的一切都是这样单纯，真诚，这样真实。真的，他越是谦卑，就相应地越是崇高。起初我并不知道，其实这是一个明智之举的结果。看来，在这样一个可怜的弱智的贫民打下的真情和坦诚的基础之上，我们之间的交流可能发展得胜于哲人之间的交流。

我还有些客人，他们一般算不上城镇的穷人，但是却应该算是穷人；至少他们是世界上的穷人；这些客人感兴趣的不是你的好客，而是你的款待；他们热切地希望得到招待，却还给他们的要求加上开场白，告诉你他们决心已定，首先，再也不自己取食了。我要求一个客人不能饿着肚子，无论他是否有世上最好的胃口，也无论他的好胃口是怎么来的。慈善的对象和客人是两回事。有的客人不知道自己的拜访早该结束，虽然我已经在做自己的事情，对他们问题的回答也越来越冷淡了。流动工人四处找工作的季节，智力各不相同的人都来拜访我。有的脑子好得不知道该怎么办；有些是些逃奴，带着种植园养成的习惯，像寓言故事里的狐狸，不时地侧耳倾听，仿佛听见了猎狗追踪他们时的吠叫声，用哀求的眼光看着我，好像在说——

啊，基督徒啊，你会把我送回去吗？

其中有一个真正的逃奴①，我帮助他继续向北极星而去。脑子里只有一个想法的人，就像只有一只小鸡的母鸡，而那其实还是一只小鸭子；脑子零乱有一千个想法的人，就像要照顾一百只全都追着

① 前面所说的“逃奴”，作者实际是指想摆脱康科德文明社会的人。此处“真正的逃奴”才是从南方奴隶主那里逃出来的。

一只虫子的小鸡的老母鸡，每天都会在清晨的露水中丢失二十来只，——结果变得羽毛蓬乱，污秽肮脏；凭着思想而不是凭着腿行动的人，像种智力发达的蜈蚣，使你毛骨悚然。有人建议用个本子，让来访者在上面签名，就像在怀特山①那样；但是，哎呀！我的记性太好了，没有必要用这个东西。

我禁不住会注意到我的客人的一些特别之处。女孩男孩和年轻妇女一般到了树林里似乎都很高兴。他们看湖水，看花，利用了时间。生意人，甚至农夫，只觉得寂寞，想的只是工作，以及我住得离这儿或那儿有多么远；虽然他们说他们喜欢偶尔在林间漫步，但是很明显其实并非如此。焦躁不安的承担着义务的人们，时间都花在了谋生或者是维持生活上；牧师说到上帝时仿佛他们对这个题目享有垄断权，不能忍受各种各样的意见；医生，律师，我不在家的时候窥探我的食橱和床铺的忧心忡忡的管家，——不然某某夫人怎么会知道我的床单没有她的干净？——已经不再年轻的年轻人得出了结论，墨守职业的成规是最安全的，——所有这些人一般都说，我的处境不可能对我有多少好处。唉，难就难在这里。年老、体弱和胆小的人，无论年龄和性别，想得最多的是疾病、意外事故和死亡；对于他们，生活似乎充满了危险，——你要是不去想它，会有什么危险呢？——他们认为，谨慎的人会小心地选择最安全的地方，那里 B 大夫可以随叫随到。对于他们，乡村实实在在地是个 commu-

① 怀特山，阿巴拉契亚山脉的一部分，在美国新罕布什尔州中北部和缅因州西部。主要山峰以历届总统命名，有“总统群峰”之称。

nity，即一个共同防守的联盟，你会设想，他们连采集黑果木浆果都不会不带着药箱的。总的说来就是，如果一个人活着，就永远有死亡的危险，虽然由于他本来就是半死不活的，危险就相应地减少了。一个人坐着不动和他奔跑时所冒的风险是一样的。最后，还有那些自封的改革家，最让人厌烦的了，他们认为我总是在唱着——

这是我盖的房子；
这是住在我盖的房子里的那个人；

但是他们不知道那第三行是——

这是这些人，折磨
住在我盖的房子里的人。

我不怕袭击鸡的白头鹞，因为我没有养鸡；但是我却怕烦扰人的白头鹞。

我有比最后这种人更令人高兴的客人。小孩子来采集浆果，穿着干净衬衫的铁路工人星期日早上来散步，渔夫和猎人，诗人和哲学家，总之，所有为了享受自由，真正把村子抛在了身后，到森林里来的真心诚意的朝圣者，我很乐意用这句话迎接他们：——“欢迎你们，英国人！欢迎你们，英国人！”因为我和那个民族有过交往。

# 豆子地

与此同时，我种的豆子，一行行加在一起有七英里长，正急等着锄草松土呢，因为最新的一批还没有种下去，最早种的已经长得挺高的了；实在不好再拖了。这件小小的、如此持续、充满自尊的赫拉克勒斯式的艰巨劳动的意义究竟何在，我不知道。但我逐渐爱上了我种的一行行豆子，虽然种的远比我需要的多得多。它们使我对土地产生了依恋，因而我像安泰①一样有了力量。但是我为什么要种豆子呢？只有天知道。整个夏天，这都是我的奇特的劳动，——使得原来只生长过委陵菜、黑刺莓、狗尾草之类的植物，以及甜甜的野果和好看的花朵的地球的这部分表面，长出了这种豆子。我对豆子会有什么了解，豆子对我又会有什么了解？我爱护它们，我给它

---

① 安泰，希腊神话中的巨人，只要身体不离开土地，就无往而不胜。后被赫拉克勒斯举在空中掐死。

们锄草松土，早晚都去照看它们；这是我一天的工作。它们宽大的叶片很好看。我的助手是滋润了干燥的土壤的露水和雨水，以及土壤本身的那一点肥力，而这片土地大多贫瘠枯竭。我的敌人是蛀虫，低温天气，特别是旱獭。后者给我把四分之一英亩的豆子都啃光了。可是，我有什么权力把狗尾草等等的植物清除，毁掉它们古老的百草园呢？不过，很快，剩下的豆子旱獭就啃不动了，可以继续对付新的敌人。

我记得很清楚，四岁的时候，从波士顿回到我这里的故乡，就经过了这些森林和这片田地，到了湖边。这是深深铭刻在我记忆中的最早景象之一。今夜，我的笛声唤起了这片湖水上的回声。年龄比我还大的松树仍然耸立在这儿；如果有的已经倒下，我已用它们的残株煮过晚饭，在残株的周围长出了新枝，为新一代孩子的眼睛准备着又一番景象。在这片牧草地上，从同样的多年生的根部窜出几乎同样的狗尾草，就连我，都终于给我童年梦境中神话般的景色披上了新装，从这些豆子叶、玉米叶和土豆蔓上，可以看到我在这里生活和影响所产生的一个结果。

我种了大约两英亩半的山地；由于这片土地开垦了不过 15 年的时间，我自己还挖出了两三考得的树桩，我没有给它施肥；但是夏天我在锄地的时候挖出了箭头，看来，在白人到这里来开垦之前，有一个灭绝了的民族在古代曾经在这里生活过，种植过玉米和豆子，因此在某种程度上，已经因为种植这种作物把地力耗尽了。

在旱獭或松鼠横穿大路之前，或者太阳还没有升到灌木栎树之上的时候，露水未干之时，虽然所有的农夫都警告我不要这样做，——我建议，如果可能，在露水未干前把所有的活干完，——我就开始把豆子地里排排神气活现的杂草铲掉，往上面盖上土。清早我光着脚干活，像个造型艺术家，拨弄着露水打湿的一碰就散的沙土，但是晚些时候太阳就烫脚了。太阳照着我锄豆子，慢慢地在那黄色沙砾的山地上、15 杆长的绿色豆子行之间来回，一端是我可以在树荫下休息的灌木栎树林，另一端是一片黑刺莓地，我每干一个来回，那绿色的浆果颜色就深了一层。除去杂草，在豆茎四周培上新土，促进我播种的植物生长，使黄色的土壤不是用苦艾、野胡椒和粟草，而是用豆子的叶和花来表达它夏季的情思，让大地以豆子而不是杂草表述，——这就是我每天的工作。由于我没有马或牛帮我干活，也没有雇工或小孩子帮忙，没有经过改良的农具，因此我的活干得比一般慢得多，我对我的豆子也熟悉得多。但是用双手干活，即便到了做苦工的边缘，也还比最糟糕形式的懒惰强吧。它具有一种经久不灭的寓意，对学者来说具有经典效果。对于通过林肯和韦兰向西去到谁也不知道什么地方的旅人，我是一个非常勤劳的农夫①；他们悠闲安适地坐在轻便两轮马车里，胳膊肘放在膝盖上，缰绳像花彩带般松垂着；而我，则是一个呆在家里在土地上辛勤劳动的本地人。但是，很快，他们就看不到也不会再想到我的家园了。在路的两边，在很长的距离之内，这是唯一开阔的耕地；因此他们尽情饱览；有的时候，在地里干活的人听到了许多并不是讲给他听的旅人的闲话和评论：“这么晚种豆子！这么晚种豌豆！”——

① “勤劳的农夫”原文为拉丁文。

因为别人开始锄地以后我仍在继续播种，——我这干活的庄稼汉没有想到这一点。“玉米，我的孩子，做饲料用的；做饲料用的玉米。”“他住在这里吗？”穿灰上衣戴黑色女帽的人问；面貌严峻的农夫勒住那匹满怀感激的马，询问你在他看不见有肥料的犁沟里干些什么，并且推荐我用点干粪土，或者任何垃圾，也可以是灰烬或灰泥。但是这里有两英亩半的犁沟，代替小车的只有一把锄，只靠两只手来拉，——我讨厌别的小车和马，——而干粪土离得很远。马车辚辚驶过时，同行的旅人大声将我的地和他们已经经过的田地作比较，因此我逐渐知道了自己在农业界的地位。这是没有被包括在科尔曼先生的报告中的一片田地①。顺便提一下，大自然在没有被人类改良过的更为蛮荒的土地上生产出的作物的价值，由谁来进行评估呢？英国干草的收成被仔细称了重量，计算了草的湿度和硅酸盐及碳酸钾的含量；但是在所有的林中小谷地及水坑边，牧场及沼泽地上生长着各种繁茂的作物，只是人没有去收获而已。我的田地可以说是连接蛮荒和开垦了的土地之间的一个环节；正如一些国家是开化的，一些是半开化的，还有一些是野蛮的，我的田地是半开垦的，但不应从贬义上来理解。我种的地里是快活地回复到它们野生原始状态的豆子，我的锄为它们演奏着瑞士的牧歌。

近处，一只棕鸫，——有些人喜欢称之为歌鸫，——在一棵白桦树的树梢上歌唱了整整一个早晨，他很高兴有你相伴，如果你不在，他会去寻找另一个农夫的田地。当你在播种的时候，他高喊

① 亨利·科尔曼（1785—1849）为马萨诸塞州写了一系列的农业调查报告。

“播啊，播啊，——埋啊，埋啊，——拔啊，拔啊，拔啊”。但是种的不是玉米，不会受到像他这样的敌人的危害。你可能会奇怪，他的滔滔不绝，他在一根弦或二十根弦上进行的业余的帕格尼尼式[①]的演奏，和你的播种有什么关系，但是你却宁愿听他唱，而不去管过滤后的灰烬或灰泥了。可这是一种我完全信赖的便宜的追肥。

当我在行行豆子周围用锄翻起新一层土壤时，翻起了远古时代在这片天空下生活过的、未载入史册的民族的废墟，他们打仗和狩猎用的小工具在现代的今日被发掘了出来。它们和其他天然的石头混在一起，有的还留有被印第安人的火烧过的痕迹，有的有太阳炙烤的痕迹，还有近代的种植者带到那里的陶器和玻璃的碎片。当我的锄头碰到石块发出当当声的时候，这乐声在林间和天际回响，是我劳动的伴奏，立即获得了难以衡量的收获。我锄的不再是豆子，锄豆子的也不再是我；这时，如果我想起来了的话，那是怀着同样的骄傲和同情，想起了到城里去听清唱剧的熟人们的。夜鹰在阳光明媚的午后在头顶盘旋——因为有时候我一整天干活——像眼中的微尘，或天空的眼中的微尘，时不时地猛扑而下，声音犹如天空被撕裂，撕成片片碎布，然而苍穹仍然是天衣无缝；鸟儿似小精灵布满空中，在地上、光秃秃的沙子上或山顶的岩石上生蛋，很少有人找到过它们；像湖中的涟漪优美纤细，像风刮起的树叶在天空飘浮；这样的亲缘存在于大自然之中。鹰是波浪的空中兄弟，他翱翔在波浪之上，俯视水面，他那被空气托起的完美的双翅，回应着大海那

---

① 尼科罗·帕格尼尼（1784—1840），意大利著名小提琴演奏家。

具有大自然粗犷力量的没有羽翼的翅膀。有时我注视着一对苍鹰在高空盘旋，交替着高飞、下降，相互靠近、远去，他们仿佛是我自己思想的体现。或许我被那些野鸽所吸引，它们带着轻微的颤动声和信鸽的匆忙，在林子之间飞过；或许从一棵腐烂了的树桩下，我的锄头挖出了一条带花斑的蝾螈，懒怠，奇特，怪模怪样，有着埃及和尼罗河的痕迹，然而又和我们是同时代的。当我停下来倚在锄头上，无论在垄间什么地方都能听到和看到的这些声音和景象，构成了乡间提供的无尽的乐趣的一个部分。

在节庆的日子里，城里放礼炮，回声传到林间像是儿童玩具气枪的声音，偶尔零星的军乐声也会远远传到林中。对我来说，远处城镇另一头我的豆子地里，炮声听起来仿佛是马勃菌的爆裂声；如果出动了军队而我又不知道，有时我整天都会有一种模糊的感觉，感到在地平线处有着某种搔痒和疾病，仿佛在那里有什么疾病会突然爆发，不是猩红热就是口腔溃疡，直到最后，一阵顺风急匆匆刮过田野，沿魏兰公路而来，带给了我“国民军”① 操练的信息。远处传来的嗡嗡声好像是什么人的蜜蜂炸了窝，而邻居们正按维吉尔②的建议，轻轻敲击他们能发出最响亮声音的家用器皿，努力把蜜蜂唤回蜂巢。当声音逐渐消失，嗡嗡声停止，顺向的风也没有故事可讲了，我便知道他们把最后一批工蜂也赶回到了在米德尔塞克斯的蜂巢中了，现在他们一心想的是涂满蜂巢的蜂蜜了。

---

① 国民军即当地民兵，为美国对墨西哥的战争进行训练。

② 维吉尔（前70—前19），古罗马诗人。

知道了马萨诸塞州和我们祖国的自由得到如此安全的保障，我感到骄傲；当我再次回过头来锄地的时候，心中充满了难以表达的自信，怀着对未来镇定的信心快乐地继续我的劳动。

当几个乐队同时演奏的时候，听起来好像整个村子是一只大风箱，所有的建筑在喧闹中交替着鼓起瘪下。但是，有的时候，传到森林里来的是些真正崇高而鼓舞人心的乐曲，和歌颂荣誉的小号声，我感到自己仿佛能够兴致盎然地捅上墨西哥人一刀，——因为，我们为什么总是要对小事容忍呢[1]？——于是环顾四周，想找一只旱獭或臭鼬来发挥我的勇武精神。这些军乐的声音好像和巴勒斯坦一样遥远，使我想起了地平线上十字军的行进，垂在村子上空的榆树梢也发出了轻微的号角声和震颤。这是那些伟大的日子之一；虽然从我的林中空地看到的天空，具有与平时同样的永恒的魅力，看不出有任何区别。

和豆子之间的长期相处是一种独特的经历，有播种，锄地，收获，脱粒，挑拣，出售，——最后一项是最困难的，——我还得加上吃，因为我确实尝过豆子。我决心要了解豆子。当豆子在生长的时候，我常常从清早五点钟一直锄到中午，一天其余的时间则花在别的事情上。想一想人获得的对各种杂草的密切奇特的了解，——叙述起来会很絮叨，因为在干活的时候就是一遍遍重复的，——这样无情地破坏了杂草纤弱的组织，锄头做出如此厚此薄彼的区别，把一种草整行地锄掉，又孜孜不倦地培育另一种草。那是罗马苦

① 当时正值美国对墨西哥战争期间。

艾，——那是苋草，——那是酢浆草，——那是野胡椒草，——对付它，砍倒它，把它的根翻起来在太阳下晒，连一根纤维也别留在荫凉的地方，不然，两天的功夫它就会翻转来长得像韭菜般嫩绿。那些有太阳和雨露在自己一方的特洛伊人进行的是一场漫长的战争，不是对付鹤，而是对付杂草。每天豆子都看见我在锄头的武装下去拯救它们，减少它们敌人的队伍，战壕里填满了杂草的尸体。许多壮健有力，意气风发，比他挤在一起的战友高出整整一英尺的赫克托耳[①]倒在了我的武器之下，滚进了尘土之中。

在那些夏天的日子，我的一些同时代人中有的在波士顿或罗马献身于艺术，有的在印度敛心冥思，有的在伦敦或纽约做生意，我则和新英格兰的其他农夫一起献身于耕作。并不是说我要吃豆子，因为就豆子而言，我天生是个毕达哥拉斯[②]的追随者，无论是用来煮粥还是选举[③]，我拿豆子换大米；但是，也许，哪怕只是为了比喻和表达，以备有朝一日写寓言的人会用得着，也必需有人在地里干活。总的说来，这是难得的娱乐，如果持续的时间太长，可能会变成无意义的消遣。虽然我没有施肥，也没有把它们全部锄过一遍，但是只要是锄过的，我都锄得特别好，最后得到了回报，正如伊夫林[④]所说，“事实上，没有任何堆肥或粪肥能够比得上用铲子不断翻动挖掘

① 特洛伊王的长子，后被阿喀琉斯杀死。

② 毕达哥拉斯，公元前6世纪古希腊哲学家，反对吃豆子；梭罗想得更多的是吃豆子会引起胃肠气胀。

③ 豆子曾被用来计算选票数目。

④ 约翰·伊夫林（1620—1706），英国乡绅和著作家，皇家学会创始人之一。

土壤。”他在别处还补充道，“泥土，特别是没有耕种过的土，有着某种磁性，吸引着给与泥土以生命的盐分、活力或效力（怎么叫都行），这就是我们在土地上不断进行劳作和活动以养活自己的道理；所有的粪肥和其他肮脏的复合物，只不过替代了对土地的这种挖掘改良。”况且，这是一块“地力已经耗尽了的正在享受休息期的闲置土地”，也许正如凯内尔姆·狄格贝爵士所认为的，可能从空气中吸取到了“生命的活力”。我收获了12蒲式耳的豆子。

但是需要更具体一些；因为有人抱怨说，科尔曼先生报告的主要是以经营农场作为消遣的乡绅们的昂贵试验；我的支出是：

| | |
|---|---|
| 锄一把， | 0. 54美元 |
| 耕、耙、犁 | 7. 50（太贵） |
| 豆种 | 3. 125 |
| 土豆种 | 1. 33 |
| 豌豆种 | 0. 40 |
| 萝卜种 | 0. 06 |
| 防乌鸦篱笆的白线 | 0. 02 |
| 三小时耕马和小工 | 1. 00 |
| 收获用马和马车 | 0. 75 |
| 共计 | 14. 725美元 |

我从以下所得的收入是（主人应惯于销售而非购买①）：

① 引自加图《农书》，原文为拉丁文。

| | |
|---|---|
| 售出9蒲式耳12夸特豆子 | 16. 94美元 |
| 5蒲式耳大土豆 | 2. 50 |
| 9蒲式耳小土豆 | 2. 25 |
| 草 | 1. 00 |
| 茎蔓 | 0. 75 |
| 共计 | 23. 44美元 |

正如我在别处已经说过的那样，获利润8. 715美元。

这就是我种豆子的经历的结果。在六月一日左右播下白色小矮菜豆的种子，垄宽3英尺，垄距18英寸，注意挑选新鲜、饱满、没有混杂的种子。首先要留意防蠕虫，缺苗的地方要补种。然后，如果是一片易受害地区，就要防旱獭，因为它们经过时会把最早长出的嫩叶啃光；而当嫩卷须出现时，它们又会注意到，会像松鼠那样直坐着，将芽蕾带新生的豆荚一古脑儿扫光。但是最要紧的是，如果你想躲过霜冻，获得良好的可供出售的产品，就要尽早收割；这样你可能免去许多损失。

我还获得了更多的经验。我对自己说，我不会在又一个夏天花这么多的力气种豆子和玉米了，而要播下真挚、诚恳、纯朴、信念、天真这样的种子，如果这些种子还没有丢失的话，看看它们在这片土壤上能否生长，在减少了劳动和肥料的情况下，能否维持我的生活，因为，想必地力还没有耗到不能生长这些作物的地步。唉！我对自己是这样说的；但是现在一个夏季过去了，又一个、再一个夏季过去了，我不得不对你说，读者，我种下去的种子，如果它们真是这些美德的种子的话，已经被蠕虫吃掉了，或者失去了它们的生命活力，因此没有发芽生长。一般说来，父辈勇敢或怯弱，人才会勇敢或怯弱。几个世纪前，印第安人种植玉米和豆子，并教会了最初的移民，而这一代人每到新的一年，也和当年的印第安人一模一样地种玉米和豆子，仿佛是命定如此。前几天我看见一个老人，使我惊奇的是，他在用锄头挖洞，至少挖了七十次，而又不是自己要躺在里面！但是为什么新英格兰人不去尝试一下新的事业，而不要这么看重他的谷物，他的土豆和草料，以及他的果园？——为什么不种些别的作物？为什么这么关心我们的豆种，却对新的一代人毫不关心呢？我前面提到的一些品质，那是我们比其他那些农产品都更为珍视的东西，但却大都散布飘浮在空气之中，如果我们遇到了一个人，看到这些品质已经在他的身上植根生长，我们真应该感到满足和高兴。沿大路过来了这样一种难以捉摸难以言表的品质，例如诚恳或正直，尽管只有很少一点，或者是一个新的品种。应该指示我们的大使把这样的种子送回国内，由国会帮助将它们分发到全国各地。我们永远不应该以虚礼对待诚恳。如果有可贵和友好的种子存在，我们就永远不应该卑鄙地相互欺骗、侮辱、排斥。我们不应该这样匆匆相见。大多数的人我根本没有遇见过，因为他们似乎没有时间；他们在忙着自己的豆子。我们不要和这样整天埋头干活的人打交道，在干活间歇的时候把锄头或铁锹当拐杖倚在上面，不像一个蘑菇，只是部分地从泥土里长出来，一个直挺挺的东西，像一只停落在地上行走的燕子。——

他说话时，翅膀时而会

展开，仿佛想要飞行，然后又合拢。[1]

我们还疑心自己可能和一个天使在谈话呢。面包不一定总是给我们营养；但总是对我们有好处，在我们不知道自己哪里不舒服的时候，它甚至会使我们的关节不再僵硬，使我们柔韧，轻松愉快，能够看到人和大自然中存在的宽大的胸怀，分享纯粹而崇高的快乐。

古代的诗歌和神话至少表明，农耕曾是一种神圣的技术；但是今天我们却以不必要的匆忙胡乱从事耕作，我们的目的仅仅是拥有大农场和获得大丰收。我们没有庆祝活动，没有游行，也没有仪式，就连我们的牛展和所谓的感恩节也不例外，感恩节本来是农民用来表示他的职业的神圣感，或者使他想到农业的神圣起源的。现在吸引他的是酬金和一顿美餐。他的供奉不是祭献给刻瑞斯[2]和人世的朱庇特，而是奉献给可恶的普路托斯[3]了。由于贪婪和自私，以及我们大家都具有的把土地视为财产、或用来获得财产的主要手段的卑下习惯，风景被破坏了，农耕和我们一起堕落了，农民过着最卑贱的生活。他只是作为一个掠夺者了解自然的。加图说过，农业的收益是特别神圣或公正的（maximeque pius quœstus），根据瓦罗[4]所说，古罗马人“以同样的名字称呼大地母亲和刻瑞斯，认为在大地上耕

① 引自英国宗教诗人弗朗西斯·夸尔斯（1592—1644）的《牧羊人的神示》，牧歌5。

② 罗马神话中的谷物和耕作女神。

③ 希腊神话中的财神。

④ 瓦罗（前116—前27），古罗马学者。

种的人过着虔诚而有益的生活，只有他们才是农神萨杜恩留下的后裔”。

我们时常忘记，太阳是一视同仁地看待我们耕种的田地、草原和森林的。它们都同样反射和吸收太阳的光线，它们只是太阳在他每日的行程中看到的光辉景象的一小部分而已。在他的眼中，大地都同样地耕种得像花园一样。因此我们应该以相应的信任和宽宏大度，来接受他的光和热的益处。即使我重视这些豆子种，并在秋天有了收获，那又怎样呢？我对着它看了这么久的这片广阔的田地，却并没有把我看作是它主要的耕种者，而是撇下我朝向给它浇水，使它郁郁葱葱，更适于它生长发育的影响力量了。这些豆子的成果并不全都由我来收获。难道它们一部分不是为旱獭生长的吗？麦穗（拉丁文是spica，旧拼法为speca，源自意思是“希望”的spe），不应该是农耕者的唯一希望；它的颗粒或谷粒（granum，源自意思是“结果实”的gerendo），并不是它所结的全部果实。那么，我们怎么可能歉收呢？难道我不应该为杂草的丰收感到高兴吗？它们的籽粒是鸟儿的粮仓。相对而言，田地装满的是不是农夫的粮仓并没有什么要紧。真正的农夫不会焦急，他每天干活，并不要求田地的产物属于他，他在心中不仅奉献出他的首批果实，而且也要奉献出他最后的果实。

# 村　庄

上午锄完地之后，也许在看书写作之后，我通常到湖里再洗个澡，游一会儿泳，横跨其中一个小湾，洗去身上干活的尘垢，或者解决学习带来的最后一个难题，下午就完全自由了。每一两天我散步到村子里，去听听那儿的永无止境的闲言碎语，或者是口口相传，或者是在报纸上互相转载，如果按顺势疗法那样微剂量地摄入，却也和树叶的飒飒声及青蛙的咕咕声一样，有它们令人耳目一新的方面。正如我在林中散步为的是看鸟和松鼠，我在村中散步是看人和小孩；我听见的不是松间的风声，而是辚辚的车声。从我的屋子往一个方向看去，河边草地上有一群麝鼠；在另一边的地平线上，在榆树和梧桐树丛下有一村子忙碌的人，对我来说，他们和草原犬鼠一样令我感到好奇，一个个坐在洞口，或者跑到邻居家去闲扯。我常常去那儿观察他们的习性。在我看来，村子像个巨大的新闻编辑室；在一侧，他们出售干果和葡萄干，或者盐和玉米粉及其他食品杂货，以支持它的运作，就像当初在国家街的雷丁公司[1]的情形一样。有些人对于前一种商品，即新闻，有着如此巨大的胃口和如此良好的消化器官，能够一动不动地永远坐在大街上，让新闻像地中海季风那样沸腾着飒飒吹过他们，或者像吸入了乙醚，只会产生麻木感不觉得疼痛，——否则听新闻常常会使人感到痛苦，——而不影响意识。当我在村子里闲逛的时候，几乎从来不会看不见一排这样的人物，他们不是坐在梯级上晒太阳，身体往前倾着，眼睛带着放浪的神情时不时地左右顾盼，就是靠在谷仓上，手放在口袋里，好像是要支撑起谷仓的女神柱一般。由于通常总是在户外，他们什么风声都听得见。这些是最粗制性的工场，一切闲言碎语在里面先粗加整理或经过破碎，然后倒进室内更为精密的料斗里去。我注意到，村子的要害部分是食品杂货店，酒吧，邮局和银行；作为机器的必要部件，他们还有一口钟，一门炮，一台救火车，放置在近便的地方；房屋面对面地排列在街巷两旁，以充分发挥人的作用，这样，每一个过客都逃脱不了受到夹攻，每一个男女老少都能够有机会对付他。当然，安置在离巷口最近的人，他们看到的最多也最易被看见，并且是第一个出击的人，为这个位置付出的价钱最高；而几个零星散布在边缘的居民，那里房屋之间开始出现很大的间隔，过客可以翻墙而过，或拐进小路逃走，这里的居民支付的土地税或窗户税自然是很低的。四面八方都挂出了招牌来引诱过客；有的抓住他的胃口，如小酒店和小餐馆；有的抓住他的爱好，如纺织品店或珠宝店；有的抓住他的头发或脚或裙子，如理发店，鞋店，或服装店。此外，还有

---

① 波士顿一家书店。

更为可怕的长期有效的邀请，请你拜访每一家，而且在这些时候总会有许多人。大多数情况下我都成功地摆脱了这些危险，我要么立刻大胆地毫不犹豫地直奔目标，像那些受到夹攻的人接受的建议那样，或者使自己专心想着高尚的事物，像奥菲士[①]那样“弹着里拉琴高唱对诸神的颂歌，淹没了塞壬[②]的歌声，避开了危险”。有时我突然奔逃而去，没有人知道我的下落，因为我不怎么在乎行为是否优雅得体，钻篱笆缺口从不犹豫。我甚至习惯于闯进人家的家里，在那里受到很好的招待，在听完了要闻和筛选出的最后一批新闻后，诸如什么已经平息了，战争与和平的前景，世界有可能长久团结吗，等等，他们让我从后街离开，于是我逃回到了树林里。

当我在镇子里呆得很晚后出门将自己投入黑夜之中，是件非常愉快的事情，尤其在漆黑的狂风暴雨之夜，从某个明亮的客厅或讲演厅开航，肩上扛着一袋黑麦或玉米粉，向着我林中舒适的港湾驶去，把外面的一切捆结实以后，便带着一堆欢快的思想退到甲板下面，只把我的躯壳留下掌舵，当风平浪静的时候，甚至把舵固定住。“航行之际”，在船舱的炉火旁我的脑子里有许多令人振奋的思想。尽管我遇到过一些强烈的风暴，但是不管什么样的天气，我从来没有失过事或遇过险。在森林里，即便是在普通的夜晚，也比多数人想象的要黑得多。我经常需要抬头看小路上方树和树之间的空隙来

---

① 奥菲士，希腊神话中的诗人和歌手，善弹竖琴，弹奏时猛兽俯首，顽石点头。

② 塞壬，希腊神话中半人半鸟的女海妖，以美妙歌声诱惑过往海员，使驶近的船只触礁沉没。

认路，而在没有车道的地方，要用脚来探我自己踩出来的模糊的小道，或者用手摸一些具体的树，靠我熟悉的它们之间的位置关系来辨别方向，比方说，在最黑的夜里总会摸着穿过树林深处两棵距离不到18英寸的松树。有时候，在黑暗、闷热、潮湿的夜晚，像这样很晚回家，用脚探着眼睛看不见的小路，一路沉醉在幻想之中，心不在焉，直到需要用手去打开门闩，才惊醒过来，走的路连一步都回忆不起来了，我觉得，也许，如果身体的主人抛弃了它，它也会找到回家的路，就像没有帮助手也能够找到嘴一样。有好几次，当客人碰巧呆到了晚上，而正巧又是个很黑的夜晚，我不得不把他带到房子后面的车道上，然后指出他应走的方向，而要保持方向，他应该靠他的脚而不是眼睛认路。在一个漆黑的晚上，我就是这样指引两个在湖里钓鱼的年轻人上路的。他们住在森林外大约一英里的地方，对路是相当熟悉的。一两天以后，其中的一个告诉我，他们在自己住处附近转来转去，转了大半夜，直到快天亮了才到家，由于夜里下了好几场大阵雨，树叶湿淋淋的，到家时他们浑身都湿透了。我听说，在俗话所说的夜色浓得可以用刀子切开的黑夜里，许多人甚至在村子里的街上都会迷路。有的住在郊外的人，赶着马车到镇子里来办货，不得不在那里过夜；出门拜访的绅士和淑女们，离开要走的路线才半英里远，就只能用脚摸索着找人行道，不知道该在什么时候拐弯了。无论什么时候在森林中迷路都是令人惊奇的、难忘和宝贵的经历。经常是，在暴风雪中，即使是大白天，人们走到一条熟悉的路上，却发现根本说不清哪条路通向村子。尽管他知道自己在这条路上走过了一千次，还是认不出一点特征来，对他来说，这条路就像一条在西伯利亚的路那样陌生。当然，到了晚上就更让人糊涂了。我们寻常随意行走的时候，总是不断地像引航员那样，根据某些熟悉的灯塔或岬角来操舵，如果我们在通常的航线上走过了头，我们的脑子里仍然有着某个邻近的岬角的方位，虽然我们不一定意识到这一点；直到我们完全迷了路或者转了向，——因为人在这个世界上只需要闭着眼睛转上一圈就会迷失方向，——才会充分体会到大自然的浩瀚和奇特。不论人是从睡眠中还是从心不在焉的状态下清醒过来，都需要再看看罗盘上的度数。非得到我们迷了路，也就是说，非得到我们失去了世界，我们才开始发现自己，才会意识到我们的处境，才会意识到我们之间关系范围之无限。

在第一个夏天将近结束的时候，一天下午，我到村子里补鞋匠那里去取一只鞋，我被捕进了监狱，因为，正如我在别处已经说明过的那样①，我没有给一个在议会门口像买卖牲口一样买卖男人、女人和儿童的州纳税，也不承认它的权力。我到林中生活本来是出于别的原因。但是，无论一个人走到哪里，别人会追踪他，用他们肮脏的公共机构折腾他，如果做得到，就要强迫他属于他们那绝望的共济会式的社会。不错，我可以进行更强有力的反抗，也多少会有一些效果，可以“疯狂”地反对社会；但是我宁愿社会“疯狂”地反对我，因为绝望的一方是它。然而，第二天我就被释放了，拿到了那只补好的鞋，及时回到林中，到美港山去享用黑浆果大餐。除了代表州政权的人之外，我从来没有受到过别的任何人的骚扰。除了放文件的书桌之外，

① 见1849年发表的《消极抵抗》一文。

我不用锁，也不用插销，我的门闩或窗户上连个钉子也没有。白天黑夜，我的门从来不上闩，虽然我会几天不在家；就连第二个秋天，我在缅因州的森林里一呆两个星期也是如此。可是，我的屋子比由一纵队士兵包围保护还要受到尊重。疲劳的四处漫游的人可以在我的炉火旁休息、暖暖身子，文人学士可以读我桌子上的几本书消遣，好奇的人可以打开我橱柜的门，看看我吃剩下了什么东西，晚餐会有什么吃的。然而，尽管各阶级都有许多人经过这里到湖边去，我却并没有感到什么严重的不便，除了丢过一本小书，一册荷马的作品之外，我没有丢过别的东西，也许是因为那本书不该烫金，我想现在是在我们兵营的一个士兵那里。我相信，如果所有的人都像我那时的生活那么简朴，就不会有偷盗和抢劫。这种事情只有在一些人拥有的东西多于他们的需要，而另一些人却没有足够的东西的社会里才会发生。蒲柏[①]译的荷马不久也就会得到适当的分发。——

Nec bella fuerunt,

Faginus astabat dum scyphus ante dapes. [②]

人们不会以战争骚扰，

当他们需要的只是山毛榉木的碗钵时。

---

① 蒲柏（1688—1744），英国诗人，翻译过荷马史诗《伊利亚特》和《奥德赛》。

② 引自古罗马诗人提布卢斯（前54？—前19？）《挽歌》。

“子为政，焉用杀？子欲善而民善矣。君子之德风，小人之德草。草上之风，必偃。”①

① 引自孔子《论语·颜渊》。

# 湖 泊

有的时候，过多地与人相处和闲谈，厌倦了村里的所有朋友，我便往西信步走向比我惯常居住的地方更远的去处，来到镇里人更少去的地区，“去到新的森林和新的牧场”①，或者，在日落时分，在美港山用黑浆果和乌饭树的蓝色浆果做晚餐，并且还储存上够几天吃的浆果。果子并不把自己真正的滋味献给购买它们的人，也不给为了送到市场去卖而种植它们的人。要获得果子的真正滋味只有一个办法，但是很少有人这样去做。如果你想要知道黑浆果的味道，去问问牧童或山鹑吧。从来没有采摘过黑浆果的人认为自己已经尝到过它的滋味，这是一个常见的错误。没有一颗真正的黑浆果到达过波士顿；它们生长在波士顿的三座山上，但一直没有人领略过它

① 引自弥尔顿为悼念好友夭折而创作的诗歌《利西达斯》（1637 年）的最后一行。

们。在运往市场的马车上，随着果子上粉霜被蹭掉，它那特别的美味和芳香以及精华部分也都丧失殆尽，仅仅成了食物。只要不变的正义仍在统治，就不会有一颗纯洁的黑浆果能从乡间的山丘运到城里去。

锄完了一天要锄的地以后，我偶尔会去和某个等得焦急的人做伴，他从早晨起就在湖里钓鱼，一声不响，一动不动，像一只鸭子或一片水上的浮叶，在思考了各种各样的哲学思想以后，等我到达那里时，他一般已经得出结论，认为自己属于古老的住院修士派。还有一位上年纪的人，是个高明的渔夫，擅长于各种木工技术，他高兴地把我的屋子当作是为渔民的便利而建造的；当他坐在我的门口整理钓鱼线的时候，我也同样感到高兴。偶尔我们一起到湖上去，他坐在船的一头，我坐在另一头；但是我们之间很少交谈，因为他年老以后耳朵渐渐聋了，但是他偶尔会哼上一首赞美诗，这和我的人生哲学十分协调。就这样，我们的交流始终是完全和谐协调的，回忆起来，要比语言的交流令人愉快得多。通常的情况是，当没有人和我谈心的时候，我会用桨敲击船帮，引起回声，使周围的森林充满盘旋扩展的声浪，激扰森林，就像动物园的饲养人激扰野兽一样，直到我使每一片林木覆盖的谷地和山坡都发出低沉的咆哮。

在温暖的黄昏，我常常坐在船里吹笛子，看到鲈鱼仿佛被我笛声的魔力所吸引，在我周围游来游去，看到月亮移过呈现出罗纹的湖底，湖底上散布着森林中的碎木残片。以前，在黑沉沉的夏夜，我不时和一个同伴到这个湖来冒险，在水边生起一堆火，觉得这能够把鱼吸引过来，我们在线上穿一串蚯蚓，捕捉到了鳕鱼；等我们深夜钓完了鱼，把燃烧着的木头高高抛向天空，像冲天的焰火，它们落下时掉进湖里，发出很响的嗞嗞声熄灭了，而我们就会突然在完全的黑暗中摸索。我们吹着口哨，穿过黑暗，上路重又回到人类的出没之处。但是现在我在湖边安了家。

有的时候，在村中人家的客厅里呆到那家人都去睡觉了，我才又回到林中，部分原因是想到了第二天的晚餐，把午夜的时光消磨在小船里在月光下钓鱼，猫头鹰和狐狸为我唱小夜曲，并且时不时地听到近处某只陌生的鸟儿嘎嘎的叫声。这些经历对我来说是十分珍贵难忘的，——在离岸20到30杆、水深40英尺的地方抛下锚，有时候周围游动着几千条小鲈鱼和小银鱼，在月光下用他们的尾巴在水面上撩起点点涟漪，我用一根长长的亚麻线绳，和生活在40英尺的水下的神秘的夜间出没的鱼类交流，或者有时，当船在轻柔的夜风中漂荡，我在湖中拽着一根60英尺的钓线，时而感到沿着钓线传来一阵轻微的颤动，表明有某种生命在线的尽头出没徘徊，愚蠢地不知道撞上的那东西是怎么回事，迟迟拿不定主意。最后你双手交替着慢慢收起钓线，一条鮰鱼就吱吱地扭动着被拉到了空中。这是一种非常奇怪的感觉，特别是在黑沉沉的夜里，当你的思绪驰骋在浩瀚的有关宇宙起源的主题上时，却感到了这种轻微的抽动，打断了你的幻想，又将你和大自然联系了起来。仿佛我紧接着会把钓线向上甩向空中，同时向下垂入这同样不透明的元素之中。这样，我仿佛用一只鱼钩钓到了两条鱼。

瓦尔登湖的景色不很起眼，虽然很美，却谈不上壮丽，不常来的人，或不在湖边居住的人也不会对它有多大的兴趣；然而这个湖是这样深，这样纯净，值得加以特别的描写。这是一个清澈的绿色深池，半英里长，周长一又四分之三英里，面积约六十一英亩半；松树和栎树林中一片四季长存的水源，除了云带来的雨水和蒸发之外，没有任何别的明显的注入和流出。四周的山从水面陡然耸起，高四十到八十英尺，不过在东南和东面的山则分别达到了一百和一百五十英尺，离湖只有四分之一英里和三分之一英里的距离。山上完全被森林覆盖。我们康科德所有的水面至少有两种颜色，一种是从远处看的，另一种是近看的、更接近天然的颜色。前者更多取决于光线，按天空的颜色而变。在晴朗的夏天，从稍远处看是一片蔚蓝色，特别是波浪大的时候，如果距离很远，则显得都是一样的了。在暴风雨的天气，有时呈现出深石板蓝色。不过，据说大海今天蓝，明天绿，而并不是因为天气有了什么感觉得到的变化。我在大雪覆盖大地的时候看见过我们的河流，水和冰都绿得几乎像青草一样。有的人认为蓝色“是纯净的水的颜色，无论是液态还是固态的水”。但是，从船上直接往下看我们的水，会看到有许多不同的颜色。即便从同一个角度看去，瓦尔登湖有时是蓝色，有时是绿色。它置身于地球和天空之间，共享着两者的颜色。从山顶上看，它反射出天空的颜色，但是在近处，在接近湖岸能够看见沙子的地方，水带上了微黄色，然后逐渐呈浅绿色，再加深，到湖的主体部分一律呈深绿色。在有的光线之下，即使从山顶看去，近岸处也是一片鲜绿色。有人认为这是由于青葱的草木的反射；但是挨着铁路沙坝的地方，湖水也一样鲜绿，在春天，树叶没有伸展开之前，这可能只是主导的蓝色和沙子的黄色混合后的结果。这就是湖的彩虹色泽。春天，也是这块地方，冰被湖底反射的及大地传播的太阳的热量晒暖，首先融化，在仍然封冻的湖心周围形成了一条窄窄的水道。和我们其他的水面一样，在晴朗的天气下，浪大的时候，波浪的表面会以直角的角度反映出天空的颜色，或许因为更多的光线混在一起，在一定的距离之外显得水色比天空的蓝色要深一些；在这样的时候在湖上四处眺望水上的倒影，我注意到了一种无可比拟、难以描述的浅蓝色，像轧上波纹的丝绸或闪光丝绸和剑锋的色彩，比天空本身还要湛蓝，与波浪另一面原来的深绿色交相闪现，相比之下，深绿色显得朦胧暗淡了。在我的记忆中，这是一种玻璃般的绿蓝色，就像冬季日落前西边云团之间露出的片片蓝天。然而把一杯湖水举在亮光中看，它就像同量的空气一样无色。众所周知，一大块厚玻璃会带上点绿色，据制造玻璃的人说，那是因为它的“量”的关系，而一小块同样的玻璃就会是无色的。我从来没有能够证实过，需要多大的量的瓦尔登湖湖水，才能泛出这样的绿色来。如果直接往下看，我们的河水的颜色是黑色或非常深的棕色，和多数湖泊里的水一样，会使在里面洗澡的人身上发黄；但是瓦尔登湖的水是如此晶莹纯净，使洗澡人的身体显得像雪花石膏般洁白，更为反常的是，四肢在水里被放大和扭曲了，产生了一种怪异的效果，值得像米开朗基罗这样的人去研究。

湖水清澈得可以很容易地看到 25 或 30 英尺下的湖底。在湖面上划船，你可以看到在水面许多英尺以下有大群的小鲈鱼和小银鱼，也许只有一英寸长，但是可以通过它们身上的横纹很容易把前者识别出来，你会认为在那里寻求生存的必定是苦行鱼。许多年前的冬天，有一次，我为了捕捉狗鱼在冰上凿洞，上岸的时候，我把斧子扔回到冰面上，但是，仿佛有什么妖魔作怪，斧子出溜了四五杆后直接落进了一个冰洞里，那里的水有25英尺深。出于好奇，我平躺在冰面上往洞里张望，直到看见了那把斧子头朝下稍偏一点地立在那里，斧柄直直地随着湖水的节奏微微晃动；如果我没有去动它，它可能会一直立在那里晃动，直到岁月使斧柄腐烂脱落。我用我的一把凿冰的凿子在斧子的正上方又凿了一个洞，用刀子砍下了在附近能够找得到的最长的桦树条，做了一个活结套，绑在桦树条的一头，然后小心地放下去，套在斧子柄端的圆疙瘩上，用沿桦树条放下的一根绳子拉住，把斧子提了上来。

湖岸是由像铺路石一样光滑的白色圆石头构成的狭长的一条，只有一两处短短的沙滩，湖滨很陡，在许多地方，只要纵身一跳，就能把你带进没顶深的水里；如果不是由于湖水出奇的清澈，就要到对岸湖底上升的地方才能再看见湖底了。有人认为这湖深得没有底。湖水没有一处是浑浊的，一个漫不经心的观察者会说，湖里根本没有水草；至于看得见的植物，除了在新近被淹没的那些小片草地里有，而这些草地并不真正是湖的一部分，在别的地方再仔细查看也发现不了一棵菖蒲或一根灯芯草，甚至连睡莲——无论是黄色的还是白色的——都没有，最多只有几片小小的心形叶子和河蓼草，也许还有一两棵水盾草；然而一个洗澡的人不一定看得见这些；这些植物和它们生长其中的水一样清亮。岩石伸进水中约一两杆，然后水底就完全是细沙了，只有在最深的地方才常会有一些沉积物，也许是多少个秋季飘到水面的落叶腐烂沉淀的结果，而且即使在隆冬时节，起锚时也会带上鲜绿色的水草来。

我们还有另外一个和它一样的小湖，是坐落在往西大约两英里半的叫做九英亩角地方的白湖；但是，虽然我熟悉以瓦尔登湖为中心，方圆十二英里之内的大多数湖泊，却找不出第三个有这样清纯和矿泉般特点的湖。也许一个又一个民族都相继喝过它的水，赞赏过、探测过它，又一个个地消失了，而它的水依然那样绿，那样清澈透明。每个春天是如此，无一例外！也许在那个春天的早晨，当亚当和夏娃被逐出伊甸园的时候，瓦尔登湖就已经存在了，甚至在那时，随着薄雾和南风下起了绵绵春雨，湖水起了浪，湖面布满了大群的野鸭和大雁，它们并不知道人被逐出伊甸园一事，有这样清纯的湖就足够了。即使在那时，湖水已开始涨落，变得晶莹纯净，并使它染上了现在的这个颜色，拥有了上天给与的专利，成为世界上独一无二的瓦尔登湖，以及天国露水的蒸馏器。有谁知道，在多少个被忘却的民族的文学作品中，这个湖都一直是卡斯塔利亚[①]诗歌灵感之泉？又有谁知道，什么样的山林水泽的仙女，在古代神话中的黄金时代里曾是这里的主人？它是康科德皇冠上一颗最为璀璨的宝石。

不过，第一批来到这个湖的人们，也许留下了他们的足迹。我曾惊奇地发现，围绕着湖岸，在陡峭的山坡上有一条窄窄的仿佛是

---

① 卡斯塔利亚泉是希腊神话中帕纳塞斯山上的一处清泉，被看作是太阳神和文艺女神们的圣地。

架起的小路，就连在岸边浓密的树林刚被砍伐过的地方也有，路时而往上，时而往下，时而接近、时而远离湖边，也许和生活在这里的种族一样古老，是被土著的猎人的脚踩出来的，如今占有这片土地的人，仍然时不时地在不知不觉中行走其上。冬天，刚刚下过小雪以后，站在湖的中央，小路看起来特别明显，像一条清晰的起伏着的白线，没有杂草和细枝的遮蔽，许多地方在四分之一英里开外还是看得非常清楚，而在夏天，即使近在咫尺也很难分辨出来。可以说，雪以清晰的白色浮雕将其重新印了出来。将来，有朝一日会在这里建造的别墅的装饰性的庭园，可能仍旧会保留下它的一些痕迹。

湖水有涨落，但是涨落是否有规律，周期如何，就没有人知道了，不过，照例有许多人装作知道。通常，冬天水位高一些，夏天低一些，但是和一般的多雨或干旱却没有相应的关系。我还记得它的水位比我住在湖边时低一两英尺的时候，也记得至少高出五英尺的时候。有一条狭窄的沙洲伸进湖中，它一侧的水很深，和主岸间约有 6 杆的距离，大约在 1824 年我曾在沙洲上帮助煮过一锅海鲜杂烩浓汤，而一连二十五年都没有能够再这样做过；可是，另外一方面，当我的朋友们听我告诉他们说，在那年的几年之后，我常常乘船在森林包围中的一个隐蔽的小湾里钓鱼，那个小湾离他们熟悉的唯一的湖岸是 15 杆，现在早已变成了一片草场，他们个个觉得难以置信。但是湖面已经连续两年在不断上升，现在，在 1852 年的夏天，比我住在湖边时正好上升了 5 英尺，或者说，和三十年前的高度一样，在那片草场上又可以钓鱼了。这使水面高低的差别最多时达到了六七英尺；但是从周围的山上流下来的水量是微不足道的，因此，水位的这种上涨必定和影响着深处泉源的因素有关。同样的这个夏天，湖水又开始下降了。这种涨落，无论是否有周期性，看来需要许多年才能完成，真是太惊人了。我注意到了一次上涨和两次部分的退落，我想再过十二或十五年，水面会再一次降落到我曾见到过的最低度。往东一英里的弗林特湖，尽管考虑到有水的流进流出造成的干扰，还有介于其间的更小的湖泊，都和瓦尔登湖相互感应，近来和后者同时达到了它们的最高水位。就我的观察而言，白湖也是如此。

瓦尔登湖间隔时间很长久的涨落至少起到了这样一个作用：最高水位保持一年左右，虽然使得绕湖行走很困难，但是也毁掉了从上次涨水以后在湖边生长起来的灌木和树木，北美油松，白桦，桤木，山杨，等等，水再一次退落的时候，就留下一片光秃秃的湖岸；所以，和许多别的湖泊以及所有受到每天潮水起落影响的水域不同，瓦尔登湖的湖岸在水位最低的时候是最干净的。在我屋旁的那侧湖岸，一排15英尺高的北美油松全都被淹死了，像被撬杠撬翻般倒了下来，湖就这样阻止了树木的越界侵占；而树木的大小则表明，自从湖水上次涨到这个高度，其间过去了多少年。通过这种涨落，湖维护了自己对湖岸的拥有权，这样，湖岸被刮得干干净净，树木就无法因占有而保持其权利了。这些是不长胡子的湖的唇部。湖水不时舔舔自己的口颊。当湖水涨到最高处时，桤木，柳树和枫树从泡在水中的枝干上长出大量几英尺长的红色的纤维根，离地三四英尺高，企图使自己能够将生命维持下去；我还看到过湖岸周围的长得很高的乌饭树丛，一般是不结果的，但在这样的环境下却结出了累累果实。

有些人怎么也弄不明白，湖岸怎么会被铺砌得如此平整。同镇的人都听到过这个传说，年纪最大的人告诉我，他们是在年轻的时候听说的，说是古时候，印第安人在这里的一座山上举行祈求神灵保佑的仪式，这座山高耸入云，就和这湖现在深深地沉入地下一样，传说他们使用了大量亵渎神灵的语言，其实这是印第安人从来不犯的一种罪过，而就在他们举行仪式的时候，突然，山剧烈震动起来，然后沉陷了，逃生的只有一个叫瓦尔登的印第安老太婆，湖就以她的名字命名。人们推测，当山发生震动时，石块滚下山坡，成了现在的湖岸。至少可以肯定的是，过去这里是没有湖的，而现在有了一个；这个印第安人的传说和我前面提到的那个老移民的叙述没有任何冲突，他清楚地记得，当他第一次带着他的占卜杖来到这里的时候，他看到从草地上升起一片薄薄的雾气，那根榛木杖一直往下指，他最后决定在这里挖一口井。至于那些石头，许多人仍然认为，很难用山的震动来解释；但是我注意到，周围的山上满是同样的石头，因此在铁路离湖最近的地方，人们不得不把石头在铁路两旁堆成墙；而且，湖岸越陡的地方，石头越多；因此这对我已经没有什么神秘可言了。我发现了铺岸者。如果湖的名字不是来自某个英国的地名，——例如萨弗伦·瓦尔登，——那你可以认为它原来的名字是围而得湖。

湖是我的一口天然挖好了的井。一年中有四个月，湖水是冰冷的，正像它一年四季都是纯净的；我想，这时候的水，如果不比城镇里的水更好的话，至少也一样好。冬天，暴露在空气中的水都比不受空气直接影响的泉水和井水要冷。我呆的屋子里，从下午5点到第二天正午，即1846年3月6日，温度计有时升到华氏65或70度，温度变化的部分原因是太阳晒热了房顶，而放在屋子里的湖水的温度是42度，或者说，比刚从村子里水最冷的一口井里提上来的水低一度。同一天，沸腾泉的水温是45度，是测试过的水中温度最高的，虽然在夏天，它是我所知道的最冷的水，因为它浅浅的不流动的表层水不和泉水混合。在夏天，因为瓦尔登湖很深，湖水从来不会像多数暴露在太阳之下的水的温度那样高。在最热的时候，我常常把一桶湖水放在地窖里，水夜里变凉，一直保持到白天水都是凉的；然而我也使用附近的一处泉水。这水放了一个星期还是和刚刚汲上来时一样好，没有水泵的味道。无论谁夏天在一座湖岸上露营一星期，只需要把一桶水在营地的阴凉处埋下几英尺深，就可以不用依赖冰所给与的享受了。

在瓦尔登湖里曾捕到过狗鱼，有一条重7磅，更别说另外一条了，它以飞快的速度把一卷钓丝带跑了，因为没有看见鱼，捕鱼人估计至少得有8磅重，也捕到过鲈鱼和鳕鱼，有的超过两磅重，还有小银鱼，鳊鱼（Leuciscus pulchellus），少量的鲤鱼（Pomotis obesus），两条鳗鱼，其中一条有4磅重，——我写得这么具体，因为一般来说，一条鱼的重量是它能够出名的唯一资格，而这两条鳗鱼是我在这里唯一听说过的鳗鱼；——还有，我依稀记得有条约5英寸长的什么小鱼，两侧银白色，鱼背发绿，特点和鲮鱼有点相似，我在这里提到它，主要是想把我知道的事实和传说联系起来。不过，这个湖里鱼并不多。虽然狗鱼的量并不大，但却是它的主要骄傲。有一次，我躺在冰上，看见至少三种不同的狗鱼；一种是浅水里的长长的钢灰色的，最像在河里捕到的那种；一种是鲜亮的金黄色的，泛着微绿的光，在很深的水里，是这里最常见的一种；第三种是金黄色的，和上一种样子很像，但是两侧布满深棕色或黑色的小斑点，还夹杂着一些淡淡的血红色斑点，非常像鲑鱼。它的种名 reticulatus（网状）不适用，倒该叫做 guttatus（斑点）才对。这些都是很硬实的鱼，从它们的大小看不出有这么重。小银鱼，鳕鱼，还有鲈鱼，其实这个湖里所有的鱼，都比河里及多数其他湖里的鱼要干净得多，好看得多，肉也硬实得多，因为这里的水更纯净，要把它们和别处的鱼区别开来是很容易的。说不定一些鱼类学家会从中培育出新品种来。湖里还有一种洁净的青蛙和乌龟，以及一些贻贝；麝鼠和水貂留下了它们的踪迹，偶尔一只过路的甲鱼也会来到这里。有时候，当我在早晨把船推到湖里时，会把夜里藏匿在船下的一只大甲鱼给惊动起来。春秋两季，野鸭子和大雁经常来此，白肚皮的燕子（Hirundo bicolor）掠过水面，翠鸟从幽深的隐蔽处猛地飞出，斑鹬（Totanus macularius）整个夏天在湖的石岸上摇来摆去。有的时候，我会惊起停留在垂在水面上的五针松枝头的鱼鹰；但是我拿不准海鸥的翅膀曾否冒犯过湖面，它们是到过美港的。它最多容忍潜鸟一年来一次。这些都是常到这里来的重要的动物。

在风平浪静的日子里，你从船上可以看到，在东边沙岸附近，水深 8 或 10 英尺的地方，以及在湖的其他部分，有一些圆堆，直径 6 英尺，高 1 英尺，由比鸡蛋小一些的石头堆成，而四周都是沙子。

一开始你会奇怪，心里想，不知是不是印第安人为了什么目的在冰面上堆的，而当冰融化了以后，石堆就沉到水底了；但是它们太有规律了，其中一些圆堆也太新了，不可能是印第安人堆的。它们和在河流里发现的石堆很相像；但是这里既没有亚口鱼，也没有八目鳗，我不知道它们是什么鱼给堆建起来的。也许它们是银鱼的窝。这给了湖底一种令人愉快的神秘感。

湖岸形状很不规则，因此毫不单调。呈现在我脑海里的西岸有锯齿状的深湾，北岸较为陡峭，南岸呈美丽的扇贝形，那里一个连一个的岬角相互交叠，使人感到岬角之间会有未经探测过的山坳小湾。四周耸立着群山，从群山环抱中的小湖的中心看去，森林再也没有比这更美丽的背景了，也不可能更美丽了；因为有着它的倒影的水面不仅构成了最好的前景，而且曲折的湖岸形成了它最自然最令人愉快的分界线。那里的边缘没有粗糙或不完美的感觉，不像那些曾被斧子砍伐掉一片树木，或毗连着耕地的地方。靠水的一侧，树木有足够的空间伸展，每棵树都向水的方向伸出最具活力的枝丫。大自然在那里编织出了自然的边界，眼睛从岸边最低的灌木丛逐渐上移，直到最高的树木。看不到多少人的双手留下的痕迹。湖水依旧冲刷着湖岸，千年不变。

湖泊是自然景色中最美也是最富表现力的一部分。它是地球的眼睛；凝视湖中，人能够衡量出自己本性的深度。湖边的水生树木是它周围纤细的睫毛，四周树木苍郁的群山和山崖是突出于其上的眉毛。

在九月一个平静的下午，我站立在湖东端一片平坦的沙滩上，薄雾中对岸的轮廓影影绰绰，此刻我明白了“湖平如镜”一词的由来。当你头朝下看的时候，湖面像一条细细的薄纱线伸展穿过山谷，在远处松树林的映衬下闪烁着微光，将大气层分隔开。你会觉得你能够从它下面走到对面的山上而不会打湿衣衫，飞掠而过的燕子可能在上面停落。确实，有时它们俯冲到这条线的下面，仿佛是弄错了，然后猛然醒悟过来。当你越过湖面向西看去的时候，你不得不把两只手都用上遮护着眼睛，挡住真正的太阳光和水面反射的阳光，因为两者同样耀眼；如果你从这两个光线之间仔细地察看湖面，它确确实实平滑如镜，只有隔着同样的距离布满整个湖面、在水面滑行的长足昆虫，以它们在阳光下的活动，使水面发出想象中最美丽的闪光来，或者，也许会有一只野鸭在整理自己的羽毛，或像我已经说过的那样，一只掠过湖面的低飞的燕子，触及了水面。也许在远处，一条鱼在空中画出了一道三四英尺长的弧线，在鱼跃出的地方有一道明亮的闪光，入水的地方又有另一道闪光；有时候整道银色的弧线都展现了出来；或者，也许在这里那里，湖面上会漂着蓟草种子上的冠毛，鱼儿会向它冲去，在水面激起涟漪。它像熔化了的玻璃，冷却了但还没有凝结，里面的些许微粒，也和玻璃的瑕疵一样，纯净而美丽。你常常能够发现湖面上有一片更为平滑、颜色更深的水面，仿佛被一张无形的蜘蛛网和其他的水面隔开，成了一片水中仙女的水栅隔出的围区。从山顶上俯瞰，你能够看见几乎在湖的任何地方，都有鱼跃出水面；因为任何一条狗鱼或小银鱼从这平滑的水面上攫食昆虫时，都会明显地搅乱整个湖面的平静。真是太奇妙了，这样一件平凡的事情却被如此精致巧妙地渲染出来，——将这鱼类的谋杀暴露无遗，——我在远远的高处都能看出直径为6杆的一圈圈起伏的波浪。你甚至能够发现一只水蟠（Gyrinus）在四分之一英里外的平滑的水面上不停地前进，它们在水面上划出一道浅浅的沟，两股水分叉开去，中间形成醒目的波纹，但是在水面滑行的长足昆虫滑过时却不留下任何明显的波痕。当湖水激烈波动的时候，水面上既没有滑行的昆虫，也没有水蟠，但是在风平浪静的日子，它们离开自己的憩息所，充满冒险精神地从湖岸一次次短距离地猛冲滑行，直到滑过全湖。在秋天一个晴朗的日子，坐在这样一个高处的树墩上，尽情享受着阳光的温暖，俯瞰倒映着天空和树木的湖面，端详连续不断出现的圆圆的水涡，如果不是这些小水涡，湖面是很难辨认出来的。这真是一件令人心旷神怡的事情。在这片宽阔的水面上，任何一点搅动都会立即被轻柔和缓地抚平，就好比从湖中装了一瓶水，一圈圈颤动的水波涌到岸边，一切又重归平静。一条鱼的跃出，一只昆虫的落入，都由一圈圈水涡、一条条美丽的线条表现出来，仿佛那是它生命之泉的不断涌出，它生命的轻轻脉动，它胸脯的一起一伏。究竟是快乐的颤栗还是痛苦的颤栗是很难分得清的。湖的景象是多么宁静啊！人类的劳动成果也像在春天一样闪闪发光。啊，每一片叶子、每一根枝丫、每一块石头、每一张蛛网，在后半下午的时分晶莹闪烁，和春天的清晨布满露珠时一样。桨的每一划动，或昆虫的每一动作，都会产生一道闪光；而落桨的回声是多么甜美悦耳啊！

九月或十月里这样的一天，瓦尔登湖是一面完美的森林明镜，四周石头镶边，在我的眼中，都是稀有珍贵之石。躺在地球表面的东西，也许没有什么像湖这样美丽，这样纯净，同时又这样巨大的了。水天一色。它不需要篱笆。民族过往，都不能使它失去光泽。这是一面石头打不碎的镜子，镜上的水银也永远不会磨损，大自然不断修复它上面的镀金；没有风暴，没有尘垢，能够使它永远清新的表面变得黯淡；——在这面镜子里，一切杂质会沉没，被太阳轻柔的刷子擦拭得干干净净，——这是一块轻而薄的擦尘布，——往上面呵气也不会留下痕迹，而是把自己的气息送往空中，形成云朵高高飘动在它的上面，却又倒映在了自己的胸膛上。

一片水面显露出空中的精灵。它不断从上空接受新的生命，获得新的动作。湖的本质是天地之间的媒介。在大地上只有草木随风摇动，但是风能吹出水本身的涟漪。通过道道水纹或片片波光，我能够看到风从那里吹过。我们能够俯视水面，真是奇妙无比。也许我们终究也会这样俯视天空的表面，看到更为难以捉摸的精灵在那里掠过。

在水面滑行的长足昆虫和水蝽终于在十月下旬严霜出现以后消失了踪影；然后到了十一月，在无风的日子里，没有任何东西会在水面上激起涟漪。十一月的一天下午，在连续几天的暴雨后的平静中，天空仍然阴云密布，空气中仍然弥漫着雾气，我注意到湖水出奇地平静，因此很难分辨出湖面来；它不再倒映出十月份的璀璨色彩，而只有周围群山十一月份的灰暗颜色。尽管我尽可能轻柔地在湖上徐缓地行进，船行引起的微波还是一直延伸到目力所及的远方，水面的倒影也带上了波痕。但是，当我眺望湖面的时候，看见远处有星星点点的微弱闪光，仿佛是逃过了严霜的在水面滑行的长足昆虫又在那里汇集起来，或许，由于水面太平静了，湖底泉水涌出的地方就显露了出来。我轻轻地把船划到其中一处，却惊讶地发现自己被无数的小鲈鱼所包围，它们约有5英寸长，在绿色的水中呈深黄褐色，在那里嬉戏，不断地浮到水面，在水面留下小水涡，有时还留下些水泡。在这样透明而似乎无底的、倒映着云团的水里，我仿佛像在气球里在空中飘浮，鱼儿的游动让我觉得像是一种飞行或盘旋，仿佛它们是一群密集的鸟儿，就在我的下方或左或右地飞过，它们的鳍像帆一样全都张起在那里。湖里有许多这样的鱼群，显然是要在冬季在它们广阔的天窗上拉下冰遮板之前，抓紧利用这短暂的季节，它们搅起的水波有时像微风吹过水面，有时像落下了几滴雨点。当我漫不经心地接近、因而惊起了它们的时候，它们会突然用尾巴溅起水花，好像有人用一根毛糙的树枝击打着湖水，并且立刻就躲进了湖的深处。终于起风了，雾更浓了，浪花开始滚动，小鲈鱼跳得比过去更高了，半个身子跃出了水面，水面上立即出现了成百个三英寸长的黑点。有一年，晚至12月5号，我还在水面上看到了水涡，空气里弥漫着浓雾，我以为马上就要下大雨了，匆忙坐回桨旁向家划去；雨好像已经很快越下越大了，虽然并没有感觉到有雨点打在脸上，但我料想自己肯定会全身湿透。可是，突然之间水涡没有了，因为水涡是鲈鱼激起的，而我的桨声把它们吓得躲进了深水之中，我隐约看见一群群的鱼消失得无影无踪；结果，我度过了一个无雨的下午。

一位老人在大约六十年前常到这个湖来，那时湖周围密布着森林，他告诉我，有时候他看到湖上满是野鸭和其他水禽，湖的上空有许多老鹰盘旋。他来此捕鱼，用的是他在岸边找到的一条旧独木舟。独木舟是把两根五针松中间掏空后用销子固定在一起而成的，两头砍削成四方形。它非常粗糙，但是用了许多年船里才开始进水，后来也许沉到了湖底。他不知道这是谁的独木舟；它是属于这个湖的。他曾用山核桃树皮一条条地捆系在一起做锚绳。另一位在美国独立战争前在湖边居住过的老制陶工曾告诉他，湖底有一只铁箱子，他亲眼看见过。有时候铁箱子会浮出水面漂到岸边；但是当你朝它走去的时候，它就会回到深水里消失掉。我很高兴听说那只旧独木舟，它取代了印第安人用同样材料做的独木舟，造型更为优美，说不定它原来是生长在湖边的一棵树，后来倒进水里，在那里漂浮了二三十年，是湖上最为合适的船只了。我记得，当我初次向湖底深处看去的时候，能够隐约看到有许多粗大的树干躺在湖底，它们要不就是过去被风刮倒的，要不就是木材便宜的时候最后一次砍伐时留在冰面上的；但是现在大多已经不复存在了。

我第一次在瓦尔登湖上划船的时候，湖的四周完全被高大浓密的松树和栎树林所包围，在一些小湾周围，长在水边的树上爬满了葡萄藤，搭成了小船能够在下面通过的凉棚。湖岸的山非常陡峭，而那时生长在山上的林木是这样高大，当你从湖的西端俯瞰的时候，它很像一座用来进行某种林中演出的露天圆形剧场。年轻的时候，夏天的上午，我常在湖上度过许多时光，我把船划到湖心后，就任凭轻风吹着我的船只荡漾，自己仰面躺在座位上，沉醉在幻想之中，直到船触到沙滩上我才惊醒，起身看看命运将我推到了哪个岸边；在那些日子，闲散是最有吸引力、最富有成效的行当。多少个上午我偷偷溜出去，宁愿这样度过一天最宝贵的时光；因为我是富有的，如果不是在钱上富有的话，却富有阳光明媚的时刻和夏季的日子，并且慷慨地消磨着它们；我对没有在车间里或教师的讲桌前浪费更多的时间丝毫不感到后悔。但是自从我离开了那片湖岸以后，伐木人进一步毁坏了那个地方，许多年里不再能够漫步于林中的小径之上，也不再能够偶尔穿过树木看到远处的水色了。如果我的缪斯女神从此沉默，那是情有可原的。树林被砍掉了，你还指望小鸟会歌唱吗？

现在，湖底的树干，古老的独木舟，包围湖岸的黑黢黢的森林，全都消失了，几乎不知道湖在什么地方的村民，不仅不到湖里去洗澡或喝水，反而打算把至少和恒河水同样圣洁的湖水用水管引到村子里去洗他们的碗碟！——拧一下龙头或拔一下塞子，就可以得到瓦尔登湖的水了！还有那个魔鬼般的铁马，它震耳欲聋的嘶叫声传遍了全镇，已经用它的脚使得沸腾泉混浊了，正是它，吞噬了瓦尔登湖边的森林；那匹肚子里藏着一千个人的特洛伊木马，是贪婪的希腊人开始使用的①！这个国家的勇士在哪里，穆尔城堡中的穆尔②？到造成深刻创伤之处去迎战它，将复仇的长矛刺进这个傲慢的害人精的肋骨之间吧。

---

① 古希腊人围攻特洛伊城，久攻不下，遂设计了一个空心大木马，并将一批精兵埋伏其中，置于城外，佯作退兵，特洛伊人以为敌兵已撤，便将木马拖入城内，夜间伏兵跳出，打开城门，希腊兵一拥而入，攻下特洛伊城。

② 英国17世纪民谣中杀死吃人的龙的英雄，见托马斯·珀西（1729—1811）的民谣集《英诗辑古》（1765）。

然而，在我所知道的所有湖泊的特性中，也许瓦尔登湖的最为出色，最好地保持了它的纯净。许多人都曾被比喻作瓦尔登湖，但很少有人能够受之无愧。虽然伐木工人先砍伐净了这片湖岸，再砍伐净了那片湖岸，爱尔兰人在湖边建造了他们肮脏的住处，铁路侵入了它的界线，卖冰的人也曾在湖上采过冰，它本身却没有变化，仍然是我年青时的眼睛看到的同样的水；所有的变化都发生在我身上。湖水起过这么多的涟漪，但它却没有一道永久的皱纹。它永远是年轻的，我仍能站在那里，看见一只燕子和往昔一样一掠而下，从水面叼起一条虫子。今天晚上，思绪重又袭上心头，就仿佛二十多年以来，我不是几乎天天都和它相伴似的，——啊，这就是瓦尔登湖，就是我多年前发现的那座林间湖泊；去年冬天森林被砍掉的地方，另一片林子又在岸边郁郁葱葱地抽芽生长了起来；同样的思绪涌现到和昔日一样的湖面；带给它自己和造物主同样清澈的喜悦和欢乐，啊，也可能带给了我。这湖无疑是一位勇者的杰作，他身上没有一丝欺诈！他用手围起了这片水，在心田里使它深化、净化，作为遗产将它留给了康科德。我从它的水面上看到，来此的是同样的倒影；我几乎要说，瓦尔登，是你吗？

我的梦想，
不是去装点诗行；
我无法比居住在瓦尔登
更接近上帝和天堂。
我是它的石岸，

是清风拂过湖畔
它的水和沙晶莹
闪亮在我的手心，
在我的手心里捧着的
是它的水和它的沙，
它幽深的胜地
高踞在我心里。

火车从来不停下来观赏这个湖泊；然而我觉得司机、司炉和司闸员，以及那些持季票旅行的经常看到它的乘客，更能欣赏这景色。火车司机在夜晚也并没有忘记，或者说他的天性使他不能忘记，他在白天的时候至少有一次看到了这宁静、纯洁的景象。虽然只看到了一次，就已经能够帮助他洗净州府大街和火车头的煤烟了。本人提议，把这个湖叫做“神赐之滴”。

我已经说过，瓦尔登湖水没有明显的进出口，但是，它一方面和地势比它高的弗林特湖，通过两者之间的一连串的小湖间接地遥相关联，另一方面显然直接地和康科德河相联，河的地势比它低，两者之间也有一连串类似的小湖，在另一个地质时代，瓦尔登湖的水说不定流经过这些小湖，如果稍稍挖掘一下，但愿上帝不容此事，还可以使湖水从这里流过。如果说，瓦尔登湖过着像森林中的隐士那样沉默克制、朴素无华的生活已经这么久，因而获得了这样奇特的纯净，那么，一旦弗林特湖的相对不太纯净的水和它混合，或者瓦尔登湖水在海洋的浪涛中糟蹋了自己的清新，谁能不为此感到遗憾呢？

在林肯县的弗林特湖，亦称沙湖，坐落在瓦尔登湖以东一英里，是我们最大的湖泊和内陆海。它比瓦尔登湖大得多，据说面积有197英亩，鱼类更为丰富，但是比较浅，而且并不特别纯净。我常常穿过森林步行去到那里，这是我的一种消遣。这样做是值得的，哪怕仅仅是为了感受到风自由地吹拂着你的面孔，看到水浪的滚动，缅怀航海者的生活。秋天刮风的日子，我到那里去拾毛栗子，那时栗子落到水里，被水冲到我的脚边；有一天，当我在它莎草丛生的岸边缓慢前行的时候，清新的浪花打在我的脸上，我碰上了一条船的残骸，没有了船帮，在灯芯草丛中也就只剩下船的一个平底的印记；然而船的造型却清晰可见，仿佛是一个巨大的带纹路的垫板。它给人们的印象，和在海边能够看到的船骸给人的印象同样深刻，并且包含着同样有益的教训。然而此时，它仅仅是一片腐殖质，和湖岸已经分不清了，长出了灯芯草和菖蒲。我常常欣赏湖北岸沙底上的水波纹，在水的压力下变得非常坚硬结实，涉水人的脚能够感觉得到，和这些痕迹相对应的呈波浪形单行生长的灯芯草，一行又一行，好像是波浪种植了它们。我在那里还发现了数量很大的奇怪的团块，显然是由细草或草根构成的，也许是谷精草根，直径从半英寸到四英寸，是非常圆的球形。它们在沙底的浅水滩上被水冲来冲去，有时被抛到岸上。它们要么完全是草，要么在中心有一点沙子。起初，你会认为它们像鹅卵石一样，是波浪冲刷形成的；但是构成最小的团块的东西，其质地也和其他大的一样粗糙，半英寸长，而且一年中只在一个季节里产生。此外，我还认为，与其说水浪构造了、不如说它磨蚀了这原已具有相当坚硬性的物质。干了以后，它们在很长一段时间里仍然保持着原来的形状。

弗林特湖！我们命名的本领就是这么低下。那个肮脏愚蠢的农夫，他的农场毗邻这片上苍赐予的湖水，还残酷无情地把岸边的树木砍伐一尽，他有什么权利把自己的名字给了这个湖？一个一毛不拔的吝啬鬼，更爱一美元硬币的反光的表面，或亮闪闪的一美分，他可以从中看到自己厚颜无耻的面孔；他甚至把停息湖上的野鸭也看作是侵占者；他的手指由于习惯于长期像哈比[①]那样紧抓住东西不放，已经变成了弯曲的硬爪；——因此我不喜欢这个名字。我到那里去，既不是为了看他，也不是为了听到谈起他；他从来没有欣赏过这个湖，从来没有在湖里洗过澡，从来没有爱过它，从来没有保护过它，从来没有称赞过它，也没有感谢上帝造就了这个湖。湖的名字还不如用在湖中游水的鱼，用常常在此出没的飞禽走兽，用生长在它岸边的野花，或者用某个生命史和湖的历史交织的野人或小孩的名字；而不是用一个对湖并没有所有权、只有和他想法相投的邻人或立法机关给予了他一纸契约的人的名字来命名，——这个人只想到湖的金钱价值；说不定他的到来给整个湖岸带来了厄运；耗尽了周围的地力，而且还想排尽湖里的水；他唯一的遗憾是，这里不是生长英国牧草或越桔的草地，——在他的眼里，什么也无法补偿这个遗憾，——要是能行，他会抽干湖水拿湖底的泥来卖钱。这

① 哈比，希腊神话中脸及身躯像女人，而翼、尾及爪似鸟的怪物，性残忍贪婪。

水又不能转动他的磨坊，他也不觉得观赏湖景对他是莫大的荣幸。我对他的劳动和他的农场毫无敬意可言，那里一切都各有其价；如果能够卖出钱来，他会把风景和他的上帝都扛到市场去出售；他到市场去实际上是为了他的那个上帝；在他的农场上没有什么东西能够自由生长，他的田地里不长庄稼，他的牧草地里没有鲜花，他的树上不长果子只长钱；他爱的不是他的果子的美，对他来说，果子变成美元以后才算成熟了。让我享受真正富有的贫困生活吧。我对农夫尊重和感兴趣的程度和他们贫困的程度成正比，——可怜的农夫啊。模范农场！房屋像立在肥堆上的蘑菇，人的、牛马和猪的住处，弄干净了的和没有弄干净的，全都一个个紧挨着！装满了人！一个巨大的油污渍，散发出强烈的粪肥和乳酪的气味！处于高度耕作的状态下，是用人的心和大脑来做肥料的！好像你要在教堂墓地里种你的土豆似的！这就是模范农场。

不，不，如果最美的景色要以人名来取名，那就只能用最高贵最杰出的人的名字。让我们的湖泊至少像伊卡洛斯海那样得到一个真正的名字吧，在那里，一次“勇敢的尝试仍旧在岸边回响”。①

在我去弗林特湖的路上，有一个比较小的鹅湖；往西南一英里是美港湖，它是康科德河的扩展部分，据说面积约有70英亩；面积

---

① 引自威廉·德拉蒙德（1585—1649）的《伊卡洛斯》。伊卡洛斯是希腊神话中的巧匠，与其父双双以蜡翼贴身，飞离克利特岛，因飞得太高，蜡被阳光融化，坠入爱琴海而死。

大约40英亩的白湖在美港以外一英里半的地方。这就是我的湖区。这些湖和康科德河一起，就是我有幸享受的水域；它们日以继夜，年复一年地研磨着我带去的谷物。

在瓦尔登湖被伐木人、铁路以及我自己亵渎了之后，林中的瑰宝、我们所有的湖泊中虽不是最美丽的、但也许是最富有魅力的湖就是白湖了；——湖的名字平凡得可怜，也许是来自它的水出奇的纯净，也许是来自湖沙的颜色。在这些和其他方面，它和瓦尔登湖宛如孪生，只是小一些。它们是如此相像，你会认为它们在地下一定是相连的。它们有同样的石岸，水的色泽也相同。和瓦尔登湖一样，在酷热的三伏天，透过树林向下俯瞰白湖的一些不那么深的小湾，湖底反射的光把水面染成朦胧的蓝绿色或浅灰蓝色。多年前，我常常从那里运来一车车的沙子，用来做砂纸，从那以后，我仍然继续到那里去。经常去白湖的人建议把它叫做绿湖。也许根据下面的情况还可以称它为黄松湖。大约十五年前，人们可以看见一棵油松的树梢，伸出在离岸许多杆的深水中，在此地这种油松被称作黄松，但两者其实仍属于同一树种。有人甚至认为，湖下沉了，原来这里耸立着原始森林，这棵树就是那片森林的残留。我发现，早在1792年，一位本镇的公民就写了《康科德城地形志》，收集在《马萨诸塞州历史学会文集》中，作者在描述了瓦尔登湖和白湖后，进一步写道，“在后者的湖心，当水位很低的时候，可以看见有一棵树，看来它原来就生长在现在这个地方，尽管它的根在水面50英尺以下；这棵树的树梢折断了，量了折断的地方，直径为14英寸”[1]。在1849年春天，我和萨德伯里城住得离湖最近的人交谈，他告诉我，是他在十或十五年前把这棵树从湖里弄出来的。就他所能记得的，树离岸12或15杆，那里水深30到40英尺。那是在冬天，上午他在湖里凿冰，决定下午在邻居的帮助下把这棵老黄松树挖出来弄走。他在冰面上锯出一道沟槽，直通岸边，用牛把树拔起拖到冰面上；但是没有干多久，他就惊奇地发现树是颠倒着立在那里的，树桩和树枝朝下，小的一头坚实地固定在湖的沙底上。大头直径约一英尺，他本想得到一段很好的锯材原木，可是树烂得只能当柴烧，要是还能烧的话。我们谈话的时候他的棚子里还剩下一点。树桩上有斧子砍的和啄木鸟啄的痕迹。他觉得原来可能是岸上的一棵枯树，最终被风刮倒落入湖里，当树尖泡透了水以后，树桩部分还是干的，要轻一些，树漂到湖中，颠倒着沉了下去。他八十岁的父亲记不得什么时候湖里没有过这棵树。现在仍然能够看到好几根挺大的圆木躺在湖底，由于水波的荡漾，看上去很像活动着的大水蛇。

这个湖很少被船玷污，因为里面没有什么东西可以吸引渔夫来此。湖里生长的不是需要淤泥的白睡莲，也不是常见的菖蒲，在那纯净的水里稀疏地长着一些开蓝花的变色鸢尾（Iris versicolor），从多石的湖底环湖生长出来，蜂鸟六月份会飞来，它微带蓝色的叶片和花，特别是它们的倒影，和浅灰蓝色的水分外协调。

---

① 见威廉·琼斯，《康科德城地形志》，《马萨诸塞州历史学会文集》，第一卷，238页。

白湖和瓦尔登湖是地球表面巨大的水晶，光芒四射之湖。如果它们永远凝结，小到可以抓在手里，恐怕早就被奴隶拿走，像宝石一样用来装饰君王的王冠了；但是由于是液体，又很大，所以就永远安全地留给了我们和我们的后人，我们却忽视了它们，去追求那科依诺尔钻石[①]。它们清纯得没有市场价值；它们没有淤泥。比起我们的生命来，它们要美丽多少啊，比起我们的性格来，又要透明多少啊！我们从来不知道它们有自私之处。它们比那个农夫门前供他的鸭子戏水的湖要洁净多少啊！到这里来的是洁净的野鸭。在大自然中，没有人类居民赏识她。鸟儿，连同它们的羽毛和歌声，和花儿是融洽协调的，但是有哪个少男少女是和大自然的原始丰饶的美协调一致的呢？她独自欣欣向荣，远离人类居住的城镇。谈什么天堂！你们污辱了大地。

① 印度的一颗原重191克拉的历史最悠久的大金刚石，1849年成为英王御宝，重琢成108.8克拉，1937年成英王王冠宝石。

# 贝克农场

有时候我信步走到松林中，松树如庙宇般耸立，或如装备就绪的船队，波浪起伏的树枝，荡漾着光影，这样柔和青翠，浓荫密布，就连德鲁伊特们[1]也会抛弃他们的栎树林，到松林中来膜拜了；有时候我到弗林特湖另一侧的杉树林去，那里的树上结满了覆盖着一层灰白色的蓝色果粒，尖尖的树梢伸得越来越高，完全有资格站立在瓦尔哈拉殿堂[2]之前，蔓生的杜松用缀满果实的圈圈藤蔓覆盖大地；有时候我去到沼泽地带，那里，松萝地衣从黑色的云杉树上像条条花彩般垂悬下来，伞菌，那沼泽诸神的圆桌，布满地面，更加漂亮的菌类装点着树桩，像蝴蝶或贝壳，或植物峨螺；那里生长着沼泽

---

① 德鲁伊特，古代克尔特人中一批有学识的人，担任祭司、教师和法官，或当巫师、占卜者等。

② 北欧神话中主神兼死亡之神奥丁接待战死者英灵的殿堂。

石竹和山茱萸，红色的桤树果像小妖精的眼睛一样发亮，美洲南蛇藤能使最硬的木头在它的搂抱中挤出凹痕、压碎，野冬青果之美使看到的人流连忘返，其他无名的野生果实也使他迷恋，使他倾倒，这是禁果，太美了，不是凡人能尝的。我没有去拜访某个学者，却反而多次去拜访某些树木，那些在这个地区稀有的树木，它们或远远地站立在某片牧场的中间，或在树林、沼泽的深处，或在山顶上；譬如黑桦树，我们就有几棵直径两英尺的漂亮的样本；黄桦是它的同类，树皮像宽松的金黄色袍子，散发出和前者一样的香气；山毛榉的树杆挺拔匀称，被地衣装饰着，完美无瑕，除了散布的样本之外，在我们镇子的范围内，就我所知只剩下了一小片树长得相当大的山毛榉林，有些人认为是鸽子种下的，以前附近曾有被山毛榉果引诱来的鸽子；劈山毛榉木的时候，看到银色的颗粒闪闪发光，真没有白花力气；椴树，鹅耳枥；还有 Celtis occidentalis，即假榆树，我们只有一棵长得壮实的这种树；有一棵高高的桅杆一样的松树，一棵适于做木瓦的树，或一棵长得比一般的铁杉树更为完美的铁杉树，像一座塔一样耸立在森林；还有我能够说出的许多别的树。这些就是我无论冬夏都去朝拜的圣地。

有一次，我碰巧站在一条彩虹的拱座上，彩虹贯穿在大气的底层，它给周围的草和树叶染上的那层颜色，使我眼花缭乱，好像我在透过彩色水晶看东西。这是一个充满了七彩虹光的湖泊，在短暂的片刻中，我像生活其中的一只海豚。如果持续的时间稍长一些，我的生活和职业就可能染上了它的色彩。当我行走在铁路的堤道上的时候，我常常会对我影子周围的一圈光环感到诧异，便不免会想象自己是上帝的一个选民。来看我的一个客人断言说，他前面的一些爱尔兰人的影子周围没有光环，只有土生土长的人才有这种特征。本韦努托·切利尼[①]在他的回忆录中告诉我们，当他被囚禁在圣安杰洛古堡中时，在做了某个噩梦或看到什么幻象之后，在早晨和黄昏，就会有一个灿烂的光环出现在他头的影子的上方，无论他在意大利还是法国都是这样，草被露水打湿后这光环就更为明显。这也许就是一种和我刚才提到的同样的现象，在早晨特别容易注意到，但是在其他时间，甚至是月光下也能看到。虽然是一个经常出现的现象，一般却不被注意到，在切利尼这样容易激动的富于想象力的人身上，就足以成为迷信的基础了。此外，他还告诉我们，他只指给很少几个人看过。但是，意识到自己被光环所器重的人，难道不真是与众不同的吗？

一天下午，我穿过森林到美港去钓鱼，以弥补我蔬菜性伙食的不足。我的路线要穿过怡人牧草场，它附属于贝克农场，一位诗人曾歌唱过那个僻静的所在，诗的开头是这样的，——

> 你的入口是一片怡人的田野，
> 布满青苔的果树部分地让位
> 给了一条微红的小溪，
> 麝鼠偷偷溜过，

---

① 本韦努托·切利尼（1500—1571），意大利佛罗伦萨金匠，雕刻家。

活泼的鳟鱼，

窜来窜去。①

在去瓦尔登湖前我曾想过到这里来生活。我去“钩”苹果，跃过小溪，吓坏了麝鼠和鳟鱼。这是一个显得无限漫长的下午，许多事情都可能发生，我们生命中很大的部分都是如此，不过我出发的时候，下午已经过去了一半。中途下起了阵雨，迫使我在一棵松树下面躲了半个小时，在头顶上堆了些小树枝，顶着手绢遮雨；当我最后站在齐腰深的水里，越过眼子菜甩下钓钩后，突然自己头顶上乌云密布，开始响起了隆隆的震耳雷声，灌满了耳朵。我想，神明们必定很得意，能够用这样叉形的闪电来打垮一个手无寸铁的渔夫。于是我匆匆逃到最近的棚子里去躲雨，这棚子离任何一条路都有半英里远，但是离湖要近得多，已经很久没有人住了——

这是一位诗人，

建于他的迟暮，

看这平凡的小屋

走向毁灭之路。

这是缪斯女神的预言。但是我发现，现在里面住着一个叫约翰·菲尔德的爱尔兰人和他的妻子，以及好几个孩子，从大脸盘的

---

① 引自钱宁（1780—1842）的诗《贝克农场》，后面还有四行也引自同一首诗。

帮助父亲干活的儿子，这时正跟在父亲身边从沼泽地里跑回来躲雨，到满脸皱巴巴的、像个女先知那样长着个圆锥形脑袋的婴儿，坐在父亲的膝头上就像坐在贵族的宫廷中一样，以婴儿特有权利从潮湿和饥饿的家里好奇地往外看着这个陌生人，不知道自己并不是约翰·菲尔德的可怜的饥饿的小崽，而是末代贵族，世界的希望和万众瞩目的中心。我们一起坐在漏得最轻的那部分屋顶下面，外面雷雨大作。从前我曾多次坐在那里，那时，载着这家人漂洋来到美国的那艘船还没有建造呢。显然，约翰·菲尔德是个诚实、勤恳但却没有什么能力的人；而他的妻子，在高大的炉子的凹处一顿又一顿地做饭，也是够勇敢的；一张油污的圆脸，袒露出大片前胸，仍然向往着有朝一日生活能得到改善；她拖把不离手，可是哪里也看不到它的作用。在屋里躲雨的鸡，像家庭中的一员在房间里大摇大摆走来走去，我认为它们太具有人性了，烤出来也未必好吃。它们站在那里和我对视，或者起劲地啄我的鞋子。与此同时，主人向我讲述了他的故事，他如何艰苦地为邻近的农夫在沼泽地里干苦工，用铁锹或沼泽锄翻草地，每英亩的报酬是10美元，外加一年无偿使用这片地和上面的肥料，他的小小的大脸盘儿子一直开心地在父亲身边干活，并不知道父亲讲定的是一笔多么不上算的交易。我试图用自己的经验帮助他，对他说他是我最近的邻居之一，我到这里来钓鱼，看起来像个游手好闲的人，其实和他一样，用同样的手段谋生；说我住在一个狭小轻巧和洁净的房子里，造价不比像他租这种破房子通常所需的年租金高；我告诉他如果他愿意，如何能在一两个月的时间里盖起一所属于他自己的宫殿来；说我不喝茶，也不喝咖啡，不用黄油，不喝牛奶，不吃鲜肉，因此不必为得到它们而干活；而且，由于我不拼命干活，也就用不着拼命吃，我花费在食物上的钱极少；但是因为他起始就需要茶，咖啡，黄油，牛奶，牛肉，他就不得不拼命干活赚钱来买这些东西，而当他拼命干活时就得拼命吃东西，以弥补身体的消耗，——因此横竖都是一样，实际是，横竖还不太一样，因为他不满，还外加浪费了自己的生命；然而他却把来到美国看成是得了益，在这里能够每天有茶和咖啡和肉。但是唯一真正的美国是这样一个国家，在那里你能够自由地追随不必拥有这些东西的一种生活方式，在那里，政府不会竭力迫使你支持蓄奴制，承担战争费用，以及其他直接或间接的因为这类事情而产生的额外支出。我有意识地把他当作一个哲学家或想成为一个哲学家的人进行谈话。如果世界上所有的草地都保持其原生状态，如果这是人类开始赎罪的结果，我会感到十分高兴。人不需要去学习历史才能明白，什么东西对他自己的文化最为有益。但是唉！一个爱尔兰人的文化，竟然是一桩用某种道德上的沼泽锄来从事的事业。我告诉他，由于他在沼泽地里苦干，他需要厚厚的靴子和结实的衣服，连这也很快就穿得又脏又破了，但是我穿的是轻便的鞋子和薄薄的衣服，价钱还不到他的衣物的一半，虽然他会觉得我的穿着像个绅士（其实情况并非如此）。我说，在一两个小时里，如果我愿意，不用花力气，像玩一样就能够钓上我两天里需要的鱼，或者赚来足够一个星期用的钱。如果他和他的家人能够过简朴的生活，他们可以在夏天一起去摘黑果木浆果作为娱乐。听到这里，约翰沉重地叹了一口气，他的妻子则两手叉腰，大瞪着眼，俩人都似乎在捉摸他们有没有足够的资金来开始这样的生活，或者是不是有足够的计算能力将其坚持到底。对于他们来说，这是按推测法航行，弄不清楚这样怎么能够到达港口；因此我想他们仍旧会用自己的方式去勇敢地、竭尽全力地面对生活，没有本事用任何锋利的楔子来劈开生活的巨大柱子，一部分一部分地打垮它；——只想着粗率地对付它，就像人们对付蓟草那样。但是他们是处在极端不利的条件下进行斗争的，——唉！约翰·菲尔德啊，过没有计算能力的生活，并且失败得这样惨。

“你钓过鱼吗?”我问他。“啊，钓过，休息的时候我时不时地能钓到几条；钓到过很好的鲈鱼。”“你用什么做钓饵?”“我用鱼虫钓小银鱼，再拿它们做饵钓鲈鱼。”“你现在该走了，约翰。”他的妻子说，脸上闪烁着希望；但是约翰迟疑着。

这时阵雨已经过去，东边森林上的一条彩虹预示着晴好的黄昏；于是我起身告辞。走到门外后我向他们要点水喝，希望能够看一眼井底，以完成我对这处财产的调查；但是，唉！水很浅，有流沙，绳子断了，桶也坏得没法修了。与此同时，他们挑了一只合适的厨房用的杯子，水看上去好像煮开过，在经过商量和长时间的耽搁后，把水递给了口渴的人，——水还没有凉，也还没有澄清下来。我想，是这样的浑水在支撑着这里的生命；于是，我把眼睛一闭，巧妙地利用水的潜流，把水里的微粒撇在一边，为他们的真诚好客喝了一大口水。在关系到礼貌的时候，我在这类事情上是不会过于苛求的。

雨停以后我离开那爱尔兰人的住处，再一次朝着湖的方向走去，我跋涉在僻静的草地里，蹚过泥坑和沼泽坑，经过荒凉崎岖的地方，有那么片刻，我觉得自己这么急着要捕捉到狗鱼，对我这个上过中学和大学的人似乎有点太不值得了；但是当我朝着西天的红霞跑下山坡时，我的肩头上方是一道彩虹，从不知道什么地方，穿过洁净了的空气，一阵隐约的丁冬声传到了我的耳朵里，我的守护神仿佛在说，——每天都四处去捕鱼打猎吧，——到更远的地方去捕猎吧，——放心地在许多溪边和火炉边休息吧。在年轻时记住你的造物主吧。[①]黎明前无忧无虑地起身，去寻求冒险。让中午发现你在其他的湖边，黑夜追上你四海为家。没有比这更大的田野，没有比这更有价值的游戏。按照你的天性无拘无束地生长吧，就像这些莎草和凤尾蕨，永远也不会变成英国干草。让雷霆轰鸣吧；即使它威胁到农夫的庄稼又怎么样？这并不是它带给你的信息。人们逃到马车里和棚子里的时候，你躲在云下吧。不要以手艺谋生，而以娱乐为生。享受土地的乐趣，但是不要拥有土地。人成为现在这个样子，买进卖出，生活得像农奴一样，都是由于缺乏冒险精神和信念所致。

啊，贝克农场！

> 景色中一抹清纯的阳光
> 是最为艳丽的风光。……
>
> 你围着栅栏的牧草地
> 没有人跑去作乐狂欢。……

---

① 见《传道书》（《圣经·旧约》的一卷）12章1节。

你从不和人争论，
也从未被问题所困，
穿着朴素的黄褐色华达呢衣服，
仍和初见时一样温顺。……

爱的人来吧，
恨的人也来，
圣灵的儿女，
以及政府中的盖伊·福克斯①们，
将阴谋诡计
悬挂在牢固的树枝上。②

人们每晚温顺地从就近的田地或街上回到家中，那里回响着苦恼，他们的生命逐渐憔悴，因为他一再呼吸的都是自己的气息；一早一晚，他们的影子所及之处比他们脚步所到之处还要远。我们每天都应该从遥远的地方，从奇遇、危险和新发现中，带着新的经历和特性回到家中。

在我到达湖边之前，某种新冲动把约翰·菲尔德也带到了这里，他改主意了，在日落之前不再到沼泽地干活了。但是，可怜的他只

① 盖伊·福克斯（1570—1606），英国人，因试图阴谋炸毁英国上议院被处死。
② 钱宁的另一首诗。

钓到了两三条鱼，而我却钓到了一长串，他说是他运气不好；可是等我们换了船上的座位，运气也跟着换了座位。可怜的约翰·菲尔德！——我相信他不会明白这一点的，除非他有了进步，——在这样一个原始的新国度里，还想靠老国度里的某种传统方式生活，——用小银鱼来钓鲈鱼。我承认，有的时候这的确是好鱼饵。他有着完全属于自己的天地，却是一个穷人，生来就穷，继承了他爱尔兰的贫困或穷日子，他的老祖宗和沼泽地的生活方式，他以及他的后代在这个世界上都不可能飞黄腾达，直到他们那长了蹼的在沼泽中跋涉的脚，在后跟上穿上了带翅膀的鞋子。

# 更崇高的法则

当我提着我那一串鱼，拖着钓鱼竿，穿过树林回家的时候，天已经相当黑了，我瞥见一只旱獭偷偷穿过小路，感到了一阵奇怪的野性的狂喜，强烈地想要捉住生吞了它；并非因为我当时饿了，而只是由于它代表的那种野性。不过，我在湖边生活的时候，有一两次发现自己像一只饿得半死的猎狗，奇特地恣意在林子里漫游，寻找我可以吞食的某种野味，而且吃什么野兽肉我都不会觉得太过野蛮。最野蛮的场景都变得莫名其妙地熟悉起来。我过去发现、现在也仍然发现，和大多数人一样，在自己内心有一种追求更高的、或者说精神生活的本能，同时有另一种追求原始地位和野蛮生活的本能，这两者我都尊重。我对野性的热爱不亚于对好教养的热爱。钓鱼所具有的野性和冒险仍然受到我的欢迎。有时候，我喜欢野性地对待生活，更多地像野兽那样度过我的一天。也许因为我年纪很小的时候就钓鱼和打猎，才会和大自然有了极其密切的接触。渔猎使我们很早就熟悉了自然景色，流连其中，否则在那个年纪，我们对大自然是不会有多少了解的。渔夫，猎人，樵夫以及其他人一生都在田野和森林中度过，在某种特殊的意义上，他们本身已是大自然的一个部分了，在工作的间歇里，常常比哲学家甚至诗人在观察大自然时有更好的心境，因为后者接近大自然是怀有目的的。大自然不怕向他们展示自己。旅行者在大草原上很自然就是个猎手，在密苏里河及哥伦比亚河的上游是个设陷阱捕兽的人，在圣玛丽大瀑布则是个渔夫。一个人如果仅仅是个旅行者，学到的是二手的、部分的知识，没有什么权威性。当科学把人们已经通过实践或直觉得知的报道出来，我们最感兴趣，因为只有这才是真正的人类的知识，或者说是人类经验的记述。

有人断言，由于没有这么多的公共节假日，大人孩子玩的游戏也不像在英国这么多，美国北方佬没有什么娱乐。他们错了。因为在这里，更为原始但个人单独进行的娱乐，如打猎和捕鱼等，都还没有让位给游戏呢。在我的同时代人之中，几乎每一个新英格兰的男孩在十岁到十四岁之间肩膀上都扛过捕猎野禽的猎枪；他的打猎和捕鱼的场地也不像英国贵族那样，局限在禁止他人捕猎的区域之内，甚至比野蛮人的还要广阔无垠。这就难怪他不常到公共场所去玩耍了。但是变化已经开始了，不是因为人性的增加，而是因为猎物越来越少，因为，包括动物保护协会在内，或许猎人是猎物的最好朋友。

此外，当我在湖边生活的时候，有时候想加上一条鱼使伙食多点花样。我还真的出自和最初的渔人同样的需要捕过鱼。任何我可能设想出来的反对捕鱼的人道原因全是假话，更多与我的哲学而不是感情有关。我现在谈的只是捕鱼，因为我对于捕猎野禽早就有不同的看法，在到林中居住前就把猎枪卖了。这并不是说我比别人缺少人情味，而是我没有感到自己的感情受到了多少影响。我既不同情鱼，也不同情做鱼饵的虫子。这是习以为常的事。至于捕猎野禽，在我带着猎枪的最后几年里，我的借口是研究鸟类学，只寻找新见的或珍稀鸟类。但是，我承认，我现在认为有比这个更好的研究鸟类学的办法。需要更为密切的关注鸟类的习性，哪怕就是为了这个原因，我也心甘情愿地放下猎枪。然而，尽管出于人道反对捕猎，我还是不得不怀疑，是否有同样有价值的娱乐能够代替它们；而且当我的一些朋友焦急不安地问我，该不该让儿子们打猎的时候，我的回答是，应该，——因为我记得这是我自己的教育中最好的一个部分，——使他们成为猎人，虽然起初只是爱好运动的人，如果可能，最后才会成为有力的猎手，这样他们在这儿或任何别的莽莽荒原中就都找不到足够大的猎物了，——他们是人类的猎手和渔夫。迄今为止，我还是同意乔叟笔下那个修女的意见，她——

> 没有听到拔掉了毛的母鸡说过
> 猎人不是圣洁的人。[①]

无论是作为种族还是个人，历史上都有过一段时期，猎人是

---

① 引自乔叟《坎特伯雷故事集》总序。

“最优秀”的人，阿耳冈坤印第安人[1]就是这样称呼他们的。我们不能不可怜一个从来没有开过枪的男孩；他并不比别人更人道，而他的教育却可悲地受到了忽视。对于那些一心打猎的青年，我的回答是，相信他们很快会长大成熟，不再沉溺此道。没有一个富于人道的人，在过了缺乏思考的少年时代以后，还会滥杀任何动物，动物和他一样，具有同样的生命权利。野兔在绝境中嚎叫起来和小孩一样。我警告你们，母亲们，我的同情并不总是按是否是人类来区分的。

青年人往往通过打猎开始接触森林，并且接触到自己身上最为本性的部分。最初他是作为猎人和渔人去的，到最后，如果他的身上有着更为高尚的生活的种子，就会明确自己正确的人生目的，可能是做个诗人或博物学家，把猎枪和鱼竿抛在一边。在这一点上，大多数人仍然并且永远都处于青年状态。在有的国家里，打猎的牧师并不少见。这样的牧师可能成为一只好的牧羊犬，但却远不是耶稣基督这样的好牧羊人。我惊奇地想到，除了砍树、凿冰或者这一类的事情之外，就我所知，唯一显然能够使我的市民同胞，无论是城里的当了父亲的大人还是孩子，在瓦尔登湖畔呆上整整半天的事情，就只有钓鱼了。一般来说，要是不能钓到一长串鱼，他们就会觉得自己运气不好，或者时间花得不值，尽管他们有机会一直欣赏湖上的景色。他们可能得去上一千次，钓鱼一事的沉渣才会沉落湖底，使他们的目的得到净化；但是无疑这种净化过程是一直在进行

① 曾经广泛居住于今天的美国西北部和加拿大东南部的印第安人部落。

着的。州长和他的顾问班子还模糊地记得这湖，因为他们小的时候去那里钓过鱼；但是现在他们再去钓鱼年纪太大了，也有失尊严，因此也永远不再熟悉这湖了。不过，即使是他们，也指望最后会上天堂呢。如果立法机构考虑到它，主要也只是控制允许在那里使用的钓钩的数量；但是他们对于用以钓起湖本身美景的那钓钩之王则一无所知，法规成了引诱他们去垂钓的诱饵。可见，即使在文明社会中，处于未成熟状态的人也需经过狩猎这个发展阶段。

近年来，我一再发现，我只要一钓鱼，自尊心就会有所降低。我试了又试。我有钓鱼的技巧，而且，和我的许多伙伴一样，在这方面具有某种本能，不时会迸发出来，但是等我钓完了鱼，就觉得还是不钓更好。我想我没有弄错。这是个微弱的暗示，但黎明的第一道光芒也是微弱的啊。毫无疑问，我身上具有这种属于低等动物的本能；然而随着每一年的过去，我越来越少去捕鱼，虽说我并没有更人道或甚至更智慧一些；目前我已经完全不做渔人了。但是我看到，如果我住在荒郊野外，我会再一次被吸引成为热切的渔夫和猎人的。此外，吃鱼以及所有的肉类从本质上是不洁的，而且我开始看到家务活从何而来，以及要做到每天穿戴得整洁体面、保持屋子讨人喜欢、没有任何难闻的气味和难看的地方，需要付出的那些巨大的努力。我自己既是屠夫、干粗活的厨工和厨师，又是享用菜肴的绅士，因此能够从少有的具有全部经验的立场来说话。在我这方面，反对吃肉的实际原因是它的不洁；此外，在我捕获了鱼，洗干净、煮熟并吃掉以后，它们似乎并没有在实质上给我提供了多少营养，既微不足道又没有必要，得不偿失。一点面包和几个土豆可以起到同样的作用，麻烦和污秽又少。和我的许多同时代人一样，多年以来，我很少吃动物性食物、喝茶或咖啡，等等；与其说是因为我追溯到了它们的不良后果，不如说是因为它们与我的想象格格不入。对动物性食品的厌恶不是来自经验，而是一种本能。过低微的生活，吃粗陋的饭食，在许多方面都显得更美；虽然我从来没有做到这一点，但为了满足我的想象还是做了许多努力。我相信，每一个曾认真地把自己的高尚的、诗人的才能保持在最佳状态的人，都特别注意不沾荤腥，并且避免多吃任何食物。昆虫学家们认为这是一个具有重要意义的事实，我在柯比和斯彭斯的作品中读到，“有些昆虫在性成熟期，虽有进食器官，却不使用它们。”他们表明，“几乎所有的昆虫在这个阶段吃得比幼虫阶段少得多，这是个一般规律。贪吃的毛虫变成蝴蝶以后，”……“狼吞虎咽的蛆变成苍蝇以后，”① 一两滴蜂蜜或者别的什么甜的液体就使它们满足了。蝴蝶翅膀下面的腹部仍然是幼虫的形状。这正是引诱它食虫的那一点点东西。贪吃者就是处于幼虫阶段的人；还有整个国家都处于这种状态的，没有幻想或想象力的国家，他们巨大的肚子将它们引入歧途。

要提供和烹制如此简单而清洁的，不会冒犯你想象力的饮食，是件困难的事情；但是我认为，我们为身体进食的时候，想象力也同样应该进食；两者应该坐在同一张餐桌旁。也许这是能够做得到的。有节制地吃水果不必使我们为自己的胃口感到羞耻，也不会阻碍我们进行最有价值的追求。但是在你的食物里加上额外的调料，

① 见柯比和斯彭斯所著《昆虫学引论》，1846 年出版。

就会毒害你。靠丰盛的食物生活是不值得的。多数男人如果被人看到在亲手准备这样的一顿饭，无论是荤的还是素的，都会感到羞愧，而每天别人都在为他们准备这样的饭食。要是这种情况不改变，我们就不是文明人，如果是绅士淑女，他们也不是真正的男人和女人。这一点肯定表明了应该做出什么样的改变。如果问，为什么想象力不能安于接受肉和脂肪，这可能是徒劳的。知道它不能我就满足了。说人是一种食肉动物，这难道不是指责吗？的确，他在相当大的程度上能够并且实际也是靠捕食其他动物而生活的；但这是很悲惨的方式，——任何捕捉兔子或宰杀羊羔的人都会知道这一点，——如果有人教育人们只吃更为清白和有益于健康的食物，他将被看作是民族的恩人。不论我自己是怎么做的，我毫不怀疑，人类在逐渐进步的过程中会停止吃肉，这是人类命运的一部分，这是确定无疑的，就和野蛮部落在与更文明的人接触后停止了人吃人一样。

即使一个人听从了自己天性的极为微弱但却持久不断的、肯定是正确的暗示，他也看不到这暗示会把他带到什么样的极端、甚至是疯狂的境地；然而，随着他变得更为坚定和忠诚，他看到这就是他该走的路。一个健康人内心的最微弱而肯定的异议，最终将会战胜人们的雄辩和习俗。但是人们不听从自己的天性去行动，却在天性将他带上歧途时听从起来。虽然其结果是身体的虚弱，但是也许没有人能够说这个后果令人遗憾，因为这是遵循了更高的原则生活的。如果你是快乐地去迎接白天和黑夜的，如果生活散发出像鲜花和香草般的芬芳，更充满活力，更璀璨，更不朽，——这就是你的成功。整个大自然都向你祝贺，你也有了短暂地祝福自己的理由。

最大的收获和价值却最得不到重视。我们很容易就开始怀疑它们究竟是否存在。我们很快就把它们忘记了。它们是现实的巅峰。也许，最令人震惊、最为真实的事实从来都没有在人与人之间进行过交流。我日常生活的真正收获宛如晨曦或晚霞的色彩，难以捉摸，无法言传。我捕捉到的只是些微星尘，抓住的只是彩虹的一小段。

然而，就我而言，我从不过分神经质；有时候，如果非吃不可，我也能够津津有味地吃下一只油炸老鼠。我很高兴喝了这么久的白水，其原因和偏爱自然的天空而不是抽鸦片者的天堂是一样的。我宁可总是保持清醒；而沉醉的方式是无穷的。我认为白水是聪明人的唯一饮料；葡萄酒并不是多么高贵的液体；想想看，用一杯热咖啡使早晨的希望成为泡影，或用一盏茶使晚上的希望破灭！唉，当我被它们诱惑的时候，我是多么堕落啊！就连音乐也可能醉人。毁灭了希腊和罗马的就是这种看起来微不足道的原因，并将毁灭英国和美国。在所有一切沉醉中，谁不愿意沉醉在他所呼吸的空气之中呢？我发现，我反对长时间干粗活的最大理由，就是这迫使我吃喝也粗鲁起来。但是说实话，我发现自己眼下在这些方面不那么挑剔了。我带到饭桌上去的宗教气氛少了，也不做饭前祷告了；不是因为自己比过去聪明了，而是因为，我不得不承认，无论这多么令人遗憾，随着岁月的逝去，我变得越来越粗俗和不在乎了。也许，只有年轻的时候才会考虑这些问题，正如大多数人认为的，也只有年轻的时候才会考虑诗歌。我的实践“无处可见”，我的意见写在这里。不过我远没有把自己看作是《吠陀本集》上所说的享受特许的人中的一个，“凡笃信无所不在的至高无上的上帝者，可食一切存在之物”，也就是说，他不必问吃的是什么，或者是谁为他准备的；不过即使在他们的情况下，正如一位印度的评注者指出的，也应该注意到，吠檀多[①]把这一特许限制在“危难时刻”。

有谁不曾在有些时候从他的食物中得到过难以表述的、和胃口无关的满足？我曾激动地想到，平凡粗俗的味觉使我有了一种精神上的感知，通过味觉受到了启发，我在山坡上吃的一些浆果哺育了我的创造力。曾子说过，“心不在焉，视而不见，听而不闻，食而不知其味。”[②] 品尝出食物真正滋味的人永远不可能是个饕餮之徒；否则就肯定是。一个清教徒可能在吃黑面包皮的时候胃口和市政委员吃甲鱼一样好。进入嘴里的食物并不能玷污一个人，而是吃食物时的胃口玷污了人。问题既不在食物的质也不在其量，而在于对口腹享受的热切；当吃的东西不是为了维持我们的肉体生命，或者也不是为了激励我们的精神生活，那就成了我们肚子里的寄生虫的食物了。如果一个猎人喜好甲鱼、麝鼠及其他类似的野味，一位优雅的女士酷爱牛蹄冻，或者海外来的沙丁鱼，那他们是半斤八两。他到水塘去，她则到腌制罐去。奇怪的是，他们，你和我，怎么能够过这样吃吃喝喝的卑鄙的、野兽般的生活。

我们整个的生命是惊人地具有道德性的。在善和恶之间，从来没有过瞬间的休战。善是唯一不会辜负人的投入。在整个世界中颤动着的竖琴的乐声，正是因为它强调善才使我们为之激动。竖琴是

---

① 古代印度哲学中一直发展到现代的唯心主义理论。

② 见《礼记·大学》。

宇宙保险公司的旅行推销员，推荐它的法则，我们所需支付的保金就是我们小小的善行。虽然青年人最终变得冷漠，宇宙规律却不是冷漠的，而是永远站在最为敏感的人的一边。倾听一下每一阵和风中的某种指责吧，因为一定会有的，听不到的人是不幸的。我们每拨动一下琴弦，每移动一个音栓的时候，充满魅力的道德寓意就会贯穿我们全身。许多恼人的噪音，能够传得很远，听起来也像乐声，这是对我们卑下的生活的绝妙而得意的讽刺。

我们意识到自己内心里存在着兽性，我们崇高的天性一睡着，它就会相应地醒来。它是卑鄙的，喜爱感官享受的，也许难以完全驱逐出去；就像即便在我们活着和健康的时候也占据着我们身体的寄生虫一样。也许我们能够躲开它，却永远改变不了它的本性。恐怕它本身拥有自己的一份健康；我们可能也是健康的，但却并不纯洁。前两天，我拾起了一个猪的下巴骨，有洁白完好的牙齿和一对长牙，这表明存在着区别于精神上的健康和活力的动物性的健康活力。这个家伙获得了健康活力，靠的并不是节制和纯洁。“人之所以异于禽兽者几希，”孟子曰，“庶民去之，君子存之。”如果我们达到了纯洁的境界，谁知道结果会是一种什么样的生活？如果我认识一个聪明到能够教我纯洁之道的人，我一定会毫不迟延地去寻找他。“控制我们的强烈情感，控制身体的外部感官，行善，是吠陀经声称的心灵接近神的必不可少的条件。”而在一时之间，心灵是能够渗透并控制身体的每一个部分和机能的，将形式上最为粗俗的纵欲转化为纯洁和虔诚。生殖的精力，如果我们加以放纵，就会使我们放荡不洁，当我们能够自制的时候，将使我们精力充沛、振作。贞洁是人类之花；所谓的天才，英雄主义，神圣，等等，都只不过是随后结出的各种果实。当纯洁之渠畅通之时，人立即流向上帝。纯洁和不洁交替着，时而鼓舞我们，时而使我们沮丧。确信自己身体内的兽性一天天在消失、人性中崇高的一面在建立起来的人是有福的。也许没有哪个人和低等的兽性结合而不感到羞耻。我担心我们只是像农牧之神和森林之神[1]那样的神或半神、和野兽结合的神明、纵欲的家伙，我担心在某种程度上，我们的生命本身就是我们的耻辱。——

> 伐尽脑中的林莽，将内心的野兽
> 安顿在该呆的地方，他是多么快乐！
> 能善用马、羊、狼和一切野兽，
> 而在它们面前又并不愚蠢！
> 否则人不仅只是猪倌，
> 而且也是魔鬼撒旦，
> 使它们鲁莽肆虐，更加恶劣。[2]

一切纵欲虽然形式多样，实际是一个东西；一切纯洁也是一个东西。一个人无论是吃、喝、同居还是淫荡地睡觉，都是一样的。

---

① 农牧之神，罗马神话中半人半羊的神；森林之神，希腊神话中具有人形但有羊的耳、尾、角等的神，好嬉戏，好色。

② 引自英国玄学派诗人约翰·但恩（1572—1631）的诗《致爱德华·赫伯特爵士》。

它们只不过是同一种欲望，我们只需要看见一个人做其中的任何一件事，就能够知道他纵欲的程度。不纯洁和纯洁不可能同起同坐。当爬行动物在洞穴的一个口上受到攻击的时候，它就会出现在另一个洞穴口上。如果你要贞洁，就必需节制。什么是贞洁？一个人怎样能够知道他是否贞洁？他不会知道。我们听说过这个美德，但是并不知道它是什么。我们按听到的传说来讲述它。智慧和纯洁来自努力，无知和纵欲来自懒惰。在学生身上，纵欲是精神懒散的一种习性。一个不洁的人毫无例外地是一个懒散的人，坐在火炉边上，躺着晒太阳，还没有劳累就休息了。如果你想避免不洁以及一切的罪恶，认真地工作吧，就是打扫马厩也行。天性是很难战胜的，但是却必需战胜她。如果你不比异教徒纯洁，如果你不比他们更能节制自己，不比他们更虔诚，就算你是个基督徒又有什么用呢？我了解许多被认为是异教的宗教制度，它们的戒律使读者感到满心羞愧，激励他做出新的努力，哪怕只是履行仪典而已。

我也许不该说这些事情，但并不是因为这个题目，——我不在乎我用的词有多么下流，——而是因为我一说就不可能不暴露自己的不洁。我们毫不羞耻地谈论一种形式的纵欲，却对另一种保持沉默。我们已经堕落到不能简单地谈论人类必要的自然功能的程度。在更早的时代，在有的国家里，人们尊重地谈到每一种功能，并且由法律进行制约。印度的立法者绝不会认为这些事情琐碎无意义，不论是多么地触犯了现代人的口味。他教人怎样吃、喝、同居、大小便，如此等等，把卑琐的提高了，不把这些事情假称为琐碎小事，避而不谈。

每一个人都为他敬奉的神明、完全按照自己的样式建造一座庙宇，这庙宇就是他的身体，就是建造大理石的庙宇也代替不了。我们都是雕塑家和画家，我们的材料是我们自己的血肉和骨头。任何崇高的品质立刻会使人的面貌变得高雅完美，任何卑下纵欲则会使之变得粗暴残忍。

九月的一个晚上，干了一天累活的约翰·法默尔坐在自家门口，脑子里多多少少仍在想着他的活计。他已经洗过了澡，现在坐下来恢复一下脑力。这是一个相当冷的夜晚，他的一些邻居担心会有霜冻。他还没有专心思考多久，就听到了有人在吹笛子，那声音和他的心境十分协调。他仍旧在想着自己的活计；但是，尽管他想的事情在脑子里反复出现，并发现自己还在不由自主地规划和设计着，然而他却并不关心这些。这只不过是他皮肤上的皮屑而已，是不断被抛弃的。但是，从和他干活完全不同的领域传来的笛子的曲调，却在他的脑子里扎了根，表明在他身上沉睡的某些官能在起作用。乐声轻柔得使他忘却了街道，村庄，以及他的生存状态。一个声音在对他说，——当你有可能过壮丽的生活的时候，为什么还要呆在这里，过这种卑下劳累的生活？同样的那些星星也闪耀在别的田野的上空。——但是怎样才能摆脱这种情况，真正迁移到那里去？而他能够想到的只是实施某种新的苦行，让他的心灵降入肉体去救赎它，并以日益增加的敬意对待自己。

# 与野兽为邻

有的时候，我有个伙伴[1]一起钓鱼，他从市镇的另一头穿过村子到我家来，为午餐钓鱼和吃午餐同样是一种社交活动。

隐士。真不知道世界现在怎么了。都三个钟头了，我连一声香蕨木树丛里的蝉鸣都没有听到。鸽子都在鸽棚里睡着了，——连翅膀都不扑腾一下。刚才从小树林那边传来的是农夫午休的号声吗？雇工们要回家去吃煮咸牛肉、玉米粉面包，喝苹果酒了。人为什么要这样自寻烦恼？人要是不吃就不需要干活。我不知道他们收获了多少东西。谁愿意生活在狗叫得人没法思考的地方？啊，还有管理家务！在这么个阳光灿烂的日子，还要把难对付的球形门把手擦亮，把澡盆擦干净！最好别有房子。可以，比方说，住在空心的树里；也就没有了什么上午的拜访和晚宴！只有啄木鸟啄木的声音。啊，

① 指诗人钱宁，下文对话中的“诗人”。

人蜂拥在一起；那里的太阳太热了；对于我来说，他们涉世太深了。我从泉里取水，架子上有一个黑面包。——听！我听见了树叶的沙沙声。是村子里的一条饿狗在按它追猎的本能行动？还是那只迷了路的猪？据说它就在这片林子里，我曾在雨后看见过它的踪迹。它迅速走近；我的漆树和多花蔷薇在颤动。——哦，诗人先生，是你吗？你今天好吗？

诗人。看看那些云；是怎样高悬在天空啊！这是我今天看见的最好看的东西了。在古画里没有这样的云，在外国没有这样的云，——除了在西班牙的海上。那是一片真正的地中海的天空。我想，既然要养活自己，而今天我还没有吃东西，我不如去钓鱼。这是诗人的理想工作。是我掌握的唯一手艺。来，咱们走。

隐士。我无法拒绝。我的黑面包很快就要吃完了。我马上就会高兴地和你一起去，但是我正要结束一场严肃的沉思。我想已经快要完了。再让我一个人呆一会儿。不过为了不耽搁时间，你先去挖鱼饵。在这一带，钓鱼用的蚯蚓很少见，这里的土壤从来没有施过肥；这个物种几乎绝灭了。肚子不太饿的时候，挖鱼饵的娱乐不亚于钓鱼；今天你可以独享了。我建议你用铁锹到那边落花生地里去挖，就是你看到狗尾草在摆动的那个地方。我想我能够保证，如果你像除草一样仔细在草根里寻找，那么每翻上来三块草皮，就能够找到一条蚯蚓。或者，如果你情愿走远一点，那未尝不是个明智的决定，因为我发现，好鱼饵的多少几乎和距离的平方成正比。

隐士独自一人。让我想想；我刚才想到什么地方了？我想我几乎是在这种心态下了；世事处于这样一个角度。我该上天堂还是该去钓鱼？如果我很快就结束这次的沉思，还会有可能出现另一个这样美妙的机会吗？这是我一生中最接近分析到事物本质的一次。恐怕我的这些思想不会再回到我脑子里来了。如果吹口哨有用，我愿意吹口哨将它们召唤回来。当思想主动给我们提出建议的时候，我们说，我们得想一想，这样做明智吗？我的思想没有留下任何踪迹，我无法找到思路了。我刚才在想的是什么？这是一个非常朦胧的日子。我还是来试一试孔夫子的这三句话吧，也许能找回我刚才的状态来。我不知道这是一堆垃圾呢，还是开始发展的出神入迷。记住。一种机会只有一次。

诗人。怎么样了，隐士，是不是太快了？我只捉到了 13 条完整的蚯蚓，还有几条残缺不全的或太小的；但是用来钓小鱼也行；它们不能把鱼钩全盖住。村子里的那些蚯蚓实在太大了；小银鱼可以饱餐一顿，却还没有发现那根串肉的钩子呢。

隐士。好吧，那么咱们走吧。咱们要不要到康科德去？如果水位不太高，肯定可以满载而归。

为什么恰好就是我们看见的物体构成了世界？为什么人类仅有这些物种的动物做他的邻居，好像只有老鼠能够填满这个缝隙？我猜想，皮尔贝等一伙人[①]对动物做了最好的利用，因为它们在某种意义上都是负重的役畜，被用来承载我们的一部分思想。

---

① 指所有讲寓言故事的人。据称皮尔贝或比得帕创作了一部东印度寓言故事集，经查尔斯·威尔金斯翻译成英语。

在我家里出没的老鼠不是普通的老鼠，普通的老鼠据说是从外面传进来的，而我家的老鼠是本地土生的那种野鼠（Musleucopus），在村子里是没有的。我把一只送到了一位杰出的博物学家那儿，他对它非常感兴趣。我盖房子的时候，有一只老鼠在房子下面筑了窝，我还没有铺好第二层地板、没有把刨花扫出去之前，它照例就会在午饭时出来，吃我脚边的面包屑。它可能从来没有看见过人；但很快就习惯和人相处了，会在我的鞋子上跑过去，爬上我的衣服。它能够很容易地爬上屋侧，像只松鼠那样短距离地一蹿一蹿，它的动作很像松鼠。终于有一天，当我把胳膊肘撑在长凳上斜靠着的时候，它爬上了我的衣服，顺着袖子上来，绕着上面放着我的晚餐的那张纸打转，我把纸拉近、闪开，跟它玩起了藏猫猫；而最后当我在拇指和食指间还捏着一片奶酪的时候，它爬上来坐在我的手心里，一点一点咬了起来，吃完以后像只苍蝇那样清洁了脸和爪子，然后扬长而去。

不久，一只北美鹟在我的棚子里筑了窝，一只知更鸟为了得到保护，在靠着我的房子生长的一棵松树上栖息。六月份，一只山鹑（Tetrao umbellus），一种十分容易受惊的鸟，领着她的一窝雏鸟从房后的树林里经过我的窗前到屋子前面去，像只母鸡那样咯咯叫着呼唤它们，她的一切行为都证明了她是林中雌禽中的佼佼者。当你接近的时候，母亲的一个信号，小山鹑就突然四散奔逃，就仿佛一阵旋风将它们刮跑了，而它们和干枯的枝叶又那么像，许多旅人都曾一脚踩在一窝雏鸟上，听到了大鸟飞走时的呼呼声，以及她焦急的呼唤和叫声，或看见她扑打翅膀来吸引旅人的注意，让他们不去怀疑雏鸟就在附近。有时母鸟会羽毛蓬乱地在你面前打滚、打转，使得你一时间搞不清这是种什么鸟。雏鸟则一动不动地趴着，常常还把头缩在叶子下面，一心只在它们母亲从远处发出的指示上，你的接近也不会使它们再跑，从而暴露了自己。你甚至可能踩上了它们，或者眼睛还在它们身上停留了片刻，但却没有发现它们。我曾有一次在这种情况下把它们放在我摊开的手心里，它们仍然听从于母亲和自己的本能，唯一在意的就是蹲在那里，不怕也不发抖。这个本能是如此完美，有一次，当我把它们重又放回到树叶上的时候，其中一只意外地歪倒了，十分钟以后，我发现它和其他雏鸟一起，仍旧保持着原来的姿势。它们不像大多数鸟类的幼雏那样发育未全，它们甚至比小鸡还要发育得完全和早熟。它们张开着的宁静的眼睛里那惊人的成熟然而却又天真的表情，实在令人难忘。它们的眼睛里似乎反映出一种智慧。这不仅显示了幼年的纯洁，而且还显示了一种被经验纯化了的智慧。这样的眼睛不是与生俱来的，而是和它所反映的天空同样久远。森林中还没有出现过另一个这样的珍宝。旅者也并不能够常常望进这样一口清澈的水井。无知和冒失的猎人常会在这种时候射杀母鸟，留下这些无辜的雏鸟成为某些暗中觅食的野兽或鸟类的牺牲品，或者逐渐与和它们如此相似的腐叶融为一体。据说，如果孵出它们的是一只母鸡，那么它们稍一受惊就会立即四散，从此失踪，因为它们永远也不会听到把它们重新召集起来的母亲的呼唤声。这些就是我的母鸟和幼雏。

有多少生灵秘密地在森林中自由野生，而仍能在市镇的附近觅食，只有猎人猜到它们的存在，这真是太令人惊异了。那只水獭竟然能够在这里过着如此离群索居的生活！它长到了四英尺长，像个小男孩那么大，也许一直都没有人看见过他一眼。以前，我在现在盖的房子后面的树林里看见过浣熊，也许现在仍能在夜里听到它们的嘶叫声。在耕作之后，中午我一般在树荫下面休息一两个小时，吃午餐，在泉水边看一会儿书，这泉水是一片沼泽和一条小溪的源头，是从离我的田地半英里外的布里斯特山下渗流出来的。到泉的源头去，需要穿过一连串越来越往下的长满了草和北美油松的幼树的洼地，再走进沼泽周围的一片较大的林子。在那里，在一棵枝叶伸展的五针松下的一个十分隐蔽和浓荫密布的地方，有一片仍然干净硬实的草皮，可以在上面坐一坐。我挖出了泉水，掘了一口有清澈的灰白色水的井，我可以从里面打出一桶水而不会把里面的水搅浑，仲夏时节，当湖水最热的时候，我几乎每天都来这里打水。山鹬带着她的一窝雏鸟也到这里来，在泥里找蚯蚓吃，雌鹬沿着水岸飞，在雏鸟上空不过一英尺，而雏鸟则成群在下面跟着跑；但是最后雌鹬发现了我，她离开了雏鸟，绕着我盘旋，越飞越近，直到只有四五英尺的距离，假装翅膀和腿断了，来吸引我的注意，好让她的小鸟逃出去，这时它们已经按照母亲的指示排成一列，发着微弱尖细的啾啾声，快步穿过沼泽。或者有时我没有看见母鸟，却听见了雏鸟的啾啾声。斑鸠也在那里，栖息在泉的上方，或者在我头顶上柔软的五针松的枝头飞来飞去；或者是红松鼠，从最近处的一根树枝上迅速出溜下来，特别习惯和人相处也特别好奇。你只需要在森林里某个有吸引力的地方，静静地坐上足够长的一段时间，林中所有的居民就可能轮流出来向你展示它们自己。

我也目击了一些不那么和平的事件。有一天，我走到我的木头堆去，或者不如说是我的一堆树桩，看见了两只大蚂蚁，一只是红的，另一只是黑的，比红的要大得多，几乎有半英寸长，正在进行一场恶斗。一旦打上了，就绝不放手，而是互相扭打，搏斗，不停地在碎木屑上打滚。我往远处一看，惊奇地发现碎木屑上满是这样的斗士，发现这不是一场一对一的决斗，而是一场战争，是两类蚂蚁间的战争，红蚂蚁总是和黑蚂蚁斗，而且经常是两只红蚂蚁打一只黑蚂蚁。我的储木场里，坑坑洼洼的地方都是密尔弥多涅①们，一地已死和将死的蚂蚁，红黑都有。这是我亲眼目睹的唯一的一场战争，我踏上的唯一正在鏖战中的战场；两败俱伤的自相残杀的战争；一边是红色共和党人，一边是黑色帝国主义者。它们到处进行着一场殊死战斗，然而我听不见任何声音，人类的士兵打得从来没有这么坚决过。我看着两只蚂蚁在碎木屑中充满阳光的低谷里死抱着对方不放，现在是中午，准备打到太阳下山，或生命结束为止。那个较小的红武士像把钳子一样紧咬住敌人的前额，在战场上整个滚翻期间，已经咬掉了对方的一根触须，却仍然一刻也没停止咬啮另一根触须的根部；而那个较强壮的黑武士把对手从一边甩到另一边，我凑近一看，发现它已经把对方身体的好几个部分都打没了。它们打得比斗牛犬还要顽强。谁也没有表现出任何退却的意向。它们的战斗口号显然是，不战胜，毋宁死。此时，在这个山谷的坡上来了一只单个的红蚂蚁，明显地非常激动，不是已经打发掉了敌人，就是还没有参加到战斗中来；很可能是后者，

---

① 希腊神话中跟随阿喀琉斯参加特洛伊战争的塞萨利人。

因为它没有失去任何肢体；它的母亲命令它，不是拿着盾牌回去，就是躺在盾牌上回去[1]。或许它是某种阿喀琉斯式的英雄，一直充满仇恨地呆在一旁，这时才拯救它的普特洛克勒斯，或替他报仇来了[2]。它从远处看到了这场力量不等的战斗，——因为黑蚂蚁比红蚂蚁几乎要大上一倍，——于是迅速上前，直到它警惕地站在了离交战者半英寸的地方；然后寻找到机会，纵身扑向黑色的战士，在它右前腿的根部开始了军事行动，听任它的敌人选择攻击自己的部位；这样一来，就有三个蚂蚁生死结合在了一起，仿佛发明出了一种新的胶合力，使其他任何的锁和水泥都相形见绌。到了这个时候，如果发现它们各自都有乐队驻扎在某块突出的木片上，一直在吹奏着自己的国歌，激励落在后面的战士，使临死的战士感到振奋，我也不会感到奇怪的。我自己也有点激动起来了，就仿佛它们是人似的。你越想，就越感到二者之间没有什么区别。无论就参战者的数目而言，还是就其表现出的爱国主义和英雄主义而言，在美国历史、至少在康科德的历史记载上，肯定没有什么战争是能够与之相比的。就参战和死亡数目，这俨然就是一场奥斯特里茨或德累斯顿战役[3]。康科德之战[4]算得了什么！爱国者方面牺牲了两人，路德·布兰查德受了伤！哎哟，在这里，每一只

---

① 据说古希腊斯巴达的母亲们就是这样对上战场的儿子们说的。

② 在荷马史诗《伊利亚特》中，特洛伊战争中阿喀琉斯在好友普特洛克勒斯被杀死后，才参加了战争，为他报仇。

③ 拿破仑战争中的两次重要战役。

④ 指 1775 年 4 月 19 日在马萨诸塞的列克辛顿和康科德发生的战斗，这打响了美国独立战争的第一枪。

蚂蚁都是巴特里克，——“开枪！看在上帝份上，开枪!”——千万只蚂蚁遭遇了和戴维斯及霍斯默同样的命运①。这里没有一个雇佣军。我毫不怀疑它们是为原则而战，和我们的先辈一样，而不是为了不交三便士的茶叶税；这场战争的结果对于有关双方都极为重要，值得记忆，至少和我们的邦克山战役②一样。

我把我特别描写的那三只蚂蚁在上面战斗的木片拿到了房子里面，放在窗台上，把一只平底玻璃杯倒扣在上面，为的是看一看结局。我拿着放大镜对着提到的第一只红蚂蚁，看见它已经咬断了敌人剩下的触须，虽然仍在坚持不懈地咬着敌人的左前腿，自己的胸部已经完全被扯掉了，把里面的要害器官都暴露在了黑色战士的嘴前，后者胸部的鳞甲显然对它来说太厚了，刺不穿；受难者深棕色的眼睛闪现出只有战争才能够激发出来的凶光。它们在平底玻璃杯下又斗了半小时，当我再一次看的时候，那个黑色士兵已经使敌人身首两地，仍然活着的两个头挂在它身子两边，像挂在马鞍前鞍桥上的可怕的战利品，黑蚂蚁正虚弱地挣扎着想甩掉它们，但它已经没有了触须，只剩下一条残缺的腿，而且我还不知道有多少别的伤；又过了半小时，它终于成功了。我把杯子拿起来，它在那种伤残的情况下越过窗台爬走了。经过这场战斗，它最终是否活了下来，是否在某个老兵疗养院里度过余生，我就不得而知了；但是我想，此

---

① 戴维斯及霍斯默是1775年4月19日战斗中牺牲的两位爱国者。

② 邦克山战役：美国独立战争初期，1775年6月17日在波士顿的战役，英军对波士顿的邦克山地区发动进攻，遭到重创。

后它干不了什么活了。我始终不知道哪一边获胜了，也不知道这场战争的起因；但是在那天剩下的时间里，我感到自己的感情在目击了这场战斗以后既激动又痛苦，仿佛这是一场在我的家门口进行的人类的血流成河的恶战。

柯比和斯彭斯告诉我们，蚂蚁之间的大战驰名已久，而且发生的日期也有记载，虽然他们说休伯①似乎是目击过蚂蚁大战的唯一近代作家。他们说，“埃内亚斯·西尔维乌斯②在详尽地叙述了在一棵梨树的树干上，由一种大蚂蚁和一种小蚂蚁进行的一场十分顽强的战斗后，”补充道，“‘这场战斗发生在教皇犹金四世任期内③，在场看到的是著名的律师尼古拉斯·皮什托利安西斯，他极其忠实地讲述了这场战斗的整个情况。’乌劳斯·马格努斯④也记载了大小蚂蚁之间的一场类似的战斗，据称获胜的小蚂蚁把自己战士的尸体埋葬了，但留下它们巨大的敌人的尸体不管，任其被鸟儿吃掉。这一事件发生在暴君克里斯蒂安二世被逐出瑞典之前。⑤”我目击的那场大战发生在波尔克总统⑥任期之内，韦伯斯特的逃亡奴隶法案通过的前五年。

许多村子里的老牛，本来只配在储存食品的地窖里追追甲鱼的，

---

① 休伯（1750—1831），瑞士昆虫学家。

② 埃内亚斯·西尔维乌斯（1405—1464）即教皇庇护二世（1458—1464），人文主义者，诗人，历史学家。

③ 犹金四世任期为1431—1447年。

④ 乌劳斯·马格努斯（1490—1558），瑞典乌普萨拉大主教。

⑤ 指1845年。

⑥ 波尔克（1795—1849），美国第十一任总统（1845—1849）。

也背着主人，到森林里来炫耀它那笨重的后腿了，并且徒劳无益地嗅嗅狐狸和旱獭的旧洞；或许由某只瘦小的杂种狗带着，狗灵活穿行于林间，可能仍会引起林中动物自然而然的恐惧；——这时，老牛已经远远地落在了向导的后面，正冲着某只逃到树上观察它的小松鼠像条狗一样地吠叫着，然后慢慢跑开，笨重的躯体压弯了灌木，想象自己正在追踪鼠类家族的某个离群的成员。有一次，我惊奇地看到一只猫沿着石头湖岸行走，因为它们很少会走到离家这么远的地方来的。猫看见我也很吃惊。其实，成天卧在小地毯上的最为驯化的猫，在树林里也像是回了老家，而且以她狡猾和偷偷摸摸的行动，表明自己比常住林中的动物更具有土生土长的特点。一次当我在采摘浆果的时候，在树林里遇到了一只猫和她的小崽，小猫野性十足，全都和它们的妈妈一样弓起了背，恶狠狠地向我发出呼噜呼噜的声音。在我住进林子去的几年以前，在林肯城离湖最近的吉利安·贝克先生的农场里有只所谓的“有翼飞猫”。当我于 1842 年 6 月去拜访她（我不知道这是只公猫还是母猫，所以就用了这较为常用的代名词）的时候，她已经按自己的习惯到树林里捕猎去了，但是她的女主人告诉我，她是大约在一年多以前的四月来到这附近的，最后被他们家收养了；说她的毛是深棕灰色，喉部有一个白点，白色的脚，一条像狐狸一样的毛茸茸的尾巴；说在冬天的时候她的毛长得很厚，在身体两侧平垂下来，形成了长十或十二英寸、宽二英寸半的带子，在她下巴下面的毛好像一个手笼，上半蓬松，下半缠结得像毡子，春天的时候，这些附属物就掉落了。他们把她的一对“翅膀”给了我，到现在我还留着。翅膀上好像并没有膜，有人认为她有着飞鼠或什么别的野兽的血统，这倒并不是不可能的，因为据博物学家们说，貂和家猫交配产生过具有繁殖能力的杂交后代。如果我养猫，这就会是适合我养的那种猫；因为，诗人的马既然能有翅膀①，他的猫为什么不能长翅膀呢？

秋天，潜鸟（Colymbus glacialis）照例飞到湖里来换羽戏水，我还没有起床，林子里就回响起了他狂放的笑声。一听说潜鸟来了，所有磨坊水池的猎手们都进入警惕状态，有的坐轻便马车，有的步行，三三两两的带着有许可证的步枪、弹丸和望远镜前来。他们像秋叶般沙沙穿过树林，一只潜鸟至少有十个猎人捕猎。有的人守在湖的这岸，有的守在对岸，因为这可怜的鸟不可能无处不在；如果他从这里潜入水中，就必定要从那边浮出来。但是现在，吹起了十月的仁慈的风，吹得树叶沙沙作响，吹得水面阵阵涟漪，因此人们既看不见潜鸟，也听不到他的声音了，尽管他的敌人用望远镜扫视湖面，他们的枪声在林子里回荡。水浪高高涌起，愤怒地冲击着湖岸，袒护着所有的水禽，我们的猎手们不得不撤退，回到镇里、店里和没有做完的事情上去。但是他们的捕猎却经常是成功的。当我在大清早到湖里去打水的时候，常常看见这威严庄重的鸟从我的小湾里翩然而出，距离只有几杆。如果我试图驾船追上他，看看他会怎样应付，他就会潜入水中，完全不见了踪影，这样，我有的时候要到下午才能再发现他。但是在水面上他就不是我的对手了。他通

---

① 希腊神话中，从被割下头的蛇发女怪美杜莎的血中跳出生有双翼的飞马珀加索斯。飞马的蹄踢出灵泉，传说诗人饮此泉水可以获得灵感。

常是在狂怒之下飞去。

十月一个风平浪静的下午，我划着船沿北岸行进，潜鸟在这样的日子特别喜欢在湖面上停留，像马利筋草的短茸毛一样，我在湖面上四处搜寻，没有看到一只潜鸟，突然，有一只潜鸟从岸边翩然向我前面几杆的湖心游去，发出了他那狂放的笑声，暴露了自己。我划船追赶，他潜入水中，但是当他浮出水面的时候，我比先前离他更近了。他又扎进水里，我估计错了他的方向，这一次当他浮出来的时候，我们间相隔了50杆，是我加大了我们的距离；他再一次大声、长久地发出笑声，这一次笑的理由更充足了。他的动作非常灵巧，我根本无法在6杆之内接近他。他每一次浮出水面都左右转动着头，冷静地观察水面和陆地，显然在选择路线，好在水面最宽、离船最远的地方浮现。他决心下得这样快、决定后又这样快地付诸行动，真是令人吃惊。他立刻把我带到了湖面最宽的部分，你就别想把他从这里赶走。当他在脑子里想着一件事的时候，我试图在我的脑子里揣测他的想法。这是一场有趣的棋赛，在平静的湖面上，一个人和一只潜鸟的较量。突然你的对手的棋子消失在了棋盘下面，你的问题是要把你的棋子下在最接近他将要再次出现的地方。有时他会出乎预料地出现在我的对面，显然直接从船底下游了过去。他一口气能潜游得这么远，又是这样累不垮，当他游到最远以后，会立刻又潜到水下；到那时，再聪明也无法估计他在这深深的湖的平静的水面下，会像条鱼一样向什么地方急速游去，因为他有时间和能力去到湖底的最深处。据说在纽约州的湖里，在水下80英尺的地方，捕鲑鱼的钩子曾捕到过潜鸟，——尽管瓦尔登湖比这更深。鱼们看到这个来自另一个世界的难看的客人在他们中间一路高速游动，必定会感到多么吃惊啊！然而他好像和在水面上一样，深识水下的路径，并且在水下游得要快得多。有一两次，我看见在他接近水面的地方激起了一个水波，他仅仅伸出头来侦察一番，旋即潜入水中。我发现，使劲估计他会在什么地方浮出来，还不如停住桨不动，等待他重新出现；因为当我一次又一次地瞪大眼睛向湖面的一个方向搜寻时，会突然听见他在我身后发出怪异的笑声，大吃一惊。可是为什么，在表现得这样机灵诡诈之后，他总要在出水的瞬间大笑一声，从而暴露了自己？难道他那白色的胸脯还不够暴露他吗？我想，他实在是只愚蠢的潜鸟。通常我能够听见他浮现时激起的溅水声，因此也就发现了他。但是一个小时之后，他的精力似乎丝毫未减，和开始时一样乐于潜水，游得比开始时还要远。看到他浮出水面后，会如此宁静地、胸部的羽毛一丝不乱地、两只有蹼的脚在水下划动着翩然游去，真令人惊奇不已。他通常发出的声音就是这种狂笑，然而还是有点类似水禽的叫声；但是偶尔，当他最为成功地挫败了我，在离我很远的地方浮现的时候，他会发出一声长长的怪异的嚎叫，也许更像狼嚎而不像鸟叫；就仿佛是一只野兽把鼻口部分贴在地上，从容地发出一声长嚎。这就是他的潜鸟之声，——也许是在这里听到过的最为野性狂放的声音，在林中各处回荡。我得出的结论是，他笑是在嘲笑我所作的尝试，对他自己的足智多谋充满信心。虽然此时天空布满了阴云，湖面却十分平静，我听不到他的声音，却能看到他出水的地方。他白色的胸脯、寂静的空气和平静的水面都对他不利。终于，在 50 杆以外的地方出水后，他发出了一声长嚎，仿佛是在呼唤潜鸟之神前来帮助他，于是一阵东风乍起，吹皱了湖面，漫天雨雾蒙蒙，我强烈的印象是，潜鸟的祈祷仿佛灵验了，他的神生我的气了；因此我听任他消失在远处波涛汹涌的湖面上。

秋天，我会一连几个小时观看野鸭灵敏地游过来游过去，一直占据着湖心，远离捕猎的人；在路易斯安那的长沼之中，它们不需要耍这么多的花招。在被迫飞起来的时候，它们有时会在相当的高度在湖的上空盘旋了又盘旋，像天空里的小黑点，从那里它们可以很容易地看到别的湖泊和河流；而当我以为它们早已经飞往那里的时候，它们会斜飞四分之一英里，落在湖面不受骚扰的远处；但是，除了安全之外，它们在瓦尔登湖的中心游动还能给它们带来什么，我不得而知，除非它们爱湖水，理由和我一样。

# 室内取暖

十月，我到河边草地去采摘葡萄，满载而归，串串葡萄既好看气味又香，胜过其滋味。在那里我虽然没有采摘越桔果，却大大欣赏了一番，它们像小小的涂了蜡的宝石，甜茅草上悬挂的垂饰，像鲜红的珍珠，农夫用一把难看的耙子收集起来，平整的草地被搞得一片狼藉，他们只是漫不经心地以蒲式耳和金钱来衡量它们的价值，把掠夺草地的战利品拿到波士顿和纽约出卖；命中注定被做成果酱，以满足那里的喜爱天然野生食品的人的口味。也正是这个原因，肉贩们大量搜罗大草原上的野牛舌，全然不顾被扯断、枯萎的植物①。小檗属植物的鲜艳的浆果也只是供我一饱眼福而已；但是我采集了一些野苹果好煮来吃，这一点，土地的主人和过路的客人都忽视了。

---

① 作者在此处影射为了获得野牛皮和野牛身上美味的部分，北美野牛被任意猎杀的历史事实。

栗子成熟以后，我储存上半蒲式耳过冬吃。栗子成熟的季节，漫步在林肯当时还是无边无际的栗子树林里，——现在它们都长眠在了铁路下面，——肩膀上扛一个袋子，手里拿一根棍子用来砸开带刺的外壳，因为我并不总是等到霜降以后才去，在树叶的沙沙声和红松鼠及松鸦大声的申斥声中采集栗子，——我有时会偷它们吃了一半的栗子，因为它们挑选的刺果里面的栗子肯定好——这真是太令人兴奋了。偶尔，我爬到树上去摇晃树枝。我的屋子后面也有栗子树，其中一棵大的几乎笼罩住了屋子的全部，开花季节就是一个大花束，邻近的整个地区都弥漫着香气，但是它的大部分果实都被松鼠和松鸦吃掉了；后者在清早时成群飞来，在刺果还没有落下来的时候就把里面的栗子啄食掉了。我把这些树让给了它们，自己则去到比较远的完全是栗子树的林子里。这些栗子，就其本身来说，是面包的极好替代品。也许还可以找到许多其他的替代品。有一天，在挖做鱼饵用的蚯蚓时，我发现了挂在茎上的一串野豆（Apios tuberosa），这是土著居民的马铃薯，一种绝妙的果实，这种东西，我早就开始怀疑，是否真的像我以前说过的那样，小的时候我挖来吃过，还是在梦里吃过。从那以后，我常常看到它那起皱的、红色天鹅绒般的花朵，由别的植物的茎杆支撑着，却不知道就是这种植物的花。人类的耕种几乎使它们灭绝了。它带一点甜味，很像冻伤过的马铃薯，我发现煮着吃要比烤着吃好吃。这种块根似乎是大自然隐隐的承诺，将来的什么时候，会在这里用简朴的食物喂养、哺育自己的儿女。在现今尊崇育肥的牛群、谷浪翻滚的田地的时代，这种卑微的、一度曾是印第安部落的图腾的块根被遗忘了，或者人们只知道它那开花的茎蔓；但是让原始的大自然再一次统治这个地方，那脆弱骄奢的英国谷物可能就将在众多的敌人面前消失，没有了人的照料，乌鸦可能会把甚至最后一粒玉米种子衔回西南方印第安神明的巨大的玉米地里去，据说它就是从这里把玉米种带过来的；但是，现在几乎已经灭绝的野豆也许将会重新恢复生机，不顾严寒和荒凉，茁壮生长，证明自己是土生土长的，并且恢复自己作为古代狩猎部落的日常食物的重要性和尊严。发明了野豆并将它赐给人类的，想必是印第安的农业女神和智慧女神；当诗歌开始了她在这里的统治时，野豆的叶子和串串果实就可能在我们的艺术作品中得到表现。

到九月一日的时候，我看见在湖对岸有两三棵小枫树的叶子已经变红了，就在那白色树干岔开的三棵山杨树的下面，岬角旁的水边上。啊，它们的色彩讲述了多少故事啊！随着一周又一周的过去，每一棵树的特点逐渐显露出来，它欣赏着自己在如镜的湖面上的倒影。每天早晨，这个画廊的经理都会从墙上取下一些旧画，换上新的画幅，新画的特点是色彩更为鲜艳，或者更为协调。

十月里，成千的黄蜂飞到我的住处来，好像回到过冬的地方，在屋内的窗子上和头顶的墙上安顿下来，有的时候吓得客人不敢进屋。每天早晨，当它们被冻僵了的时候，我就扫出一些去，但是我并不太花力气地去赶走它们；它们把我的屋子看作合意的过冬处所，我甚至感到很荣幸。虽然它们和我共眠，却从来没有严重地骚扰过我；它们逐渐消失了，为了躲避严冬和难以形容的寒冷，不知道钻进什么缝隙里去了。

和黄蜂一样，在十一月我最后过冬之前，常常去到瓦尔登湖的东北侧，从油松林和岩石湖岸反射过来的阳光，使这里成了湖边的火炉；有可能的时候，靠太阳取暖要比人为的生火取暖令人愉快得多，也有益于健康得多。夏季像猎人一样离开了，我就这样靠他留下的仍然炽热的余烬取暖。

当我开始造壁炉和烟囱的时候，我研究了一番砖石工的技艺。因为我的砖是旧砖，需要用瓦刀清理干净，因此我对砖头和瓦刀的质量有了比寻常更多的了解。砖上的灰浆已经有50年了，据说还在变得越来越牢固；不过，这是那种人们喜欢一再重复的说法之一，不管它们是否属实。这样的说法本身也随着时间越来越牢固，粘得越来越紧，需要用瓦刀多次猛击，才能清除掉一个这种自作聪明的老话。美索不达米亚的许多村子都是用质量非常好的旧砖建造起来的，这些砖来自巴比伦的废墟，上面的粘结材料更加古老，可能也更为牢固。不管怎么样，瓦刀钢刃独特的坚韧给了我很深刻的印象，经受了这么多的猛烈敲击竟然没有磨损。由于我的砖曾用来砌过烟囱，尽管我没有在上面看到尼布甲尼撒①的名字。我尽量挑壁炉砖，能找到多少就挑多少，以减少工作量和避免浪费，我用湖岸的石子填满壁炉四周砖头之间的空档，还用湖岸的白沙作灰浆。我在壁炉上花费的时间最多，这是屋子最为重要的部分。确实，我干得十分细致小心，所以，虽然我是早晨开始从地面干起的，到晚上才垒好

① 尼布甲尼撒（约前630—前562），巴比伦国王（前605—前562）。

了一层几英寸高的砖，刚好用来当枕头；不过我记得并没有因此落枕；以前倒是落过枕。就在这段时期，我招待了一位诗人[①]在这里吃住了半个月，使我的地方局促起来。他带来了自己的刀子，尽管我有两把刀子，我们常常把刀子插进土里，这样来把它们擦亮。他和我一起做饭。我高兴地看到我的壁炉平整坚固地一点一点地砌高了起来，心里在想，就算进展慢，却是打算让它经久耐用的。壁炉和烟囱在某种程度上是个独立的结构，立在地面上，穿过屋顶升向天空；即使在屋子被烧掉以后，有时它依然站立在那里，它的重要性和独立性是显而易见的。那是夏天快要结束的时候。现在是十一月了。

北风已经开始吹冷了湖水，但是湖太深了，要不断吹上许多个星期才能结冰。当我开始在晚上生火取暖，而房子还没有抹灰泥的时候，烟囱排烟特别好，因为墙壁的木板之间有无数的缝隙。不过，我在那冷而通风的房间里度过了一些快乐的夜晚，四周是满布节疤的棕色粗木板，头顶上的高处是带树皮的椽子。房子抹了灰泥之后，我觉得不像以前那么悦目了，虽然我不得不承认要舒服一些。难道人居住的每一个房间不应该很高，足以在头顶上产生某种昏暗朦胧，到了晚上，影子可以在椽子之间飘忽闪动吗？这些形态比壁画或最昂贵的家具都更适合于幻觉和想象。可以说，当我开始不止是避风雨，同时也为了取暖而使用我的房子的时候，我才开始在里面居住

---

① 指钱宁。

了。我弄了两个壁炉用的旧薪柴架把木柴架起，高兴地看到烟灰积在我建造的烟囱的后部，于是在我拨弄火的时候，感到自己更有权利这样做，也感到了更大的满足。我的住处很小，几乎无法产生回声；但是因为是由一个单元构成的，而且离邻居很远，所以显得比较大。房子的一切具有吸引力的东西都集中在一个房间里；它是厨房，卧室，客厅，以及储藏室；无论是父母还是孩子，主人还是仆役，他们从生活在房子里所能得到的满足，我都得到了。加图说过，一家之主（patremfamilias）在他的乡村别墅中必需要有“一个存放油和酒的地窖，许多大桶的油和酒，这样，想到可能会有的艰难日子，会放心一些；这对他是有益的，有利于他的道德和荣誉”。我在地窖里放有一小木桶的土豆，大约两夸脱长了虫子的豌豆，在我的架子上有一点大米，一罐糖浆，黑麦粉和玉米粉各一配克①。

我有时候梦见一所大一些的人多的房子，耸立在古代神话中的黄金时代，用耐用材料建造的，没有俗艳的装饰，仍然只有一个房间，一个巨大、简陋、坚实、原始的大厅，没有天花板，也不抹灰泥，只有光秃的椽子和檩条支撑着头顶上那较低的一片天空，——能抵挡住雨雪；当你踏过门槛，向匍匐着的古代的农神致敬以后，桁架的中柱和桁架的双柱就在那里接受你的敬意；一个似洞穴般幽暗深邃的房子，在里面，你必须得将火把捆在一根杆子上伸上去才能看见屋顶；在那里，有的人可以睡在壁炉里，有的可以睡在窗户的凹处，有的在高背长椅上，有的在大厅的一头，有的在另一头，

---

① 一配克为8夸脱，一夸脱美制为0.946升。

如果愿意，有的可以高高地在椽子上和蜘蛛为伴；一所你打开大门就进到了里面的房子，再没有别的客套了；在那里，疲惫的旅人可以洗去风尘，吃饭，交谈，睡觉，不必继续上路；正是你在暴风雨之夜会高兴地来到的一个遮风避雨的地方，有着屋子的一切基本必需品，而没有家务之累；在那里，你一眼就可以看到屋里所有的财宝，人用得着的一切东西都挂在木钉上；既是厨房，又是食品储藏室、客厅、卧室、储藏室和阁楼；你在那里能够看到非常需要的东西，例如木桶或梯子，非常方便的东西，例如碗柜，你听得见壶里的水开了，可以照看给你烧饭的火和给你烤面包的烤炉，必需的家具和器皿是主要的装饰品；在那里，洗好的衣物不用晒在外面，火也不用灭掉，女主人也不会不高兴，也许有时候厨子要到地窖去，会要求你从活板门旁让开，这样你用不着跺脚就能知道你脚下是实是虚。一所里面和鸟巢一样毫无掩饰和一目了然的房子，你从前门进，后门出，就必定能够看见里面居住的人；在那里做客就意味着给了你在整个房子里活动的自由，而不是小心地把你排除在房子的八分之七以外，把你关在某个具体的小房间里，还让你在里面不要拘束，——其实是单独禁闭。如今的主人不请你到他的壁炉边去，而是找来砖瓦匠给你在廊子的什么地方砌一个，殷勤待客就是一种和你保持最大距离的艺术。在烹调上也是神秘得好像他打算给你下毒似的。我知道自己到过许多人拥有的地产上，可能被依法赶走过，但是我不记得进到过许多人的家里去。如果顺路，我可能穿着旧衣服，去拜访一个住在像我描写的这样的房子里、过简朴生活的国王或王后；但是如果我撞进了一所现代宫殿，我只有一个愿望，就是学会倒退着出门。

看起来，我们的客厅语言好像会失去其所有的活力，蜕化成彻头彻尾的废话，我们的生活和它的语言符号离得这样远，它的隐喻和借喻必然牵强，可以说仿佛是通过递物窗洞和运送食物的升降机传递的；换句话说，客厅离厨房和工作间太远了。甚至连就餐一般也只是比喻一顿饭。好像只有野蛮人才和大自然以及真理毗邻而居，能够从他们那里借用比喻。远住在西北地区[①]或者马恩岛的学者，怎么能够知道什么是厨房里彬彬有礼的谈话呢？

可是，我的客人中只有一两个有足够的勇气留下来，和我一起吃玉米糊；但是当他们看见危机来临时，就宁可匆匆退却，仿佛房子会被震塌似的。然而，房子经受了许许多多的玉米糊而至今仍然耸立。

我直到天寒地冻才给房子抹上了灰泥。为此，我从湖对岸用船运来了一些更洁白干净的沙子，有了这种运输工具，如果必要的话，我会去到更远的地方。在此期间，我房子的四面墙上都钉上了墙面板条，一直到地。在钉板条的时候，我很高兴能够一榔头就把每个钉子敲到底，我雄心勃勃，要把灰泥又快又干净利落地从灰泥板涂到墙上去。我想起了关于一个自高自大的家伙的故事，他穿着漂亮的衣服，曾一度常常在村子里闲逛，给工人出主意。有一天，他冒险要以行动来代替语言，便挽起袖口，一把拿过一块灰泥板，顺利地用瓦刀铲起灰泥，沾沾自喜地看了一眼头顶上的板条，朝着那个

---

① 指加拿大的西北地区。

方向做了一个大胆的动作；立刻，使他极端尴尬的是，整瓦刀的灰泥全都落在了他有褶裥饰边的胸脯上。我重新欣赏起用灰泥抹墙来，又经济，又方便，还如此有效地挡住了寒冷，并且表面光滑漂亮，我还知道了灰泥工会遇到的各种事故。我惊奇地看到砖头竟然有这么大的吸水性，我还没有把灰泥抹平，它们就把里面的水分都吸干了，为了建成一个新的壁炉，需要多少桶水啊。我在头一年的冬天，为了实验，用我们河里产的淡水蛤蜊的壳烧制出了少量的石灰；这样我就知道从哪里搞材料了。如果我愿意，我可以在一两英里之内搞到好的石灰石，自己烧制石灰。

在此期间，在最背阴和最浅的小湾里，湖水已经结了一层薄冰，比整个湖的封冻早了几天，甚至几个星期。最先结的冰特别有趣和完美，因为它坚硬，发暗，透明，给观察浅处的湖底提供了最好的机会；因为你可以平躺在只有一英寸厚的冰面上，像只在水面滑行的长足昆虫，从从容容地研究离你只有两三英寸远的湖底，它像玻璃后面的一幅画，而那时的水自然总是平静的。沙子上有某种动物四处爬动并原路折回留下的道道槽痕；在残骸方面，湖底散布着白色石英细粒形成的石蚕壳。也许是这些造成的槽痕，因为你发现在沟槽里有一些壳，不过如果沟槽是它们造成的，又似乎太宽太深了些。但是最有趣的东西是冰本身，不过你必需利用最早的机会去研究它。如果你在结冰后的那个早晨去仔细地察看，就会发现起初好像是在冰层里面的气泡，其实绝大部分是附着在冰面底部的，而且还有更多的气泡在继续从湖底升上来；而这时冰还比较坚硬，颜色比较暗，也就是说，你能够透过冰看见水。这些气泡的直径从八十分之一英寸到八分之一英寸，非常清楚非常美丽，你看得见自己的脸透过冰映现在气泡上。每平方英寸可能有30或40个气泡。在冰层里面也已经有了大约半英寸长的、垂直的椭圆形的狭长气泡，还有长圆锥形的气泡，尖顶向上；如果是新结的冰，更常见的是极小的圆气泡，一个顶着一个，像一串珠子。但是在冰里面的气泡没有在冰层下面的多，也没有那么明显。有时我常会扔些石头来试一下冰的强度，那些穿透了冰的石头带下了空气，在冰层下形成了很大很显眼的白色气泡。有一天，当我在48小时以后来到同一个地方时，发现这些大气泡仍旧很完美，虽然冰又结得厚了一英寸左右，这一点，我从冰块边缘的接痕上可以清楚地看出来。但是因为过去两天很暖和，就像是小阳春，现在冰已经不透明了，显现出水的深绿色以及湖底，冰不透明，发白或发灰，虽然厚度是原来的两倍，却并不比过去结实，因为在这个热量下气泡大大地膨胀，并且聚集在一起，失去了它们的规律；它们不再是一个在一个的上方，而常常是像从袋子里倒出来的银币，互相堆叠在一起，或者呈薄片状，仿佛是在小缝隙里面。冰的美消失了，想研究湖底也为时已晚。出于好奇，想知道我的大气泡在新结的冰中占据什么地位，我破开了一块含有中等气泡的冰，把它底朝天翻了过来。新的冰冻结在气泡的周围和下面，气泡被包含在了新旧两层冰的中间。它整个在下面一层冰里，但是紧挨着上面的那层冰，有点发扁，或者说稍稍有点扁豆形，圆边，深四分之一英寸，直径四英寸；我惊奇地发现，就在这个气泡下面，冰的融解很有规律，形状像一只倒扣着的茶碟，中间高八分之五英寸，在水和气泡之间有薄薄的分隔，厚度还不到八分之一英寸；在这片分隔处的许多地方，小气泡向下爆开，可能在直径为一英尺的那个最大的气泡下面根本就没有冰。我由此推断，我最初看见的贴附在冰层下面的无数极小的气泡，现在都像这样冻结起来了，每一个气泡以不同的程度对它下面的冰起了凸透镜的作用，将它融化软化。冰爆裂作响，有这些小气枪的一份功劳。

终于，严冬降临了，我刚给房子抹好灰泥，狂风就开始在它周围怒号，仿佛直到此时才得到了允许这样做。一夜又一夜，大雁在黑暗中呼叫着飞来，翅膀发出萧萧的声音，即使在大地覆盖着白雪以后仍在飞来，有的落在瓦尔登湖上，有的低低擦过树林飞向美港，准备飞往墨西哥。有好几次，当我在夜里 10 点或 11 点从村子里回家的时候，我听见一群大雁，要不就是野鸭，在我屋子后面水坑边树林里的枯叶上行走的声音，它们到这里来觅食，我还听见了它们匆匆离去时领头雁低低的叫声或野鸭的呱呱声。在 1845 年 12 月 22 日夜里，瓦尔登湖第一次完全封冻，弗林特湖和别的更浅的湖以及那条河已经在十多天前封冻了；在 1846 年是 12 月 16 日，1849 年大约是 12 月 31 日，1850 年大约是 12 月 27 日，1852 年是 1 月 5 日，1853 年是 12 月 31 日封冻的。从 11 月 25 号以后，大地就被白雪覆盖了，突然我周围呈现出一片冬景。我更深地缩进了自己的小壳里，尽量在屋子里和心里都烧起一堆欢快的火来。现在我在户外的工作就是收集林中的枯木，手抱或肩扛弄回家，有时一只胳膊下面挟一棵枯死的松树拖回家中。森林中一道破败的旧篱笆拖起来可没少让我费劲。我把它祭祀给了火神伍尔坎，因为它已经无法再为界标之神忒尔米努斯效劳了。一个人的晚餐是用他刚到雪地里寻找到的，不，你可以说是窃取来的燃料煮熟的，这是多么有趣的事！他的面包和肉食十分香甜可口。在我们大多数乡镇的森林里，都有足够的各种各样的薪柴和枯木供许多人取暖之用，但是眼下却没有温暖任何人，有些人还认为这会影响幼林的生长。另外还有湖上的漂木可用。夏天的时候，我发现了一只用带树皮的油松圆木做的木筏，是修建铁路的时候爱尔兰人钉的。我把它部分地拖到了岸上。在水里泡了两年，然后又在岸上躺了 6 个月，仍然完好无损，虽然浸透了水，无法晒干。冬季里的一天，我自得其乐地把木筏的圆木一根根出溜过大约半英里宽的湖面，把 15 英尺长的圆木的一端放在我的肩膀上，另一端放在我前面的冰上，自己在圆木后面像溜冰那样滑行；要不然就把几根圆木用桦树条捆在一起，然后用一根长一些的一头带钩的桦树或桤木的枝丫把它们拽过湖去。虽然被水完全浸透过，重得几乎像铅一样，它们却不仅经烧，而且火力很大，不但如此，我觉得它们因为浸泡过而更好烧了，就像点灯的时候，松脂放在水里点的时间更长。

吉尔平在叙述英国那些住在森林周边的人的情况时说，“擅自进入者对森林的蚕食，在森林边缘修建的房屋和篱笆，”被“旧森林法看作是严重的骚扰行为，因为这往往会对飞禽形成威胁——对森林有害等等，会以侵占公产的罪名受到严惩”①。但是我比猎人和伐木

① 吉尔平，《论森林景象》，1834 年出版，第二卷，122 页。

者对保护鹿和掩护鹿的林丛更感兴趣，好像我本人就是护林官大人一样；如果任何部分被烧，虽然是我自己不小心烧的，我伤心的时间比林子的主人更长久，也更加难以安慰；不仅如此，森林主自己砍伐树木我也感到伤心。我希望我们的农夫在砍伐掉一片森林的时候，能够感受到一点古罗马人在一片神圣的小树林里间疏林木，好让更多的阳光射进去的时候所具有的那种敬畏之情，也就是说，相信它是属于某位神明的。古罗马人先献上赎罪的祭物，然后进行祈祷，神啊，不论你是哪位男女神明，这片小树林是奉献给你的，愿你赐福于我，我的家庭和儿女，等等。

即使在今天这个时代，在这个新的国度里，对森林的价值仍然这样重视，真是令人惊异，这是比黄金更为永久也更为普遍存在的价值。在有了这样多的发现和发明以后，仍然没有一个人会把一堆木头不当一回事。它对我们和对我们的萨克逊与诺曼的祖先同样宝贵。如果他们用木头来造弓，我们则用木头来造枪托。米绍在三十多年前说过，在纽约和费城，做燃料用木材的价格“几乎相当于、有时甚至超过了巴黎最好的木料的价格，尽管巴黎这个巨大的首都每年需要三十万考得[①]的木材，而且周围三百英里的范围之内都是平原耕地”[②]。

在本镇，木材的价格几乎是持续不断地上涨，唯一的问题是，今年会比去年涨多少。亲自专门到森林里来的机械师和商人，肯定

① 考得为木材的单位，一般为128立方英尺，约为3.6246立方米。

② 米绍，《北美林木志》，1818年出版。

是来参加木头拍卖的，甚至付出很高的价钱，以获得伐木工离开后捡拾剩木的权利。人类依靠森林取得燃料和艺术品的原材料已经有年头了；新英格兰人和新荷兰人，巴黎人和凯尔特人，农夫和罗宾汉，古迪·布莱克和哈里·吉尔①，在世界大部分地区的王子和农夫，学者和野蛮人，仍然同样需要从森林里得到一些木柴来取暖和烹制食物。我也缺少不了木柴。

每一个人看着他的柴堆时都怀着一种喜爱之情。我喜欢我的柴堆就在自己的窗前，木头的碎片越多，越能使我想起我那令人愉快的工作。我有一把没有人要的旧斧子，在冬天的日子里，我会断断续续地在房子有太阳的一边摆弄从豆子地里挖出来的树桩。正如我耕地的时候，给我赶牲口的人所预言的那样，这些木柴给了我两次温暖，一次是我劈柴的时候，另一次是燃烧的时候，所以说，没有什么燃料能比木柴发出更大的热量了。至于那把斧子，有人建议我让村子里的铁匠给凿打凿打，但是我自己凿打了一番，然后，从树林里找了一根山核桃木安上做斧子把，就可以用了。如果说它不够锋利，至少把安得很正。

几块多脂的松木是宝贝。想到不知有多少这样的燃料仍隐藏在大地的深处，就觉得很是有趣。前几年，我常常到一片秃山坡去“勘探”，那儿原先有一片油松林，我去把多脂的松树根挖出来。它

---

① 在英国著名浪漫主义诗人华兹华斯（1770—1850）的《古迪·布莱克和哈里·吉尔：一个真实的故事》中，哈里·吉尔抓住了正在从他的树篱上扯下枝条用作燃料的古迪。她祷告上帝，要哈里永世不得温暖，上帝使她如愿。

们几乎是无法摧毁的。至少三四十年的老树根，木芯部分还是好的，虽然边材已经都变成腐殖质了，可以看得出厚厚的树皮的鳞片所形成的一个离木芯四五英寸、与地面齐平的环形。你用斧头和铲子来探查这个矿藏，沿着黄得像牛油一样的骨髓般的储藏，或者仿佛你找到了金矿的矿脉，往地下深挖。不过我通常用森林里的枯叶引火，这是下雪前我储藏在棚子里的。樵夫在林中野营时，用劈得很细的青翠的山核桃木做引火柴。偶尔我也弄来一些这种引火柴。当村民在远处点燃了炉火的时候，我的烟囱里也冒出一道浓烟，通知在瓦尔登谷栖居的各种野生动物，我还醒着。——

舒展双翅的轻烟，伊卡洛斯[①]般鲁莽的鸟儿啊，
高飞向上，却融去了你的翼尖，
无声的云雀，黎明的使者，
盘旋在小村之上，那是你自己的窝巢；
或者，你是消失了的梦，
午夜幽灵的朦胧身影，在拢起你的衣裙；
夜里为星星蒙上一层面纱，白天
使光线暗淡把太阳遮蔽；
去吧，我祭供焚香的烟啊，从这个壁炉中飞升，
祈求诸神宽恕这明净的火焰。

---

① 伊卡洛斯，希腊神话人物，以蜡翼粘身，飞离克利特岛，因飞得太高，蜡被阳光融化，坠入爱琴海而死。

刚刚砍下来的坚硬的生材比任何别的薪柴都更合我的需要，不过我用得很少。有时候，在冬天的下午，我出去散步的时候会留下一堆烧得很旺的火；三四个小时以后回来，火还燃着。虽然我出去了，我的房子不是空的。好像我留下了一个快活的管家。住在里面的是我和火；通常我的这个管家的表现是可以信赖的。可是有一天，我正在劈柴的时候，心里想我最好还是到窗口往里看上一眼，看看房子会不会着火了；这是我记忆中唯一的一次在这件事情上感到特别担心；因此我去看了一眼，发现一个火星把我的床铺引着了，我进屋把火扑灭了，可已经烧出了巴掌大的一片。但是我的房子处在阳光充足和背风的位置，房顶很矮，因此几乎在任何一个冬天的中午，我都可以让火灭掉。

鼹鼠在我的地窖里做窝，三个土豆里就要被它们啃吃掉一个，它们甚至用我抹灰泥剩下的毛发和一些牛皮纸做了舒服的睡觉的窝；就连最野蛮的动物也和人一样，喜欢舒适和温暖，而它们能够渡过严冬活下来，就是因为它们十分小心地获得了一个窝。听我的一些朋友说起来，就好像我到树林里生活是为了故意让自己受冻。动物只是做一个睡觉的窝，它用自己的身体焐热这个在不受风吹雨打的地方的窝；但是人类发现了火，他把空气关闭在自己宽敞的寓所里，给空气加温，而不剥夺他自己的热量，他把那个地方用作自己睡觉之处，在里面可以脱去许多累赘的衣服走动，在隆冬季节保持着一种夏天的气氛，并且利用窗子，甚至还可以接受阳光，再有一盏灯，又可以把白昼延长。这样，他超越了本能一两步，省出一点时间来从事艺术活动。尽管，当我长时间暴露在凛冽的寒风中的时候，我整个身体会开始麻木，但是一旦回到我屋子里温暖舒适的环境中，就会很快恢复身体的功能，延续自己的生命。但是住得最奢侈的人在这方面没有什么可以吹嘘的，我们也没有必要去费神推测人类最终会怎样毁灭。任何时候只要从北方刮来一阵稍微凛冽一点的狂风，就能很容易地切断他们的生命线。我们用寒冷的星期五和大雪来计算日期；但是一个更冷一点的星期五，或更大的雪，就会结束人类在地球上的存在。

第二年冬天，为了节约，我用了一个小的做饭的炉子取暖，因为森林并不属于我所有；但是火烧得不如在壁炉里旺。那时候，做饭大多不再充满诗意，而仅仅是个化学过程了。在今天这个炉子的时代，很快就会忘记我们曾以印第安人的方式在灰烬中烤土豆。火炉不仅占地方，把房子熏出一股气味来，而且还把火隐藏了起来，我感到好像失去了一个伙伴。你在火焰里总能看出一张脸来。劳动者在晚上凝视着火焰，白天在思想中积聚起来的杂质和粗俗的一切都得到了净化。但是我再不能够坐在那里凝视火焰了，一位诗人的贴切的诗句带着新的力量重新浮现了出来——

明亮的火焰，请永远不要拒绝给与我
你那珍贵的、鲜活的映像，亲密的同情。
除了我的希望，还有什么会这样灿烂地直冲云霄？
除了我的命运，还有什么会在黑夜跌进这样幽深的地道？

大家对你热爱也欢迎，
为什么将你逐出壁炉和前厅？
难道是你的存在过于辉煌，
我们沉闷的平凡生活不配你来照亮？
难道你明亮的闪光没有和我们意气相投的魂灵
进行过神秘的精神交流？其中奥秘若现若隐吗？
好吧，我们安全而坚强，因为现在我们坐在
没有昏暗的影子闪动的炉旁，
没有东西使你快乐或忧伤，眼前唯有
温暖手脚的火——别无它求；
傍着这小巧实用的火堆，
今人可以坐下，安然入睡，
不必害怕幽灵从模糊遥远的过去中显现出没，
在昔日的木柴火堆的摇曳火光下与我们诉说。[①]

① 原诗作者为艾伦·胡珀（1816？—1848？），此处梭罗稍有改动。

# 往昔的居民；冬日来客

我经受住了几场愉快的暴风雪，在炉边度过了几个快乐的冬夜，外面雪片狂暴地飞旋而下，甚至盖过了猫头鹰的叫声。一连好几个星期，我走在路上碰到的，只有偶尔来砍木头并用雪橇运回村里去的那些人。然而风雪却帮助我在林中积雪最深处开出了一条小路，因为我一走过雪地，风就把栎树叶刮进我踩过的脚迹里，它们堵在那儿，吸收阳光，使雪融化，这样不仅使我有了一层干燥的落脚处，而且在夜里，这道黑线还能给我领路。至于和人类社会的交往，我不得不在脑子里召唤出这些森林中往昔的居民。在同镇许多人的记忆中，我房子附近的那条路曾充满了居民的欢声笑语，周边的森林里，这儿那儿地镶嵌和散布着他们的小花园和小住宅，不过那时周围的森林比现在要密得多。有些地方，连我自己都记得，轻便马车的两侧会同时蹭到路边的松树上，不得不只身从这条路步行到林肯去的女人和孩子，走到这里很害怕，大部分路段常常是一路跑过去的。虽然这主要只不过是通往附近村子的一条简陋的小路，或者供樵夫的马拉运输车用，但是过去曾经因为它景色的多变而使旅行于此的人觉得新鲜有趣，在记忆里停留的时间也就长些。今天从村子到森林是一片连绵不断的开阔的田野，那时这条路通过的却是长着槭树的沼泽地，路的下面铺着圆木做路基，无疑，那残留的圆木现在仍躺在那条从斯特拉顿宅，即今天的救济院，经过农庄，通到布里斯特的尘土弥漫的公路下面。

在我的豆子地的东边，大路对面，曾经住着加图·英格拉哈姆，他是康科德村乡绅邓肯·英格拉哈姆的农奴；邓肯给他的农奴盖了一间房子，并允许他在瓦尔登森林里生活；不是尤蒂卡的那个加图[①]，而是康科德的加图。有人说他是几内亚的黑人。还有几个人记得他在胡桃树林里的那一小块地，他听任树生长，等老了好用得着它们；但是一个比他年轻比他白的投机商最后得到了这些树。不过现在他住的也是一样窄小的房子。加图的半被湮灭的地窖洞仍然存在，不过很少有人知道，因为在边缘上有一排松树将它掩盖起来，使旅人看不见它。现在这里长满了漆树（Rhus glabra），还有一种一枝黄花属（Solidago stricta）中最古老的品种，在这里也长得郁郁葱葱。

在我田地的一个角上，离镇子更近一些的地方，是黑人女子齐尔法的小屋，她在那儿给镇子里的人纺亚麻，她有响亮突出的嗓音，

---

① 尤蒂卡的加图指《农书》作者古罗马政治家大加图的曾孙，他死于尤蒂卡，被称作尤蒂卡的加图。

一唱起来，瓦尔登森林里就响彻了她尖而高的歌声。最后，在1812年的战争中，她不在家的时候，她的房子被假释的英军士兵放火烧掉了，她的猫、狗、母鸡都一起烧死了。她过着艰辛的日子，神经有点毛病。一个经常到这片森林里来的老人记得，一天中午他经过她的屋子的时候，听见她在对着发出沸腾声音的水壶自言自语地嘟囔，“你们都是骨头，骨头！”我还看见过那儿栎树林里的残砖。

沿路下去，在右手边布里斯特山上，住着布里斯特·弗里曼，“一个手巧的黑人”，曾经是乡绅卡明斯的黑奴，——那里现在仍旧长着布里斯特种植和照料过的苹果树；已经是很老的大树了，但是它们结的苹果我吃起来仍然有着野生苹果的味道。不久前，我在林肯的老墓地里读到了他的墓志铭，墓在墓地边上，靠近从康科德撤退时战死的英国掷弹兵的几座无名墓，——墓碑上称他是“西庇阿·布里斯特”，——他有资格被称作西庇阿·阿弗利卡纳斯①——“一个有色人”，好像他原来是没有颜色的。墓碑上还显眼地强调了他去世的时间；这只不过是以一种间接的方式告诉我，他曾经活过。和他躺在一起的是他殷勤好客的妻子芬达，她给人算命，不过很讨人喜欢，——她个子很大，圆滚滚的，皮肤很黑，比任何黑夜之子都要黑，这样黝黑的球体在康科德出现，是空前绝后的。

再往山下去，在左手边，一条林中老路上，残留着斯特拉顿农庄上家宅的一些痕迹；他们的果园曾一度覆盖了布里斯特山整个山坡，但是早就被油松给灭绝了，只留下了几个树桩，它们的老根上

---

① 西庇阿·阿弗利卡纳斯（前237—前183），古罗马统帅，曾两度任执政官。

长出了不少茂盛的野树。

离镇子更近之处，在路的另一边，就在树林的边上，你来到了布里德的地方；那个地方因一个魔鬼的恶作剧而闻名，这个魔鬼的名字没有明确列入古代神话之中，却在新英格兰人的生活中扮演了一个突出的、令人震惊的角色，和任何神话人物一样，有朝一日理应有人为他立传；他来的时候先是伪装成一个朋友或雇工，然后抢劫和杀害了整家人，——新英格兰的危险家伙。但是历史还是先不要把这里发生的悲剧讲述出来；让时间介入，多少冲淡一点悲剧的色彩，加进一抹蔚蓝色吧。最含糊不清又最令人怀疑的传说是，这儿曾经有过一家小酒店；就是这口同样的井，既用来给旅客的饮料里搀水，又用来饮他的马。那时，人们在这里相互致意，交换新闻，然后又各自上路。

布里德的棚屋就在十几年前还站立着，虽然早就没有人住了。它和我的屋子大小差不多。如果我没有记错的话，是在选举日的前夜被几个淘气的男孩子放火烧掉的。那时我住在村子边上，刚刚才读着戴夫南特的“贡迪伯特”[①] 睡着了，这是那年冬天我费劲地犯着困读的东西，——顺便说说，我不知道是该把犯困看作家传的毛病呢（我有个伯父，自己刮着胡子就睡着了，星期日为了不要睡着，好守安息日，不得不在地窖里干挖掉土豆上的芽的活），还是因为我

---

① 戴夫南特（1606—1668），英国诗人，剧作家，1638 年被封为桂冠诗人。“贡迪伯特”的全名是《贡迪伯特：一首英雄诗歌》。

企图一首不漏地读查默斯编的英国诗选[1]的结果。“贡迪伯特”简直战胜了我的 Nervii（神经）[2]。我的头刚刚垂落在书上，就响起了火警的钟声，救火车急匆匆往那个方向驶去，前后簇拥着一群散乱的大人和小孩，我是最前面的一个，因为我是从小溪上跳过去的。我们以为是在往南很远的树林的另一边，——我们这些曾经跑去救过火的人这样想，—— 谷仓，商店，或者是住宅，或者所有全都烧起来了。“是贝克家的谷仓。”有人喊道。“是科德曼的地方。”另一个人断言。这时，新的火星腾起在林子的上空，似乎是房顶塌了，我们高声喊着“康科德来救火了!”运货马车以疯狂的速度装着沉重的负载飞驶而过，上面也许还有保险公司的代理人，无论多么远，他是一定要去的；救火车的铃声时不时地在后面响起，要缓慢和沉着得多，在最后面是放火和报警的那些人，这是后来有人私下里说的。我们就这样继续前进，像真正的唯心论者，拒绝相信我们自己感官获得的证据，直到在路拐弯的地方，我们听见了火烧的爆裂声，实际感觉到了墙那边传来的火的逼人热度，这才明白，啊呀！我们到了火场了。火近了，却使我们的狂热降了下来。起初我们想把一塘的水都浇在上面；但是最后决定就让它烧下去吧，已经烧得差不多了，房子又不值什么。因此我们站在救火车周围，互相推搡着，通过大喇叭表达我们的想法，或者低声提起世人见证过的大火灾，包

---

① 查默斯（1759—1834），英国著名编辑和传记作家，1810 年出版《从乔叟到柯珀的英国诗人作品》。

② 此处作者利用 Nervii 一词，一语双关。Nervii 是凯撒大帝击败的一个部族，Nervii 的读音又和 nerve（神经）相像。

括巴斯科姆店的大火，我们私下认为，如果我们及时有只“桶”，旁边又有满满一塘的水，我们本来是可以把威胁我们大家的最后那场火变成又一场洪水的。最后我们什么坏事也没有干就撤退了，——回去睡觉，去看“贡迪伯特”。说到“贡迪伯特”，序言里有一段关于机智是灵魂的火药的话，——“但是人类大多数不懂机智，就像印第安人不懂火药一样”，对此我要表示异议。

恰巧，第二天晚上在大约相同的时间，我穿过田野经过了那个地方，听见了低低的呻吟声，我在黑暗中走近去，发现了我所知的这家人中唯一活着的人，它的优点和缺点的继承者，只有他关心这场火，趴在地上察看地窖墙下面仍在焖燃着的余烬，像惯常那样喃喃自语着。他一整天都在远处河边的牧草地里干活，一有了自己能够支配的时间就回来看看父辈的家和自己度过少年时代的地方。他轮流从每一面每个方位对着地窖里面细看，而且总是趴在地上，好像里面有什么他记得的、藏在石头缝里的珍宝似的，其实，除了一堆砖头和灰烬外，什么东西也没有。房子已经没有了，他只能看看烧剩下的东西。仅仅是我的出现本身所意味的同情给了他安慰，他在黑暗中尽可能指给我看井被盖住的地方；感谢上帝，井是永远也烧不掉的；他在墙旁久久地摸索着，寻找他父亲自己亲手做好架设起来的井桶升降装置，摸着找那只铁钩或U形钉，那是在重的一头吊放重物用的，——这就是他现在能够抓得住的唯一的东西了，——好让我相信这不是一个普通的“撑架”。我摸了摸它，至今在我每天散步时几乎都要看看它，因为在它上面悬挂着一个家庭的历史。

在左边能够看见那口井和墙边的丁香花丛的地方，现在是一片开阔的田野，纳丁和勒格罗斯曾在那里住过。不过他们回林肯去了。

比这些人家还要深入到林子里去，在大路离湖最近的地方，制陶工怀曼依法在那里占了一块地，给镇上的人供应陶器，还留下了后人继承他的事业。他们都没有什么家当，活着的时候勉强得到允许，保持拥有的那块土地；县治安官常常去那里收税，但是徒劳无功，只能“扣押一件小东西”，走个形式，我在他的报告里看到，他实在拿不到什么别的东西了。仲夏的一天，我正在锄地，这时，一个运送一车陶器到市场去的人在我地边勒住了马，向我打听小怀曼。他很久以前从小怀曼那里买过一个陶工用的拉坯轮，希望知道他现在怎么样了。我在《圣经》里读到过陶土和拉坯轮，但是却从来没有想到，我们使用的陶器并不是从那个时代一直完好无损地传下来的，或者像葫芦那样是什么地方的树上长的，我很高兴地得知，在我的邻人中就有人从事过这样一种制陶的塑造艺术。

在我之前这片林中的最后一个居民是个爱尔兰人，叫休·夸尔（要是我在说他的名字时，舌头卷得不够就成了科尔），他就借住在怀曼的房子里，——大家叫他夸尔上校。传说他在滑铁卢打过仗。如果他还活着，我一定会让他讲述他的战争经历的。他在这里干的是挖沟修沟的活计。拿破仑去了圣赫勒拿岛；夸尔来到了瓦尔登森林。我所听到的关于他的一切都是悲剧性的。他彬彬有礼，像个见过世面的人，说话能够文雅到你很难倾听的地步。大夏天他穿着一件大衣，因为他得了震颤性谵妄症，脸是胭脂红的颜色。我来到林中不久，他死在布里斯特山脚下的路上，因此我记不得有他这个邻居。在他住的房子被拆之前，他的同事都认为那是座“不吉利的堡垒”，都躲着它，我进去看过。他的旧衣服被他穿得蜷曲着摊在架起来的木板床上，就好像是他本人躺在那里一样。壁炉旁放着坏了的烟斗，而不是一只在泉水边打碎了的碗。泉水永远不会是他死亡的象征，因为他向我承认，虽然他听说过布里斯特泉，却从来没有看见过；肮脏的扑克牌，方块、黑桃和红心 K，散落在地板上。一只没有被派来处理遗物的人抓住的黑鸡，黑得像黑夜一样，也和黑夜一样悄没声息，连叫都不叫一声，仍在等着那只列那狐[①]，仍到隔壁的房子里去栖息。屋子后面有一个园子的模糊轮廓，里面种过东西，但是由于主人那可怕的震颤病，虽然现在已经是收获的季节了，却还一次也没有锄过。里面长满了罗马苦艾和鬼针草，后者的果实都粘在了我的衣服上。房子后面有一张新绷展开的旱獭皮，是他最后的滑铁卢之战的战利品；但是他不会再需要暖和的帽子和手套了。

现在，只有地上的凹痕标志着这些房子曾经的所在，修建地窖用的石头也埋在了地下，在那儿，向阳的草地上生长着草莓，紫莓，糙莓，榛树丛和漆树；原来的烟囱角落里长了油松和多节的栎树，在原来也许是门阶石的地方，一棵芳香的黑桦树在迎风摇曳。有时，能够看见明显的井坑，那里曾经有泉水冒出；现在只有干枯冷漠的荒草；或者，在最后一个人离开的时候，用一块扁平的石头把井深深地盖在了草皮之下，——以后才会被发现。这必定是一个多么令人伤心的举动啊，——把井盖了起来！盖井的同时就打开了泪井。

① 中世纪法国讽刺故事诗《列那狐的故事》中狐狸的名字。

这些地窖的凹痕，像被弃的狐狸洞和旧洞穴那样，成了曾是人们一度在此热闹喧嚣地生活的地方的唯一遗迹，在这儿，人们曾先后以不同的形式或方言讨论过“命运，自由意志，绝对预知”①。但是据我所知，他们得出的结论不过就是“加图和布里斯特骗人”；这差不多和更为著名的哲学学派的历史具有同样的启迪性。

在门、门的过梁和门槛都消失了有一代人之久以后，那株丁香花依然生机勃发，每年春天香花怒放，被若有所思的旅人摘下；它们曾由孩子的双手种植栽培在前院的土地里，——现在则长在荒弃了的牧场的墙边，让位给了新生长的森林；——这是那个家族最后的血脉、唯一的幸存者了。那些黑皮肤的孩子怎么也没有想到，他们在房前阴影里插在地里、每天浇水的那弱小的只有两个芽眼的幼枝，居然根扎得这么深，比他们和在树后为它遮荫的房子本身活得还要长久，比成年人的园子和果园还要长久，在孩子们长大并死去后半个世纪，对孤独的旅人讲述着他们模糊的故事，——花开得和那第一个春天一样美，一样香。我注意到了它那依然柔和、幽雅、快乐的淡紫色。

然而这个小村庄，本来是一个发展的萌芽，为什么在康科德能够坚持下来的时候，它却消失了呢？是那里没有自然优势吗，——譬如说，没有水的资源，是这样吗？啊，深深的瓦尔登湖，清凉的布里斯特泉，——可以在这儿长期健康痛饮，但是这些人除了用来兑酒之外，根本没有加以利用。他们无一例外都是嗜酒的一族。难

① 弥尔顿《失乐园》，第二部，560行。

道编篮子，做马厩扫把，织席子，晒玉米，纺亚麻，制陶器，不会在这里兴旺发达起来，使荒野像玫瑰般怒放，无数的后代继承下他们祖辈的土地？贫瘠的土壤至少能够防止低地的退化。哎！对居住在这里的人的记忆竟丝毫不能增添景色之美！也许大自然会再度尝试，把我当作第一个定居于此的人，我在上个春天盖的房子成为小村里最古老的建筑。

就我所知，在我占据的这个地点，从来没有人盖过房子。千万不要让我住在一个建立在古城废墟上的城市里，那里的材料来自废墟，花园曾是墓地。那里的土地已经变得苍白贫瘠，注定要遭到厄运，在这成为必然之前，地球本身将会毁灭。怀着这样的联想，我把人重新迁入森林，自己安然进入了梦乡。

在这个季节，我很少有客人来访。雪积得最深的时候，一连一个星期或半个月，都没有人会冒险溜达到我房子附近，可是我在里面过得像只田鼠一样舒适温暖，或者说像牛或家禽，据说它们长时间被埋在雪堆里，即使没有食物，也能够活下来；或者说像本州萨顿城的那个早期移民，在1717年的那场大雪中，他当时不在家，他的小屋完全被雪埋住了，全靠烟囱的热气在积雪里化出的洞，才使一个印第安人发现了小屋，救出了他的家人。但是没有友好的印第安人来关心我了；他也用不着关心我了，因为屋子的主人在家呢。那场大雪！听说起来都让人多么开心啊！那时候，农夫不能赶着牲口车去到森林和沼泽，不得不砍下他们屋前遮荫的树木，当积雪的外壳冻得更硬的时候，他们到沼泽去砍树，第二年春天才看见，砍树的地方离地竟有10英尺。

积雪最深的时候，我走的那条从公路到我的房子大约半英里长的小路，可以说是一条曲里拐弯的虚线，点和点之间的间距很大。一连一个星期气候平稳的时候，我走去走回的步子数目完全一样，步距相同，从容谨慎地迈步，精确得和一只两脚规一样，踏在我自己深深的脚印中，——冬天把我们局限在了这样的常规之中，——不过脚印里常常映现出天空的蔚蓝色。但是，什么天气也不能干扰得我不去散步，或者说外出，因为我经常在最深的积雪中跋涉8或10英里，为了守约去看一棵山毛榉树，或黄桦树，或松树中的一个老相识；那时冰或雪压弯了它们的枝丫，因而使树顶尖了，松树变成了冷杉；当积雪在平地上几乎都有两英尺深的时候，我艰难地蹚着雪爬到最高的山顶，每迈一步都会把又一大堆雪震落在我的头上；有时连猎人都回到了冬季住所，我却挣扎着匍匐前往野物出没的地方。一天下午，我自得其乐地看着一只大林鸮，他大白天栖息在一棵五针松下面靠近树干的一根枯枝上，我站的地方离他还不到一杆远。我移动时脚踩在雪上发出嘎吱声他能够听得见，但是显然他看不见我。当我发出很大的声音的时候，他会伸出脖子，竖起脖子上的羽毛，大睁双眼；但是眼皮很快就闭上了，开始点头打起盹来。他就这样半睁着眼睛睡着了，像只猫，像猫的带翅膀的兄弟，在观察了他半个小时以后，我自己也受到影响，犯起困来。在他的眼皮之间只有一条窄缝，他通过它和我保持着半岛式延伸的关系；他半闭着眼，从睡梦之乡往外看，极力要弄明白，我究竟是个模糊的物体，还是妨碍他视线的微粒。最后，由于更大的声响或者我离他更近了，他会变得不安，在栖息的树枝上慢吞吞地转个身，好像因好梦被搅而感到恼火；当他飞离枝头，在松林里振翅，翅膀伸展到出人意料的宽度，我却一点声音也听不见。就这样，靠着对周围环境的极度敏感而不是靠视觉，他在松枝间飞翔，可以说以他敏感的翼尖，在昏暗中找到了一个新的枝头栖息，他也许能够在那儿不受打搅地等待他的一天的到来。

当我走过为铁路穿越草地而修建的长长的堤道时，曾多次碰上凛冽的狂风，因为只有在这里它才可以放肆地发威；当寒风吹击我左脸后，尽管我是个异教徒，我还是把右脸也转向了它。从布里斯特山通过来的马车道也好不了多少。因为即使开阔的田野上的雪全都堆积在了瓦尔登路的墙垣间，用不了半个小时，上一个行人的脚迹就会消失，我却仍旧会像个友好的印第安人那样，要到镇子里来。我回去的时候新的积雪堆又已经形成，我挣扎着跋涉其间，忙碌的西北风一直不停地把粉末般的雪花堆积在路的急转弯处，看不见野兔的足迹，那种小型的拉布拉多白足鼠的细小踪迹就更看不见了。然而即使在隆冬季节，我也很少会找不到一片温暖而柔软的沼泽，那里，青草和臭松仍然呈现出终年常青的颜色，一些更为耐寒的鸟儿偶尔也会在那里等待着春天的归来。

有的时候，尽管有雪，我晚上散步回来时，会碰见一个樵夫的深深的脚印从我家门口出来，发现在壁炉前他削下的碎木片，屋子里充满了他的烟斗气味。有时在星期日的下午，如果我恰巧在家，会听见一个精明的农夫踩在雪地上发出的嘎吱嘎吱的脚步声，他老远地穿过森林到我屋子里来“聊聊天”；他是他这一行里少数几个

"务农人士"之一[①]；他不穿教授袍而穿工装服，他动辄从教会或政府的言行中引申出道德上的教训，就和随时从自己的牲口棚里拉出一车肥料来一样容易。我们谈到粗犷朴素的时代，那时人们在凛冽清新的严寒中坐在大火堆周围，头脑清醒；如果没有别的甜食，就用牙齿试一试聪明的松鼠早已抛弃的许多坚果，因为壳最厚的坚果，里面往往是空的。

从最远的地方，穿过最深的积雪，冒着最凄厉的暴风雪到我的小屋来的，是一位诗人[②]。农夫，猎人，士兵，记者，甚至哲学家，都可能被吓倒了；但是没有什么能够阻止一个诗人，因为他这样做是出于纯粹的爱。谁能预知他的来来往往呢？他的使命随时都会召唤他外出，即使医生都睡了觉的时候也不例外。我们使那小小的屋子响彻喧闹的欢笑声，回荡着严肃谈话的低语声，弥补了瓦尔登山谷长久的沉默。相比之下，百老汇都显得安静而空寂。在一定的间隔以后，会发出轰然的笑声，可能是针对刚刚说过的话，也可能是因为正要说出来的俏皮话。我们喝着稀粥，提出许多"全新"的人生理论，这稀粥具有把吃喝交际和哲学要求的清醒头脑结合起来的优点。

我不会忘记，我在瓦尔登湖过的最后一个冬天，还来过另外一个受欢迎的客人，他有一次穿过村子，穿过雨雪和黑暗，直到他透

① 此处暗指爱默生于1837年8月31日在哈佛大学所做的名为"美国学者"的演讲中对人的归类，务农人士（being Man on the farm）要优于农民（being a farmer）。

② 即钱宁。

过树丛看见了我的灯光，和我共度了好几个漫长的冬夜[1]。他是最后的哲学家中的一个，——康涅狄格州把他献给了世界——他先是推销它的商品，后来，正如他所宣布的，就开始推销自己的头脑。现在他仍在推销自己的头脑，宣扬上帝，褒贬世人，只有他的头脑才是结出的果实，就像坚果的果仁一样。我认为，在活着的人里，他必定是最具有信念的一个了。他的言论和态度永远意味着，事物的状况比别人了解的要好，随着时代的演变，他必定是最后一个感到失望的人。眼下他手头没有什么进行着的计划，虽然现在相对不受重视，到他走运的时候，多数人没有意想到的法律会发生效力，一家之长和统治者都会来听取他的意见——

不见尊者之人毫无远见！[2]

他是人类的真正朋友；几乎是人类进步的唯一朋友。一个老朽凡夫[3]，或者不如说是个不朽者，以不倦的耐心和信念，使刻在人类躯体上的形象变得清晰，人类的上帝已经被损坏得面目全非，成了歪斜的纪念碑了。他以热情友好的非凡才智，包容了儿童，乞丐，

---

① 即阿尔科特（1799—1888），美国哲学家，教师，改革家，新英格兰先验论小组成员。曾以行商身份在美国南方作旅行推销，后为儿童办学。

② 引自托马斯·斯托勒所著《红衣主教托马斯·沃尔西的生与死》，1599 年出版。

③ 英国小说家司各特（1771—1832）于 1816 年出版的《老朽凡夫》中名为老朽凡夫的人物，专门到各个教堂墓地整理墓碑，重凿被岁月侵蚀了的碑文。

疯子，学者，对所有人的思想兼收并蓄，他则通常为这些思想增加广度和精度。我认为他应该在世界的大路上开一家大旅店，各国的哲学家可以在那里住宿，在招牌上应该写上，“款待人，但不款待他的兽性。有闲暇和宁静心情的人，决心寻找正确道路的人，请进”。他也许是我有幸认识的人中最清醒、最不要心眼的一个；昨天是什么样子，明天还是什么样子。在过去的那些日子里，我们漫步，谈天，把世界全然抛在了脑后；因为他不受世界任何习俗制度的约束，生来自由，坦荡真诚。无论我们转向哪里，天和地都好像交会在一起，因为他给景色增添了美丽。一位蓝色衣装的人，最适合他的屋顶就是反映了他的宁静的苍穹。我看不出他怎么可能死去；大自然不能没有他。

我们各自都有一些晒得很干的思想的墙面板，于是便坐下来削削它们，试试我们的刀子，欣赏黄松木上清晰的微带黄色的纹理。我们涉水时是这样轻柔虔诚，或在合力收线时是这样平稳，所以思想之鱼没有从小河里吓跑，也不惧怕河岸上的任何垂钓者，而是庄重地游来游去，就像飘浮过西边天际的云朵，以及时而在那里聚拢又散开的珠母云团。在那里我们工作，修订神话，润色寓言使之丰满，建造大地提供不了有价值的基础的空中楼阁。伟大的旁观家！伟大的期待家！和他交谈真是新英格兰之夜的乐事。啊！我们有过怎样的谈话啊，隐士和哲学家，以及我提到过的那个移居此处的老人，——我们三个人，——我们的谈话拓宽了、震摇了我的小屋；我真不敢说，每一英寸的圆弧上，在大气压力之外，还承受了多少磅的重量；它已经裂开了缝隙，所以以后不得不用大量乏味的东西来填嵌它们，以堵住因而产生的渗漏；——好在我已经捡拾了足够的用作填絮的那类东西了。

还有另外一个人[1]，我和他在村中他的家里，共度过“充实的时光”，令我久久难忘，他还时不时地来看我；但在我那里没有别的交往了。

和在别的地方一样，我在那里有时也期待着那位永不到来的客人。《毗湿奴往世书》[2] 中说，“黄昏时分，屋主应该在他的院子里停留大约挤一条奶牛的时间，如果他愿意，可以再长一些，等待客人的到来”。我常常履行这一好客的职责，等待的时间足够挤一群奶牛的奶，但是并没有看到有人从市镇里来。

---

① 指爱默生。

② 印度教经典之一。

# 冬季动物

当湖泊被坚冰覆盖以后，不仅提供了到许多地点去的新的捷径，而且提供了从冰面上看湖周围熟悉景色的新景观。尽管我经常在弗林特湖上划船，也在它的冰面上溜过冰，但是当我穿过它积雪的湖面时，我感到它出人意料地宽广和陌生，心里想到的只是巴芬湾[①]。在我周围，林肯的山丘耸立在一片雪原的周边，我感到自己不曾在这里站立过；渔夫们在冰面上无法确定距离的远近，带着他们像狼一样的狗一起缓慢地移动着，颇像是猎海豹的人或爱斯基摩人，若是在雾蒙蒙的天气里，他们就像神话中的动物若隐若现，看不清他们是巨人还是侏儒。我晚上到林肯去听演讲的时候就走这条路线，不走自己的家和讲演厅之间正规的路，也不经过任何一所房子。我要路过鹅湖，那里是麝鼠的聚居地，它们的窝高踞在冰面之上，但

① 在格陵兰和加拿大的巴芬岛之间。

我经过的时候却没有看见一只麝鼠在外面。瓦尔登湖和其他几个湖一样，一般是没有积雪的，就是有，也是很薄的、零零散散的积雪，它是我的院子，当别的地方积雪平均深达几乎两英尺，村民们都只能在街道上行走的时候，我可以在这里自由地走来走去。那个地方远离村子的街道，也很难听到雪橇的铃声，我在那儿滑行，溜冰，就像在一个久经踩踏的巨大的麋鹿苑里，头顶上是被雪压弯了的或挂满了冰柱的栎树和黑黝黝的松树。

至于冬夜的声音，往往在冬季的白天也是一样，我听到遥远的某处一只鸮枭的凄凉而悦耳的叫声；是冰冻的土地被合适的琴拨子弹拨时会发出的声音，正是瓦尔登森林特有的方言，最后我对它非常熟悉了，尽管从来没有在那只鸮枭叫的时候看见过它。我在冬夜打开门的时候，很少会听不见它的声音；呼呼呼，呼儿呼，圆润洪亮，头三个音节发得有点像“你好啊”；有时候只有呼呼两声。初冬的一个夜里，瓦尔登湖还没有完全封冻，在大约 9 点钟的时候，一只大雁的高叫声使我一惊，我走到门口，听到它们低飞过我的房子时扑动翅膀的声音，仿佛林中起了一场大风暴。它们飞过瓦尔登湖，向美港飞去，看起来好像是我的灯光吓得它们不敢停留，它们的指挥官一直不断地有节奏地叫着。突然，离我很近的地方，明显地有一只猫头鹰，在以一定的间歇回应着大雁，声音是我从来不曾从任何别的林中居民那里听到过的最响最刺耳的，似乎决心要展现土生土长者具有的更宽的音域和更大的音量，以揭露和羞辱这来自哈得逊湾的闯入者，嘘嘘地喝着倒彩把他赶出康科德的地平线。在我的神圣不可侵犯的夜里的这个时刻，惊动整个的堡垒，你是什么意思？

你以为会发现我在这个时刻打盹，以为我没有像你那样的音量和嗓门吗？嘘—嘘，嘘—嘘，嘘—嘘！这是我听到过的最为刺耳的噪音之一。然而，如果你的耳朵具有敏锐的识别力，在这个声音里有着和谐的因素，是这里的平原上见所未见、闻所未闻的。

我还听见湖里的冰发出的咆哮声，湖是我在康科德的那个地区的巨大的同床伙伴，它仿佛在床上难以成眠，很想翻过身来，受到肠胃气胀和噩梦的折磨；要不然就是土地冻裂发出的声音将我惊醒，仿佛有人赶着牛马拉的车撞在了我的门上，早上，我会发现地上裂开了一道四分之一英里长、三分之一英寸宽的缝。

有的时候，在月夜里，我听见狐狸在雪面上四处搜索，寻找山鹑或其他猎物，像猎狗一样刺耳地凶恶地嗥叫，好像怀着几分焦急，又好像是试图表达自己，努力想获得光明，想立即变成狗，在大街上自由跑来跑去；因为如果我们考虑到时代因素，难道在野兽中不是也和人类一样，存在着一种文明吗？我觉得它们像早期的、在地洞中生活的人类，仍处于自卫之中，等待着质变。有的时候，被我的灯光吸引，一只狐狸走近我的窗户，向我发出一声狐狸的恶咒，然后退走。

通常是红松鼠在黎明时将我叫醒，它们在屋顶上窜来窜去，在屋子四侧墙上奔上爬下，仿佛专门是为了这个目的被派到森林外面来的。在冬天，我会把半蒲式耳没有长成熟的甜玉米穗抛在我门前的积雪上，看着被吸引来的各种动物的行为，觉得十分有趣。黄昏时分和夜里，兔子总是会来大吃一顿。红松鼠一整天来来去去，它们玩的花招给了我很大的乐趣。最初，一只红松鼠会小心翼翼地钻出栎树丛，像一片被风刮起的落叶，在雪地里跑跑停停，一会儿往这边跑几步，速度惊人，浪费了大量的精力，小脚令人难以置信地急速奔跑，好像是赌了输赢，一会儿又往那边跑同样那么多步，但是每一次从不超过半杆的距离；然后，带着极其可笑的表情，无端地翻个跟头，突然停下，好像宇宙间所有的眼睛都集中在它的身上，——因为松鼠的所有动作，即使是在森林最偏僻的深处，也和舞女的动作一样，意味着有观众在场，——在谨慎和耽搁上浪费掉的时间，早就够走完整个距离的了，——我从来没有看见过松鼠行走，——然后突然，刹那之间，它已经爬在了一棵小油松树的顶上，开足了发条，责备所有想象中的观众，既在独白又同时在对整个宇宙讲话，——我从未弄明白它为什么这么做，我猜想它自己也没有意识到是为了什么。最后它会来到玉米跟前，挑选出合适的一穗，以同样不确定的三角形方式，跳蹦着来到我窗前木头堆最上面的一根木头上，从那儿无所畏惧地直视着我，在那里坐上几个小时，时不时地给自己弄一穗玉米来，开始时狼吞虎咽地啃吃，把还有一半玉米粒的玉米棒子芯四处乱扔；最后变得更为挑剔，摆弄起食物来，只尝尝玉米粒的芯，放在那根木头上用一只爪子保持着平衡的玉米穗，不小心从爪子里滑出，掉在地上，这时它会带着滑稽的狐疑表情往下看，仿佛怀疑玉米穗是活的，心里犹豫不决是去把它拾起来，还是去拿一穗新的，还是离开这里；一会儿想着玉米，一会儿倾听风声里有什么动静。就这样，这个放肆的小家伙一上午会糟蹋掉许多穗玉米；直到最后，它抓起比它自己大得多的、比较长而饱满的一穗玉米，巧妙地保持着平衡，出发回森林里去，就像老虎带着头水牛，依然是按照之字形的曲折路线，走走停停，艰难前进，玉米穗对它来说好像太重了，不断地跌落，它决心无论如何也要把玉米穗弄回去，让玉米穗按介于垂直和横线之间的斜线落下；——真是个少有的轻浮草率、随心所欲的家伙；——它就这样把玉米穗弄到它住的地方，也许把它搬到四五十杆以外的一棵松树顶上，以后我就会发现，森林里到处乱扔着玉米棒子芯。

终于，樫鸟飞来了，它们小心翼翼地从八分之一英里外飞近时，发出的那刺耳的不协调的声音早就能够听见了，它们偷偷摸摸地从一棵树飞到另一棵树，越飞越近，啄起松鼠掉下的玉米粒。然后，它们停落在一棵油松的枝头，想急忙吞下一颗玉米粒，玉米粒太大，哽在嗓子眼里，费了很大的劲才吐了出来，又花了一个小时，用它们的喙反复啄个不停，努力将它啄碎。它们显然是窃贼，我对它们没有多少敬意；但是松鼠虽然最初有些胆小，不久就好像拿自己的东西一样地干起来了。

与此同时，还飞来了大群的山雀，它们捡拾松鼠掉落的碎渣，飞到最近的树枝上，把碎渣放在爪子下面，用自己的小喙不断叼啄，好像啄的是树皮里的一只小虫子，直到啄得碎到它们细小的喉咙能够咽得下去为止。一小群这种山雀每天都来，在我的木堆里大大啄食上一顿美餐，或则啄吃我门前的碎屑，发出微弱短促的咬舌般的鸣叫声，像在草丛里的冰柱发出的丁冬声，要不然就发出轻快的“得—得—得”的叫声，更为难得的是，在像春天一样的日子里，它们会从林子那边发出充满夏意的像琴弦拨出来的“菲—比”声。它们已经非常习惯和人相处，最后有一只山雀停落在我正往屋子里抱的木柴上，毫不害怕地啄着柴枝。有一次我在村子里的菜园锄地的时候，曾经有一只麻雀在我肩膀上落下来停了片刻，我感到自己非常光荣，佩带任何肩章都无法与之相比。松鼠最后也变得很习惯和人相处，偶尔，为了抄近路，会踩在我的鞋子上过去。

在地面还没有完全被雪盖住，或者在冬天将尽，我朝南的山坡上和我的木堆上雪已经融化的时候，山鹑一早一晚从林中出来觅食。无论你在林子里的哪一边行走，都会有山鹑呼地一声突然飞去，震落了枯叶和高处树枝上的积雪，在阳光下，雪像金色的粉末飘落；这勇敢的鸟儿不会被冬天吓住。它常常会被积雪盖住，据说“有时候扎进柔软的雪里，能在那里躲上一两天”。它们在日落时分从林子里出来，到开阔地区啄食野苹果树的嫩芽的时候，也常常会被我惊得飞起。它们每天晚上会照例来到特定的树上，狡猾的猎人早已守候在此，远处靠近树林的果园没少因此遭殃。我很高兴，不管怎样，山鹑总能找到食物。依靠树芽和水为生的鸟儿是大自然之鸟。

在冬天黑暗的早晨，或者在短暂的冬日下午，有时我会听见一群猎狗穿越森林各处，发出追逐时的叫声和兴奋的嗥叫，它们无法抑制追逐的本能，而不时传来的猎号的号角声说明后面跟着猎人。森林又响彻了吠叫声和号声，但是没有狐狸冲到湖边的平地上来，也没有狗群在追赶它们的亚克托安①。也许到了傍晚，我才看见猎人们回来，雪橇上只垂着一条毛茸茸的狐狸尾巴作为战利品，找地方

① 亚克托安，希腊神话中的一位猎人，因看见月神和狩猎女神阿耳特弥斯洗澡，被她变成牡鹿，最终被自己的狗群撕成碎片。

过夜。他们告诉我，如果狐狸留在冻土下的洞里，就会平安无事，或者，如果它笔直地逃跑，也没有哪只猎狐狗能够追得上它；可是，在把追踪者远远甩在后面以后，它就停下来休息，一面听它们的动静，直到猎狗又追了上来，当它再跑的时候，它兜着圈子回到了老窝，被猎人等了个正着。不过有的时候，它会在墙顶上跑出许多杆，然后远远向另一侧跳下去，他好像知道，水不会留下它的气味。一个猎人告诉我，有一次，他曾经看见一条被猎狗追赶的狐狸，冲到了瓦尔登湖的冰面上，那时冰上布满了浅水坑，狐狸跑过部分湖面后，又回到了原来的岸边。没有多久，猎狗追来了，但是它们在这里失去了臭迹。有的时候，一群自己出来捕猎的猎狗会经过我的门前，绕着我的房子转圈，嗥叫追逐，对我毫不理睬，仿佛得了某种疯病，什么也无法把它们从追逐中吸引开去。它们就这样转着圈子，直到发现了一只狐狸的最新踪迹，因为一只精明的猎狗为了追狐狸是什么也不顾的。有一天，一个人从列克辛顿来到我的小屋，打听他的猎狗，猎狗留下了巨大的踪迹，它独自捕猎已经有一个星期了。可是，尽管我告诉了他，恐怕他还是不明白，因为每次我想回答他的问题的时候，他总是打断我，问我“你在这里做些什么?”他丢失了一条狗，但却找到了一个人。

有一个老猎人，说起话来干巴巴的，以前每年在湖水最温暖的时候到瓦尔登湖来洗一次澡，每到这时，他就会来看看我，他告诉我，许多年前的一个下午，他拿着猎枪，到瓦尔登森林去转悠；当他走在韦兰路上的时候，听见了猎狗跑近的吠叫声，跟着，一条狐狸窜过墙跳到了大路上，转眼间又窜过了对面的墙，逃出了大路，他飞射出的子弹没有碰到它。一只老猎狗和她的三只小狗隔着一段距离从后面猛追过来，它们独自在捕猎，很快就又消失在树林之中。靠近傍晚的时候，他正在瓦尔登湖南边的密林里休息，听到从远远的美港方向传来了猎狗的吠叫音，它们仍在追赶那只狐狸，正向他这里逼近，回荡在整个森林里的嗥叫声越来越近，一会儿来自维尔草场，一会儿来自贝克农场。他一动不动地站在那里，长久地听着它们的乐声，这个在猎人的耳朵里如此甜美的声音，突然，狐狸出现了，急速在黝暗的小径中穿过，声音被树叶的同情的沙沙声所掩盖，它迅速而轻声地贴地而行，把追逐者远远抛在身后；然后，它跳上了树林中的一块岩石，直直地坐在那里倾听着，背对着猎人。有那么一小会儿，怜悯之情约束住了猎人的胳膊；但这种心情极其短暂，刹那间，他举枪瞄准，“砰”的一声——狐狸滚下岩石，躺在地上，死了。猎人仍旧站在原地，听着猎狗的声音。它们仍是越逼越近，这时，近处森林的每条小径上都回荡着它们凶恶的吠叫声。终于，老猎狗鼻子对着地冲到了眼前，像中了魔一样朝着空气狂吠，然后直奔那块岩石；但是看到了那只死狐狸，她突然停止了追逐，仿佛被惊呆了，她绕着死狐狸默默地转了又转，她的小狗一只只地出现了，和它们的母亲一样，这不可思议的谜也使它们安静了下来，不再出声。这时，猎人走了出来，站在猎狗中间，谜解开了。他剥狐狸皮的时候，它们静静地等待着，然后跟着狐狸尾巴走了一会儿，最后离开，转回到了森林里。那个晚上，一位韦斯顿的乡绅到康科德这个猎人的小屋里来打听他的猎狗，告诉猎人它们独自在韦斯顿森林里捕猎，已经有一个星期了。康科德的猎人把知道的情况告诉了他，并且要把狐皮给他；但是他谢绝后离开了。那天夜里他没有找到他的猎狗，但是第二天得知，它们过了河，在农场的房子里过了夜，饱餐了一顿以后，一大清早就离开了那里。

告诉我这件事的猎人还记得一个叫山姆·纳丁的人，他以前常在美港的岩脊上猎熊，用熊皮在康科德村换朗姆酒喝；那人告诉他，自己甚至还在那里看见过一只麋鹿。纳丁有一条有名的猎狐犬，叫伯戈因，——他念成布金，——告诉我这件事的人经常借用过这只猎狐犬。本镇有一个老商人，同时也是巡官、镇文书和代理人，在他记草账的本子上，我发现了下列的记载：1742—3 年 1 月 18 日，"约翰·梅尔文，贷方，灰狐一只，零元二角三分"，现在这里已经看不见灰狐狸了；在他的分类账里记着，1743 年 2 月 7 日，赫奇卡亚·斯特拉顿"用半张猫皮贷款零元一角四分半"。当然，是猞猁皮，因为斯特拉顿在法兰西战争中是名中士，不会拿连猞猁都不如的猎物来贷款的。鹿皮也能贷款，每天都能卖得出去。有一个人仍然保留着在这一带最后被捕杀的那只鹿的鹿角，还有一个人对我讲述了他叔叔参加过的一次捕猎的具体情况。从前在这一带，猎人是人数众多的快乐的一群。我清楚地记得一个瘦削的猎人，他随手拾起路旁的一片叶子，就能吹出曲调来，如果我没有记错的话，那曲调比任何猎号的声音更狂放，也更好听。

在月色明亮的午夜，有时我会在路上碰到在林中搜寻的猎狗，它们会躲开我，好像害怕似的，静悄悄地站在灌木丛里，直到我走过。

松鼠和野鼠为了我储存的坚果争吵不已。我的房子周围有几十棵油松树，直径一到四英寸，前一个冬天被老鼠啃过，——对它们来说，那是个挪威式的冬季，因为积雪时间长，雪又深，它们不得不靠啃大量的松树皮来弥补食物的不足。这些树仲夏时分是活着的，而且显然长得很茂盛，许多都长高了一英尺，虽然树皮都被咬掉了一圈；但是经过又一个冬天以后，它们无一例外地都死了。一只老鼠竟然就这样被允许吃掉一棵树，不是上下啃，而是绕着圈子啃，真是太奇怪了；不过，也许为了让树不要长得太密就需要这样，它们往往长得太密了。

野兔简直不怕人。有一只野兔的穴整个冬天都在我的房子下面，和我只隔着地板，每天早晨我开始有动静的时候，她匆匆的逃窜总是吓我一跳，——砰，砰，砰，慌忙之中脑袋撞在地板木上。它们常常在黄昏时分到我门口来啃吃我扔出去的土豆皮，它们和土地的颜色是这样接近，呆着不动的时候简直分辨不出来。在一早一晚光线昏暗的时候，我时而会看见、时而又看不见那一动不动地坐在我窗下的一只野兔。当我在傍晚开门的时候，它们会吱吱叫着，蹦跳而逃。在近处，它们只能激起我的怜悯。一天晚上，一只野兔坐在我的门边，离我两步远，开始时吓得瑟瑟发抖，却又不愿移动；一个可怜的小东西，瘦得皮包骨，皱耳朵，尖鼻子，秃尾巴，细脚爪。看它的样子，好像大自然不再具有更为高贵的野兔品种了，只有这苟延残喘的东西了。它的大眼睛显得年轻，但并不健康，几乎像得了水肿似的。我往前迈了一步，瞧，它蹦跳着从积雪上飞奔而去，身体和四肢优雅地伸展开，转眼就逃到了森林的另一边，——这充满野性的自由的被猎动物，表现出了自己的活力，大自然的尊严。

它的纤瘦不是没有道理的。这就是它的天性。(有人认为，野兔学名 lepus，源自 levipes，是腿脚灵活轻快的意思。)

乡间没有了野兔和山鹑，还算得上什么乡间？它们是最普通的土生土长的动物；从古到今，人们都知道有这些古老而可敬的科目的动物；和大自然有着共同的色彩和性质，和树叶以及土地最为接近，——它们相互之间也最为接近；不是依靠翅膀就是依靠腿。当一只野兔或者一只山鹑突然逃走的时候，你很少会觉得是看见了野兽，而只觉得是很自然的事情，和沙沙作响的树叶一样在意料之中。不论发生什么革命，和真正的土生土长的一切一样，山鹑和野兔肯定仍然会兴旺繁衍。如果森林被砍伐，重新生长出来的嫩枝和灌木能为它们提供掩护，它们的数目还会更多。养活不了一只野兔的地方，必定是个极度贫瘠的地方。这两种动物我们的森林里都大量存在着，在每一个沼泽的周围，都可以看到野兔或山鹑出没，被牧童用细枝编的篱笆和马鬃做的陷阱所包围。

# 冬季的湖泊

经过一个平静的冬夜后，醒来时我感到有一个问题在缠绕着我，我在梦中曾竭力想回答，问的好像是什么？——怎样？——什么时候？——什么地方？但是，一切生灵都生活其中的大自然已是拂晓时分，正神色安详和满足地从我的大窗户向里看，她没有提出任何问题。我醒来时看到的是一个有了答案的问题，看到的是大自然和白昼。地上深深的积雪上布满了小松树，我屋子所在的这片山坡好像在说，向前！大自然不发问，也不回答我们芸芸众生提出的问题。她早已做出了决定。“啊，王子，我们的眼睛怀着钦佩凝视着宇宙奇妙而丰富多彩的景象，并传到我们的心灵之中。黑夜无疑遮去了这光辉创造的一部分；但是白昼又来向我们揭示这伟大的杰作，它甚至从地球伸展到茫茫太空。”①

① 引自印度古代梵文叙事诗《摩诃婆罗多》附录，梭罗读的是其法文译本。

然后做我早晨的工作。首先，我拿把斧头和桶出去找水，但愿这不是一场梦。在一个寒冷而下雪的夜晚以后，得要有一根占卜杖才能找得到水。微波荡漾的湖面，每一阵轻风都能吹动，每一点光和影都能映现，但一到冬天，就变成了一到一英尺半厚的坚冰，能够承受得住最沉重的兽力车，而且说不定积在上面的雪也有这么深，和平坦的田野没有什么区别。和周围群山里的旱獭一样，湖泊也闭上眼睛，冬眠上三个月或更长的时间。站立在积雪覆盖的一片平地上，就好像在山中的一片牧场上，首先，我劈开一英尺厚的积雪，然后劈开一英尺厚的冰，在我的脚下开启了一个窗口，在我跪下喝水的时候，看着下面鱼儿安静的起居室，弥漫着柔和的光，好像是透过了一层磨砂玻璃照进去的，明亮的沙质湖底和夏天的时候一样；主宰那里的是终年没有波浪的宁静，犹如黄昏时琥珀色的天空，和那里的居民的冷静而平和的性格完全一致。天堂在我们头顶上，也在我们脚下。

一大清早，当严寒使一切清新凛冽，人们拿着带线轴的钓竿和简单的午餐，穿过积雪的田野，往湖里垂下细细的钓丝，钓狗鱼和鲈鱼；这些充满野性的人，他们和镇子里的同胞不同，本能地追随别样的时尚，相信别样的权威，通过他们的来往活动，把城镇之间要裂开的部分缝合了起来。他们穿着结实的厚呢子大衣，坐在湖岸干枯的栎树叶上吃午饭，市民们了解人创造的知识，他们了解大自然的知识。他们从来不参看书本，做得多，知道和说得出来的少。据说他们所做的事还远远不为人所知。这里就有一个，用大鲈鱼做钓饵来钓狗鱼。你往他们的桶里看，会惊异地发现就像在看着夏季的湖泊，仿佛他把夏季锁在了家里，或者知道她躲到了什么地方。不然，请问，他是怎么在隆冬时分搞到这些鱼的？哦，大地上冻了以后，他从朽木里捉到做鱼饵的虫子，所以钓到了鱼。他的生活深入大自然的程度超过了博物学家研究所达的深度；他本身就是博物学家研究的对象。后者用刀子轻轻地揭起苔藓和树皮寻找昆虫；前者用斧子劈开木头直到中心，苔藓和树皮飞落得老远。剥树皮是他的谋生手段。这样一个人有一定的捕鱼权，我喜欢看到大自然体现在他的身上。鲈鱼吞下了小饵虫，狗鱼吞下了鲈鱼，渔夫吞下了狗鱼；这样，生存等级中所有的缺口就都填上了。

当我在雾蒙蒙的天气里在湖边散步的时候，有时候，一些比较马虎的渔夫使用的原始的钓鱼方式让我觉得很有意思。说不定他在冰面的小窟窿上放几根桤树枝，这些冰窟窿之间隔着 4 到 5 杆，离岸的距离是相等的，把钓鱼线的一头系在一根树枝上，以免鱼线被拉下水去，再把松松的鱼线从离冰面一英尺左右的桤木枝上垂到冰窟窿里，在上面系上一片栎树的枯叶，枯叶被拉下去的话，他就会知道有鱼上钩了。你沿湖走上一半，这些隔着一定距离的桤树枝，就会在雾中隐隐呈现出来。

啊，瓦尔登湖的狗鱼！当我看见它们躺在冰上，或者在渔夫冰上凿出的、上面挖有小洞好让水流进来的井里面，它们罕见的美总是令我惊奇，仿佛它们是神话里的鱼，在街市上是陌生之物，甚至在林中也是陌生之物，陌生得就像阿拉伯之于康科德的生活一样。它们具有一种极其眩目的超凡的美，使得它们和死灰色的鳕鱼及黑斑鳕迥然不同，而后者的名声在我们的街市上被大为传扬。它们不像松树那么绿，不像石头那么灰，也不像天空那么蓝；在我的眼里，它们具有更为罕见的颜色，像花朵和宝石，它们仿佛是珍珠，是瓦尔登湖水的动物化了的核心或结晶。当然，它们是完完全全、彻头彻尾的瓦尔登；他们本身就是动物王国里的小瓦尔登，瓦尔登派。[①]很奇怪它们会陷在了这里，——在这个深邃而宽广的泉水湖里，远在瓦尔登路上过往的辚辚的运货马车和人乘马车以及丁当的雪橇之下，会游动着这金黄翠绿的大鱼。我从来没有在市场上碰见过这样的鱼；在那里它会成为万众瞩目的中心。它们会古怪地抽搐几下，很容易就献出了水中的灵魂，像一个寿数未到就升天了的凡人。

由于我意欲找回瓦尔登湖久已不为人知的湖底，我在1846年初湖冰开化以前，用罗盘、测链和测深绳仔细地勘测了它。有许多关于这个湖的湖底，或者不如说这个湖无底，的故事，无疑本身都是没有根据的。人们不去花功夫测一下，就会长时间相信一个湖无底，真是令人奇怪。在附近地区，在一次散步时我到过两个这样的无底湖。许多人相信，瓦尔登湖差不多通到了地球的另一面。有些人长时间平躺在冰面上，透过这使人产生幻觉的媒介向下看，也许还加上水汪汪的眼睛，又害怕伤风感冒，便匆忙得出结论，说看见了大洞，要是有人往这些大洞里运的话，是“可以运进一车干草去的”，这些洞毋庸置疑是冥河之源和地狱的入口。还有的人从村子里去到

① 这是一个双关语，瓦尔登派，即韦尔多派，约1170年出现于法国南部的一个基督教派别，16世纪参加了宗教改革运动。

湖边，带着“56磅重的家伙”和满满一马车一英寸粗的绳子，可仍然没有找到湖底；因为当这些人把绳子放下水去，妄想测出它真正神奇的无限容量时，那“56磅重的家伙”是在路边放着不动的。可是我可以向读者保证，瓦尔登湖确实有一个相当密实的湖底，深度很不寻常，但还不到过分的程度。我很容易地用一根钓鳕鱼的线，和一块大约一磅半重的石头测出了它的深度，我能够准确地知道石头什么时候离开的湖底，因为在水的浮力从下面托起石头之前，我需要花大得多的力气拉石头。最深的地方正好是一百零二英尺；可以在上面加上后来涨上来的五英尺，就是一百零七英尺。面积这么小的湖，这个深度是很可惊的；然而任凭如何想象，也无法使它少去一英寸。如果所有的湖都很浅，那会怎么样呢？难道不会对人的心理产生影响吗？这个湖很深，很清纯，是一个象征，我感到十分欣慰。当人们相信时空的无限时，有的湖是会被认为无底的。

一个工厂主听说了我测出的深度，认为这不可能是真的，因为，根据他对水坝的了解，砂子不可能沉淀在这样陡的角度上。但是如果把湖的深度和它们的面积相比，最深的湖也并不像多数人认为的那么深，如果把水抽干，不会出现很深的谷。它们也不像山与山之间出现的那种杯子的形状；就这个湖而言，考虑到它的面积，它的深度是很不寻常的，但若从穿过中心的纵断面来看，却并不比一个浅盘子深多少。大多数的湖泊没有了水以后，留下的会是一片草地，并不比我们平常看到的草地低洼多少。威廉·吉尔平在有关景色的描写方面非常出色，而且总是非常确切，站在苏格兰的法因湖的一端，他把湖描写成“一湾盐水，六七十英寻深，四英里宽”，大约五十英里长，周围群山环抱，然后评论道，“如果我们能够在大洪水之后，或使它形成的大自然的不论什么灾变以后，在水涌进来之前看到它，那必定是多么可怕的一道深渊啊！[1]

“‘隆起的山峰升得这样高，凹下的底部
“沉落得这样低，宽又深，
“开阔的水之底——’[2]”

我们前面已经看到，瓦尔登湖的纵断面只不过像一只浅盘子，如果我们把法因湖最短的直径按比例对照瓦尔登湖的话，法因湖就要浅四倍。法因湖水抽干后那愈加可怕的深渊不过如此而已。无疑，许多欢快的有着伸展开去的玉米田的山谷，占据的正是这样一条水已经退去了的“可怕的深渊”，虽然需要地质学家的洞察力和远见卓识，才能够使从来没有料想到这一点的居民相信这个事实。常常，好奇的眼睛会发现，在低低的地层山上能够看出原始湖泊的湖岸线，后来平原的升高不一定会掩盖这个历史。但是，正如修建公路的人都知道，想要发现低洼的地方，最容易的办法是去找阵雨后的积水坑。意思就是，想象力，只要稍加放纵，比大自然潜得更低，升得更高。因此，比起它的广度来，也许会发现，海洋的深度是很微不足道的。

---

① 引自弥尔顿《失乐园》第七部，288—290 行。
② 引自威廉·吉尔平（1724—1804）的《苏格兰高地之观察》。

我透过冰层进行探测，能够确定湖底的形状，比探测不结冰的海港要准确得多，湖底大致很规则，使我感到惊讶。在最深的部分，有几英亩面积大小的地方，几乎比任何经受风吹日晒和犁耕的田地都要平坦。在随意选择的一条线上，有一处，在30杆的范围之内，其深度变化不超过一英尺；总的说来，在湖中心附近，无论朝哪个方向，我可以预先计算出来，每100英尺的变化是3到4英寸左右。有些人习惯地说，即使在像瓦尔登湖这样平静的沙底湖里，也有危险的深洞，但是如果是这种情况，水的作用会消除所有的高低不平。湖底的规则性、它和湖岸及邻近的山脉的一致性是如此完美，连湖对岸远处的岬角都能够探测出来，观察湖的对岸就能够知道其方向。岬角变成了沙洲，平原变成了浅滩，溪谷和峡谷变成了深水和湖槽。

当我按照10杆比1英寸的比例绘制出了湖的地图，并标明了一百处以上的水深以后，我注意到了这一惊人的巧合。我看到表明最大深度的数目显然是在地图的中心，于是我用尺子在湖最长处画了一条线，然后又在最宽处画了一条线，惊奇地发现这两条线的相交处正是湖的最深处，虽然湖底的中心几乎是平的，湖的轮廓很不规则，在量最大的长和宽度时还把湖湾包括在内；我对自己说，谁知道呢，说不定这意味着海洋最深的部分和湖泊或水潭是一样的？难道这不也是作为山谷的相对面的山峰的高度的规律吗？我们知道，山并不是在最窄的地方最高。

五个湖湾中有三个我探测过，发现在出入口处都横着一块沙洲，湾里的水比较深，这样湖湾不仅是水在陆地上水平方向的扩展，而且是垂直方向的扩展，构成了一个盆形或独立的小湖，两个岬角的方向表明了沙洲的走向。沿海的每一个港湾在出入口处也都有自己的沙洲。湖湾口的宽度大于它的长度，按比例，沙洲处的水比湾里的水深。那么，有了湖湾的长度和宽度，以及周围湖岸的特点，你就有了几乎足够的要素，可以列出一个适用于所有这类情况的公式。

有了这个经验，为了看一看仅仅通过观察湖面的形状和湖岸的特点，我对一个湖的最深处的推测能够有多准，我绘制了一张白湖的平面图，它的面积大约 41 英亩，和瓦尔登湖一样，湖里没有岛，湖水也没有明显的出入口；最宽的那道线和最窄的那道线离得很近，在那里，相对的两个岬角离得近，而相对的两个湖湾则离得远，我大胆地在离后一道线不远、但仍旧是在第一道线上的一个地方标上了一个点，作为湖的最深之处。而最深处果然就在这个点的一百英尺之内，在我选定的点以外的方向，只不过深了一英尺，也就是说，六十英尺。当然，如果有小河穿过，或者湖里有个岛，问题就会复杂得多。

如果我们知道大自然的一切规律，我们就只需要一件事实，或者关于一个实际现象的描述，就能够推断出当时的一切具体结果。现在我们只知道少数几个规律，我们得出的结果缺乏说服力，这当然不是因为大自然的混乱或不规则所致，而是由于我们对计算中的关键因素的无知。我们关于规律与和谐的看法一般都局限在我们已知的那些事物上；但是我们未知的规律数量要大得多，它们看似矛盾，但其实是一致的，由此而生的和谐更为奇妙。特殊的规律都是出于我们自己的观点，就像一个旅行者，每走一步，山的轮廓都有变化，虽然绝对只有一个形状，却有着无数的轮廓。即使劈开了，钻透了，也仍然无法了解它的整体。

我观察湖之所见，用在伦理道德上也是如此。这是平均律。这种两条对径的规律不仅把我们引向天体中的恒星，而且还能引入人的心，如果把人具体的日常行为和生活浪潮聚合起来，在上面画一条长度和宽度的线，一直进入到他的小湾和凹处，在这两条线交叉的地方就会是他性格的高度和深度。也许我们只需要知道他湖岸的走向，以及他毗邻的地区或环境，就能够推断出他的深度和隐藏着的湖底。如果他的周围是多山的环境，湖岸是像阿喀琉斯故乡那样的山岳地带，山峰高耸，反映在他的湖面，这就表明在他身上有着相应的深度。但是一道低平的湖岸说明他在另一面是肤浅的。在我们的身体上，一个醒目的突出的向下倾斜的额头象征着相应的思想深度。我们的每一个小湾的入口处也都有一条沙洲，或者特殊的斜坡；每一个小湾在一段时期中都是我们的港湾，我们滞留于此，处于局部闭合状态。通常，这些斜坡不是任意形成的，它们的形状、大小以及方向都取决于湖岸的悬崖岬角，古代地壳上升的轴线。当这片沙洲受风暴、潮水或水流的影响而逐渐扩大时，或者因水位下降露出水面时，起初仅仅是思想停留其中的、湖岸的斜坡形成的小湾，逐渐变成了独立的湖泊，和海洋隔断了，在那里面，思想得到了自己的环境，也许从咸水变成了淡水，成了淡水海，死海，或者沼泽。当每一个人来到这个世界的时候，我们难道不可以认为，这样的一个沙洲已经在什么地方裸露出来了吗？不错，我们是些糟糕的航海者，我们的思想大都出入停留在一片没有港湾的海岸上，只熟悉一些诗意的小海湾的曲折，或驶向公共的港口，停进科学的干船坞，在那里他们只是为尘世生活进行整修，没有自然的水流共同作用，使他们具有自己的特色。

至于瓦尔登湖水的进出途径，除了雨雪和蒸发之外，我没有发现别的什么，尽管用一个温度计和一根绳子，说不定可以找到这些地方，因为在水流入湖里的地方，在夏天可能是最冷的，冬天是最暖的。在 1846 和 1847 年，当凿冰的人在这里干活的时候，有一天，送到岸上去的冰块被囤放的人退了回来，因为厚度不够，不能和其余的冰块并排码放在一起；这样，凿冰的人才发现，有一小片地方，冰比别处的薄两三英寸，这使得他们相信那底下有水流进来。他们还指给我看了另外一个地方，他们觉得是个“漏洞”，湖水通过这里，经过一座山的下面，流进旁边的一片草地，他们把我放到一个冰块上推过去看。这是在水下十英尺处的一个小洞穴；但是我想我可以保证，在他们找到比这更厉害的漏处以前，瓦尔登湖是不需要补的。有人建议，如果找到了这样一个“漏洞”，假如真和草地有联系的话，可以通过往洞口放些有颜色的粉末或锯木屑，然后在草地的泉水口放一个滤网，滤网就会接住水流带过来的一些微粒。

在我勘察的时候，16 英寸厚的冰像水一样在微风中上下波动。谁都知道，在冰上是不能用水准仪的。把水准仪放在岸上，对准冰上一根标有刻度的竿子观察，在离岸一杆的地方，最大的波动量是四分之三英寸，虽然看起来冰和湖岸是很结实地连在一起的。波动量在湖中心可能更大。谁知道呢，如果我们的仪器足够精密，也许还能够测到地壳的起伏？当我把水准仪的两只脚放在岸上，第三只脚放在冰上，把观测器对准第三只脚的时候，冰的极微小的起伏在对岸的一棵树上会产生几英尺的差别。当我开始为测深而打洞的时候，很深的积雪下面的冰面上有三四英寸深的水，是积雪使冰面沉下了几英寸的；但是一打好洞，水就马上流进洞里，而且形成一道很深的水流，一连流了两天，把四周的冰都磨光了，如果不是主要原因，起码在很大程度上有助于使湖面干燥；因为水流进去以后，就使冰面升高了，浮了起来。这有点像在船底打个洞，把水放出去。当这样的洞冻结以后，又下了雨，最后新冻结的一层冰就形成了覆盖全湖的平滑的新冰面，冰的内部呈现出美丽的深色斑纹状图形，有点像蜘蛛网，可以称之为冰玫瑰花饰，是水从四面八方流向中心时磨出来的细槽构成的。有的时候，当冰面上布满浅水坑的时候，我还看见过自己的双影，互相重叠，一个在冰面上，另一个在树木或山坡在水坑中的倒影上。

还在仍然很冷的一月份，冰雪又厚又硬，而深谋远虑的乡绅就从村子里来取冰，准备冰镇夏天的饮料了；在一月份——穿着厚大衣戴着大手套，而且还有这么多事情没有做好准备，就预见到七月的高温和干渴，这份精明真是令人难忘，甚至感到可悲！也许是他还没有在这个世界上积累起能够在来世为他冰镇夏日饮料的财宝。他切割着坚硬的湖冰，把鱼儿房子的屋顶掀开，把它们的生存环境和空气，像捆绑木料一样用铁链和桩杆捆绑好，放在车上运走，穿过舒爽的冬季的冷空气，来到冰冷的地窖，在那里等待夏季的到来。当冰块被拉着经过街道的时候，远看就像凝固的碧空。这些凿冰人是快乐的一群，喜欢逗趣耍闹，当我和他们在一起的时候，他们常常邀我和他们一起锯冰，他们站在上面我站在下面拉锯。

1846 到 1847 年冬，有一百个极北地区的人，在一天早晨骤然来到了我们的湖边，带着许多车笨重难看的农具，雪橇，犁，条播车，割草刀，铁锹，锯子，耙子，每一个人还装备着一把长柄双股叉，这种叉在《新英格兰农人》或《耕种者》中都没有描写过。我不知道他们是来种冬黑麦，还是别的什么新从冰岛引进的谷物。我没有看到肥料，所以判断他们和我一样，是打算进行表层浅耕的，他们认为土壤很深，而且休耕的时间也够长的了。他们说，在背后指挥的是一个富裕的农场主，他想让他的钱翻番，就我所知，这钱的数目已经有五十万了；但是为了在他的每一个美元上再放上一个美元，他在隆冬时分剥去了瓦尔登湖的唯一外衣，唉，不，是剥去了它的皮。他们立刻动手干了起来，耕地，耙地，滚压，犁地，井然有序，仿佛他们一心一意要把这里变成一个模范农场；但是当我注意看他们往犁沟里撒的是什么种子的时候，我身旁的一群家伙奇怪地把工具猛然往下一伸，一直钩到沙层，或者不如说碰到了水，——因为土壤非常松软，实际上，那里的土都是这样的，——然后便突然开始把原始的松软沃土钩了上来，然后用雪橇运走了，这时我猜想他们必定是在沼泽里取泥炭。就这样，他们每天来了又走，伴随着火车头特有的尖叫声，从北极某个地区的什么地方来，又回到那个地方去，我觉得像一群北极小雀。但是，瓦尔登湖，像土著女子一样，也有报仇的时候，一个跟在他的运货马车后面走的雇工，滑倒跌进了地上的一条通向地狱的裂缝中，先前好不勇敢的他突然就只剩了一口气，几乎没了体温，能在我的屋子里得到避难，他感激不尽，不得不承认火炉还是有些优点的；要不就是有时候冰冻的土地折断了犁头上的钢片，或者犁被冻在了犁沟里，必需凿开冻土，才能把犁弄出来。

毫不夸张地说，每天有一百个爱尔兰人，和新英格兰人工头一起从剑桥来采冰。他们把冰分割成方块，用的方法大家都知道，不需要加以形容了，他们用雪橇把冰块运到岸边，再迅速地运送到一个冰台上，然后用抓钩垫、木和马拖的滑车把冰块提升到一个栈台上，就像是一桶桶的面粉一样，冰块一块挨一块地平放着，一排又一排，仿佛它们是一座要刺破云层的方尖塔的坚固塔基。他们告诉我，干得好的话，一天能够出一千吨冰，大约是一英亩面积的冰产量。雪车在同样的路线上来回，冰面上就磨出了深深的车辙印和“摇篮坑”，在地面上也是一样，马总是在冰块上挖出的像桶一样的坑里吃燕麦。他们就这样把冰块在露天码放成三十五英尺高、六七杆见方的冰堆，在靠外的冰块间放上干草，使空气进不去；因为风虽然没有冰这么冷，但如果找到地方刮了进去，就会磨蚀出大的空洞来，使冰堆失去了支撑，只有零星的支点，最后轰然倒塌。最初，冰堆看起来像巨大的蓝色瓦尔哈拉城堡①，但是，当他们开始往冰块间的缝隙里塞粗干草，干草上逐渐布满了白霜和冰柱，这时冰堆看上去就像一座古老的长满苔藓的灰白陈旧的废墟，是用浅蓝色大理石建造的冬季之神的住所，那个我们在年历上看到的老人，——他的陋室，仿佛他打算和我们一起度夏似的。他们计算，不到百分之

① 北欧神话中主神兼死亡之神奥丁接待战死者英灵的殿堂。

二十五的采出的冰能够到达预定的目的地，百分之二到三会损失在运输的车子里。然而，这堆冰中更大的一个部分的命运，和原来预计的不一样；因为，或是由于发现冰保存得不像预料的那么好，里面包含了比一般更多的空气，或是出于什么别的原因，它们根本没有能够进入到市场去。在1846到1847年冬采的这堆冰，估计有一万吨，最后用干草和木板覆盖了起来；虽然在七月份把覆盖物揭掉了，一部分运走了，剩下的一直暴露在太阳下，整个夏天和下一个冬天都一直残留在那儿，到1848年9月才算完全融化掉。这样，瓦尔登湖又把大部分收了回去。

和湖水一样，瓦尔登湖的冰从近处看也是微绿色的，但是从远处看却是美丽的蓝色，你能够很容易地把它和白色的河冰，或四分之一英里以外的别的湖里的只是发绿的冰区别开来。有时候，一个大冰块从运冰人的雪橇车上滑下，落在了村街上，像块巨大的翡翠在那里躺上一个星期，所有经过的人对它都极感兴趣。我注意到，瓦尔登湖的一部分，它的水是绿色的，但在冻成冰以后，从同一个位置看却常常成了蓝色。因此，这个湖周围的低地，有时在冬天会充满了和湖水有点像的微绿色的水，但是第二天会冻成蓝色的冰。也许，水和冰的蓝色是由它们所包含的光和空气所造成的，最透明的就最蓝。冰是琢磨起来很有意思的东西。他们告诉我，在弗莱士湖的冰窖里有些冰已经放了五年了，仍然完好如初。为什么一桶水很快就会变臭，而冻成冰以后就会永远保持新鲜呢？人们常说，这就是感情和理智之间的不同。

这样，一连十六天，我从窗子里看到一百个人像忙碌的庄稼汉一样在干活，带着兽力车，马，以及显然是耕作用的一切工具，和我们在年历的第一页上看见的图景一样；我每次从窗子里看出去，都会想起那个关于云雀和收割者的寓言，或关于播种者的说教性寓言之类的故事，现在他们都走了，可能三十天以后，我将从同一扇窗子里望着那里纯净的、倒映着云朵和树木的淡蓝绿色的瓦尔登湖水，独自蒸发出雾气，丝毫看不出来有人曾经在那里站立过的痕迹。也许我会听见一只孤零零的潜鸟潜水和整理羽毛时的笑声，或者会看见一个孤独的渔夫，乘一叶扁舟，看到他的身影倒映在水波上，就是在那儿，不久前曾有一百个人安全地劳动过。

就这样，似乎查尔斯顿和新奥尔良、马德拉斯和孟买和加尔各答的暑热难熬的居民们都在我的井里喝水。早上，我把自己的才智沐浴在《福者之歌》[①] 那博大的宇宙起源哲学之中，自从这部经典完成以来，神祇的岁月不知已经逝去了多少，和它比较，我们的现代世界和文学显得是这样微不足道；我认为，那种哲学指的是过去的一种生存状态，它的崇高性和我们的观念之间离得是这样远。我放下书，到我的井边去喝水，看啊！我在那里遇见了婆罗门的仆人，梵天[②]、毗湿奴[③]和因陀罗[④]的祭司，他仍坐在恒河上他的神庙里阅读《吠陀本集》，或带着面包干和水罐生活在树下。我遇见他的仆人来给主人汲水，我们的水桶可以说在同一口井里碰撞摩擦。清纯的

① 印度教经典《摩诃婆罗多》的一部分。
② 亦作梵，印度教主神之一，为创造之神。
③ 印度教主神之一，守护之神。
④ 古印度教宗教文献及文学作品《吠陀》中的主角，司雷雨。

瓦尔登湖水和恒河的圣水混合在了一起。顺风顺水，它流过传说中的亚特兰蒂斯岛和赫斯珀里得斯岛[1]，进行了汉诺式的[2]环绕非洲西海岸的航行，进入印度洋，然后漂过德那第岛和蒂多雷岛[3]，以及波斯湾的入口，融入印度洋的热带风暴，最后抵达连亚历山大也只听到过名字的港口。

---

① 传说中的亚特兰蒂斯岛在直布罗陀海峡以西，后沉入海底；赫斯珀里得斯岛为希腊神话中的西方极乐群岛。

② 汉诺，迦太基人，公元前5世纪进行过一次在非洲西海岸的探险航行。迦太基的巴力神庙中有他的航行记载。

③ 印度尼西亚的两个岛屿，弥尔顿在《失乐园》第二部第639行中提到。

# 春　天

采冰人大量采冰一般会使湖提前解冻；因为，即使在寒冷的气候下，风吹起的水波也会使周围的冰消蚀。但是那一年瓦尔登湖却没有受到这样的影响，因为她很快就有了一件新的厚外衣来代替旧的那件。这个湖从来不像附近的其他湖泊那样早解冻，因为它更深，也因为没有小河从湖里流过而使冰融化或消蚀。我从来没有见过瓦尔登湖在冬季里开过冻，1852 到 1853 年的冬天也不例外。那个冬天给了所有的湖泊一个严峻的考验。通常，瓦尔登湖在四月一日左右开冻，比弗林特湖和美港晚一个星期或十天，从北岸和较浅的最先结冰的地方开始融化。瓦尔登湖比这里的任何水面都更好地表明了季节的绝对进展，因为温度反复无常的变化对它的影响最小。三月份连续几天的严寒可能推迟其他湖泊开冻，而瓦尔登湖的温度几乎在不间断地升高。1847 年 3 月 6 日放在瓦尔登湖中心的温度计标明是华氏 32 度，即冰点；近岸的地方是 33 度；同一天，弗林特湖中心是 32. 5 度；离岸 12 杆的地方，在一英尺厚的冰下浅水中是 36 度。在弗林特湖里，深水和浅水中温度相差 3. 5 度，再加事实上弗林特湖很大一部分水相对比较浅，这就说明了为什么它会比瓦尔登湖早开冻这么长的时间。这个时候，湖的最浅处的冰要比在湖中心的冰薄好几英寸。在仲冬时节，却是湖心温度最高，冰最薄。同样，夏天在湖岸涉过水的人一定都注意到，岸边水只有三四英寸深的地方，水温比离岸远一点的地方要高得多，在水深的地方，水面要比接近湖底处温度高。春天，太阳不仅通过空气和地面升高了的温度发挥作用，它的热力还穿过一英尺或更厚的冰在水浅的地方被湖底反射回来，也使水的温度升高，融化了冰的下层，与此同时，太阳还更直接地从上面使冰融化，这样冰的厚度就不均匀了，引起里面的气泡向上下膨胀，直到冰变得完全像蜂窝一样，最后只要一场春雨，就会突然消失得无影无踪。冰和树木一样，也有其纹理，当一块冰开始变软，或“蜂窝化”的时候，也就是说，具有了蜂窝的样子的时候，无论在什么位置上，气泡和水面总是成直角。水下有岩石或木头突起到接近水面时，那上面的冰就要薄得多，常常被反射的热量融掉不少；我听说在剑桥做过一个试验，在一个浅的木头池子里让水结冰，虽然冷空气在下面循环，两面都能够接触到，但从底部反射的太阳热量大大抵消了这个作用。当仲冬时分的一场暖雨融化了瓦尔登湖上积雪结成的冰，留下中间的坚硬的深色或透明的冰层时，沿着湖岸会有一条软冰带，比较厚，大约有一杆或一杆多一点宽，就是这种反射的热量造成的。还有，我已经说到过，冰内的气泡起了凸透镜的作用，从下面将冰融化。

一年四季的现象浓缩在湖泊的每一天里。一般说来，每天上午，浅水比深水温度升得快，虽然温度也不见得有多高，而每天晚上一直到早晨，温度降得也快。一天是一年的缩影。夜里是冬季，早晚是春秋，中午是夏季。冰的爆裂表明温度的变化。1850 年 2 月 24 日，一个寒冷的黑夜以后的愉快上午，我到弗林特湖去过上一天，在那里我惊奇地注意到，当我用斧头砸冰的时候，许多杆以内的冰都像铜锣一样发出了回响，或者说，仿佛我敲了一记绷得紧紧的鼓面。在日出后大约一个小时，当湖泊感受到从山头上斜照到它身上的阳光的作用时，会开始发出隆隆的响声；它像人醒来时那样伸伸懒腰，打打哈欠，喧闹的声音越来越大，一直会保持三四个小时。中午它睡个小小的午觉，接近晚上时，太阳收回了自己的影响，湖泊又一次发出了隆隆声。节气相当的时候，湖泊会非常有规律地发射黄昏礼炮。但是在中午，因为布满了裂缝，空气的任意膨胀性也没有那么强了，就失去了共鸣，也许那时鱼和麝鼠不会被冰面上的敲击吓呆。渔夫们说，“湖泊的雷鸣声”使鱼受到惊吓，不敢咬钩。湖并不是每晚都发出雷鸣声的，我也不能肯定地说什么时候它会这样；但是尽管我没有感觉到气候的变化，湖泊感觉到了。谁会想到，这么大，这么冷，皮层又这么厚的一个东西，会这么敏感？然而它有自己的规律，应该雷鸣的时候就服从规律发出雷鸣声，正如蓓蕾在春天发芽一样。地球布满了乳突，生机勃勃。对于大气的变化，最大的湖泊和管子里的一滴水银球同样敏感。

吸引我到林中居住的一个原因，就是能够有闲暇有机会看到春天的降临。湖里的冰终于开始布满了蜂窝，在上面行走的时候脚跟能够踩进去。雾，雨，以及更温暖的阳光逐渐融化了积雪；白天显著地变长了；我看到不必再往燃柴堆上增加燃料，就可以度过冬天了，因为已经不再需要太旺的火了。我密切注意着春天的最初征兆，倾听飞来的鸟儿的偶然的啼鸣，或条纹松鼠的吱吱叫声，因为它的储存现在一定快要告罄了，或者看到旱獭冒险走出它们的冬季巢穴。3 月 13 日，我已经听到了蓝色鸣鸟、歌雀和红翼鸫的鸣唱，冰却仍然有几乎一英尺厚。随着天气越来越暖，冰并没有明显地被水化掉，也没有像河冰那样碎裂并漂走，尽管在近岸处有半杆宽的冰已经完全融化了，中心却只是像蜂窝一样，而且浸满了水，所以冰六英寸厚的时候，你的脚能够踩透它；但是也许第二天傍晚的时候，一场暖雨后紧跟着大雾，这冰就完全消失了，随着雾一起离去了，被神秘地带走了。有一年，仅仅在冰完全消失之前五天，我还从湖中心的冰上穿行过。1845 年，瓦尔登湖在 4 月 1 日第一次完全解冻；1846 年是在 3 月 25 日；1847 年是 4 月 8 日；1851 年是 3 月 28 日；1852 年是 4 月 18 日；1853 年是 3 月 23 日；1854 年是 4 月 7 日前后。

对于我们这些生活在极端气候里的人，对每一件和河流湖泊解冻以及天气的稳定有关的事情，都会特别感兴趣。比较暖和的日子到来的时候，居住在河流附近的人听到冰在夜里爆裂时惊人的轰响声，像大炮一样，仿佛它的冰镣铐完全断裂开了，几天后就看见它迅速漂流而去。这样，鳄鱼就在大地震动时从泥里爬了出来。有一个老人，是大自然的密切观察者，通晓大自然的一切活动，就仿佛他小的时候，大自然被放在了船台上，而他还帮着安装过她的龙骨似的，——他现在已经到了完全成熟的阶段，就是活到玛土撒拉[1]的年纪，也很难再增加多少有关大自然的知识了——当我听到他对大自然的任何活动表示惊奇时，都会感到十分惊讶，因为我觉得他们之间已经没有什么秘密了。他告诉我，春季的一天，他拿着枪上了船，想打野鸭子消遣消遣。草地上仍旧有冰，但是河上的冰已经全化了，他住在萨德伯里，从那儿顺流而下，毫无阻碍地到了美港，他意外地发现湖的大部分仍然结着坚冰。那天很暖和，看到这么大的一片冰还没有化，他感到很惊讶。他没有看见野鸭，就把船隐藏在湖里一个小岛的北边，或者说是背面，然后自己躺在南面的灌木丛里等它们。沿岸三四杆的冰都化了，成了一片平静温暖的水，水底是烂泥，正是野鸭喜欢的，他觉得可能很快就会有野鸭来此。他一动不动地在那儿躲藏了一个小时以后，听见了一个低沉的、似乎很遥远的声音，但是极其庄严动人，和他听到过的任何声音都不同，这声音逐渐扩大、增强，仿佛会有一个包罗一切的、令人难忘的尾声，一种沉闷的奔腾轰鸣，他感到像是一大群飞禽突然飞来要在那里降落，他一把抓起枪，急忙一跃而起，非常激动；但是他却惊讶地发现，就在他躺在那儿的功夫，整片冰开始往岸边漂了过去，他听到的是冰块的边缘刮擦湖岸的声音——起初是轻轻地咬啮，碎裂，但最后冰块向上抛起，碎冰散落在小岛周围，然后恢复平静。

终于，太阳光垂直向下照射了，温暖的风吹散了雾和雨，融化了雪堆，驱散了雾气之后的太阳笑对大地上香烟缭绕的黄白交错的

① 玛土撒拉为《圣经·创世记》中人物，据传享年969岁。

风景，行路的人穿过这一切，择路从一个小岛到又一个小岛，一千条涓涓细流丁冬的乐声使他振奋，它们的血管里流淌着冬天的血液，它们正在载着它离去。

我到村子里去，要经过侧面上有深槽的铁路路基，很少有什么现象能够比观察解冻的泥沙从深槽两侧流下时的形态给我更大的喜悦了，这种现象以这么大的规模出现是很不寻常的，虽然自从发明了铁路以来，由这种合适的材料构成的、新暴露在外的铁路边坡肯定成倍地增加了。这种材料就是沙子，粗细程度不同和颜色浓淡各异的沙子，一般还夹杂着一点泥土。当春天霜冻消失，有时甚至在冬天暖和开化的日子，沙子会开始像熔岩一样顺斜坡流下，有时候冲开积雪流下，淹没了过去没有出现过沙子的地方。无数的小溪互相重叠交叉，展现出了一种混合物，它一半服从水流的规律，一半服从植物的规律。随着它的流动，它呈现出多汁的树叶或藤蔓的形状，构成了许许多多一英尺或更深的泥糊糊的花枝丛，从上俯瞰它们，很像某些地衣具有的有着深而不规则的分裂的，以及有规律地重叠的叶状体；或者你会想起珊瑚，想起豹掌，鸟爪，想起大脑或肺脏或肠子，以及各种排泄物。这确实是个奇形怪状的植物，我们在青铜制品上看到过对它形状和颜色的模仿，一种比老鼠簕，菊苣，常春藤，藤蔓，或任何植物叶子都更为古老、更为典型的建筑学上的叶饰；也许，在某种情况下，注定会使未来的地质学家感到迷惑不解。整个的深槽给了我极其深刻的印象，就好像它是一个里面的钟乳石都暴露在了阳光之下的岩洞。沙子的各种色泽极其鲜艳悦目，包含了铁的不同颜色，棕色，灰色，浅黄，以及淡红。当流动的沙子到达路基下面的排水沟时，就平铺开来形成浅滩，分别流动的小溪失去了半圆柱的形状，逐渐变得更平更宽，因为湿度更大了，就流在了一起，直到形成一片几乎是平坦的沙地，仍然具有各种美丽的色泽，但是还能够隐约看出原来的植物形状；直到最后流进了水里，它们就变成了沙洲，就像在河口处形成的沙洲一样，植物的形状就消失在了湖底的波纹中了。

整个铁路边坡有20到40英尺高，有的时候，在四分之一英里长的范围内，两侧都覆盖着大量的这种叶饰，或者叫沙裂，这是春季里一天的产物。这种沙叶饰的不同凡响之处在于它的出现是如此突然。当我看到一侧是死气沉沉的边坡——因为太阳先照在边坡的一面上，——而另一侧是这茂盛的枝叶，而这只是一个小时创造出的成果，我所感受到的震动，就仿佛是在奇特的意义上，我站在创造了世界和我的那位艺术家的实验室里，——来到了他仍然工作着的地方，他在这面边坡上嬉戏，以过剩的精力，把他的新图案向四处挥洒。我感到自己似乎离地球的要害更近了，因为这一片流沙具有这样的叶状结构，就像动物身体的要害器官一样。就在沙子里你可以预知植物叶子的出现。怪不得地球以叶子的形式作为自己的外在表现，因为这是充斥它内心的意念。原子已经学得了这个规律，并孕育出了果实。高挂着的叶子在这儿看到了自己的原型。无论是在地球还是动物身体的内部，存在着一个厚厚的潮湿的叶瓣（lobe），这个字眼特别适用于肝脏，肺脏和脂肪，（其词源自 labor，lapsus，意思是流动或下滑，是一种下降或减少；globus，意思是叶瓣，球体；也可以变化成 lap“重叠”，flap“片状垂悬”等别的许多词）；而外形则是一片薄薄的干叶子（leaf），就连那f和v也是压干了的b。lobe一词的辅音是l、b，浊音b（单叶瓣，或双叶瓣B）后面跟着一个流音l推着它往前。在globe（地球）这个词里的g、l、b中，颚音g以喉咙的力量增加了词的含义。鸟儿的羽毛和翅膀是更干更薄的叶子。就这样，你还能从土地里的笨拙的蛴螬变成轻盈的、振翼翻飞的蝴蝶。地球本身不断超越和改变自己，在轨道上带上了双翼。就连冰在开始冻结的时候也呈现出娇美的水晶叶片的形状，仿佛是流进了水生植物的叶子印在水面镜子上的模子里。整棵树本身也只不过是一片叶子，河流是更大的叶子，其肉质部分是其间的陆地，城镇是它们叶腋上的虫卵。

太阳下山以后，沙子停止了流动，但是早晨溪流又会再度开始流淌，并且不断分岔，变成无数细流。或许在这里你能够看到血管是如何形成的。如果你仔细观察，就会看到，先是从大片融化的沙子里流出了一道软化了的沙子流，最前面的顶端像一个水滴，像手指球，探索着慢慢盲目地往下流动，直到最后太阳越升越高，热量更大了水分也更多了，那湿润的流体部分要努力服从自己的规律，而那最迟缓的部分也要服从规律，于是前者就和后者分手，自己在里面形成了一道弯弯曲曲的渠道，或者动脉，可以看见渠道里一道银色的细流，像闪电般掠过一段松软的叶子或枝丫到另一段，并且时而被沙子所吞没。沙子能如此迅速而完美地边流动边组织起自己，利用它大量拥有的最好材料，筑起渠道的清晰边缘，简直太奇妙了。河流的源头就是这样的。河水沉淀的硅质也许就形成骨骼系统，更细的土壤和有机物就形成肌肉纤维或细胞组织。人是什么，不就是一团解冻的泥土吗？人的手指球不过就是凝结了的一滴。手指和脚趾从一团解冻的躯体中流出，流到了极限。谁知道，在更为宜人的天空之下，人体会扩展和流向什么地方？难道手不就是一片有叶片和叶脉的张开着的棕榈叶吗？在想象中，可以把耳朵看作地衣，在头的侧面，有叶片或耳垂，或一个滴。嘴唇（是来自从 labor 演变成的 labium 的吗？）从洞穴般的嘴旁上下交叠或下垂。鼻子明显是凝结了的一滴，或钟乳石。下巴是更大的一滴，是脸的水滴的汇合。面颊是从额头到面谷的滑坡，被颧骨阻挡并扩散。植物的每一片圆圆的叶片，也是或大或小的浓浓的缓慢流动的一滴；叶片是叶子的手指；有多少叶片，就会有多少流动的方向，更多的热量或者其他适宜的影响会使它流得更远。

如此看来，这么一片山坡就显示出了大自然一切活动的原则。这个世界的创造者只不过得到了一片叶子的专利权。哪一个商博良[①]将会为我们译解这种象形文字，使我们终于能够翻开新的一页呢？这一现象对我来说，比葡萄园的丰饶高产更令人兴奋。确实，这多少有点排泄的性质，而且还有没完没了的肝啊，肺啊，肠子啊，好像地球给翻了个里朝外；但是这至少说明大自然是具有内脏的，是人类之母。这是从大地中冒出的严霜；这是春天。它先于绿色的繁花似锦的春天，正如神话先于正式的诗歌。我不知道还有什么能更好地荡涤冬天的浊气与污秽了。它使我相信，地球尚在襁褓之中，

---

① 商博良（1790—1832），法国历史学家，埃及学家，根据刻有希腊文字、埃及象形文字及通俗文字的罗塞塔石碑铭文译解了埃及象形文字。

将其婴儿的手指伸向四方。光秃的额头上长出了新卷发。天下万物都是有机之物。这些沿边坡堆积的大量叶状物体像是锅炉的炉渣，表明大自然内部正在"熊熊燃烧"。地球不仅仅是过去了的历史的一个碎片，像书页一样一层又一层，主要供地质学家和古文物研究者研究，而是活生生的诗歌，像一棵树上的叶子，先于花朵和果实出现，——不是石化了的地球，而是活生生的地球；和它伟大的中心生命相比，一切动植物的生命只不过是寄生的而已。它的剧烈动荡会把我们的残骸从坟墓中抛出。你可以将金属熔化，铸成最美丽的形状；但它们永远不可能像这融化了的大地流出后的形状使我如此激动。不仅是融化了的地球，连地球上的制度，也像在制陶工人手里的粘土一样，都是可塑的。

不久，不仅从这些堤岸里，而且从每一个山丘，平原和低地，严寒从地里冒出，像冬眠的四足动物从地洞里出来一样，寻找着喧嚣的海洋，或成群迁徙到别的气候区去。融冰的温柔怂恿比雷神的锤子更有力量。一个融化，另一个只能击碎。

当部分地面已经没有了积雪，一连几个温暖的日子使地面干燥了一点以后，把新的一年初现的柔嫩芽蕾，和经历了严冬后的干枯植物的庄重的美相比较，是一件十分愉快的事，——永久花，一枝黄，北美岩蔷薇，以及优美的野草，甚至往往比夏季时更为明显更使人感兴趣，仿佛它们的美要到这时才会成熟；就连羊胡子草，香蒲，毛蕊花，狗尾草，绒毛绣线菊，绒线菊，和其他一些茎干壮实的植物，那些款待最早飞来的小鸟的取之不尽的谷仓，——至少是寡居的大自然的体面的丧服[1]。我特别为北美莎草那穹形的束起来似的顶部所吸引；它将夏季带回到我们冬天的记忆之中，是艺术喜欢模仿的一种形式，这些形式在植物王国中，和天文学在人们心目中已经具有的形式有着同样的关系。这是一种古老的风格，比希腊或埃及的语言还要古老。冬天里的许多现象使人联想到一种难言的柔和与纤巧的精美。我们习惯于听到把冬季王描绘成为一个粗野狂暴的暴君；其实，他是以情人的温柔装扮着夏季的长发。

春天临近的时候，红松鼠钻到了我的屋子底下，一次两只，我坐着看书或写东西的时候，它们就在我的脚下，不断发出从来没有听到过的最为古怪的咯咯声、吱吱声和一种像急速旋转及潺潺流淌的声音；我一跺脚，它们只会吱吱叫得更欢，仿佛在疯狂的胡闹时已经没有了任何恐惧和尊重，倒要看看人类敢不敢阻止它们。不许你们这样—契克里—契克里[2]地乱叫。它们对我的话充耳不闻，要不就是不知道其厉害，开始了连珠炮似的破口大骂，容不得我丝毫的反驳。

春天的第一只麻雀！新的一年以更具有青春活力的希望开始了！越过部分裸露着的潮湿田野，隐隐传来了清脆悦耳的蓝鸟、歌雀、红翼鸫的鸣啭声，仿佛冬天最后的冰雪层落地时发出的丁冬声。在这样的时刻，历史，年表，传统，以及一切文字的揭示算得了什么？

---

① 作者此处使用 weeds 一词，语义双关，既指前面列举的各种“野草”，又指肃杀的严冬中大自然的“丧服”。

② 契克里，原文为 chickaree，是个拟声词，意为红松鼠。

溪流向春天唱着欢歌和三重唱。在草地上空低低翱翔的白尾鹞，已经在寻找苏醒过来的第一批蠕动的生命了。在所有的林间小谷地里，都能听见融雪渗滴的声音，湖中的冰在迅速融解。青草如燎原的春火烧遍了山坡，——“et primitus oritur herba imbribus primoribus evocate,”① ——仿佛大地发出内在的热力去迎接太阳的归来；但大地的火焰不是黄色的，而是绿色的；——永恒的青春的象征，草叶像一条绿色的长丝带，从长满草的土地一直流入夏天，霜冻确实抑制了它，但它不久又继续生长，从去年的干草下，新生命勃发出了嫩枝。它像小溪从地下渗出一样，持续不断地生长着。它和小溪几乎成为一体，因为在六月生长的日子里，当小溪干涸时，草叶布满了溪槽，年复一年，牧群在这四季常青的溪里饮水，割草人则及时来此获取它们冬季的贮备。因此，人类生命即使死亡，却还留下了根，仍然生出绿色的叶片，直至永恒。

瓦尔登湖正在迅速融化。沿着北岸和西岸有一条两杆宽的水道，到东头更宽。一大片冰面已经从主体上裂开。我听见一只歌雀在岸边树丛里歌唱，——奥利特，奥利特，奥利特，——契普，契普，契普，切查，——切维嗞，维嗞，维嗞。它也在为冰的开裂助一臂之力。冰的边缘那巨大的弧形是多么优美啊！它和湖岸线多少相对应，只是更为规则一些。由于最近有一段短暂的严寒，冰块异乎寻常地坚硬，像宫殿的地面一样具有光泽或波纹。但是风徒然由西向

---

① 引自古罗马学者瓦罗（前116—前27）之《论农业》。意为“春雨带来一片新绿”。

东拂过那不透明的冰面，直到碰上了生气勃勃的水面。看到这一条在阳光下闪烁的水面真是太令人高兴了，湖裸露着的面容充满了欢乐和青春，仿佛在述说着里面的鱼儿以及湖岸上沙子的快乐，——就像金体美鳊鱼的鳞片的银色光泽，可以说整个湖就是一条活跃的大鱼。这就是冬天和春天的巨大差别。瓦尔登湖死而复生了。但是，正如我已说过的，这个春天，湖的开冻来得较为平稳。

从风暴和冬天转变为平静温和的气候，从黑暗和缺乏活力的时刻到光明的轻快的时刻，这是万物称颂的难以忘怀的转折点。最后，似乎一切是在瞬间发生的。突然，一拥而进的光明充满了我的屋子，虽然黄昏即将来临，天空中仍飘着冬云，房檐上滴着冻雨。我向窗外看去，看呀！昨天还是一片冰冷的灰色冰块的地方，已然躺着透明的湖泊，像在夏日傍晚一样宁静而充满了希望，湖面上映照着黄昏时的夏空，虽然在头顶的天空上并不能看见同样的景象，仿佛湖与某个遥远的天际灵性相通。我听见一只知更鸟在远处啼鸣，觉得好像有几千年都没有听见过这声音了，而且几千年也不会将这美妙的声音忘记的，——歌声和往昔一样甜美有力。啊，黄昏时的知更鸟啊，在新英格兰夏日的傍晚！但愿我能找到他停落的那根嫩枝！我是指他；我是指那嫩枝。至少，这不是 Turdus migratorius ①。我屋子周围长久以来无精打采的油松树和小栎树丛，突然之间恢复了它们各自的特性，看起来更光鲜，更葱郁，更挺拔，更生气勃勃，仿佛被雨水有效地洗涤复原了。我知道不会再下雨了。看看森林里的

---

① 候鸟。

任何一根嫩枝，是啊，看看你自己的木柴堆，你就会知道，它们的冬天是否已经过去。天渐渐黑下来的时候，一群低低飞过树林的大雁的叫声使我一惊，它们像来自南方的湖泊的疲倦的旅行者，抵达得晚了，这时终于能够尽情地抱怨，相互安慰了。我站在门口，能够听见它们翅膀的急速拍打声；当它们向我的屋子飞来时，突然发现了我的灯光，喧闹声停息下来，它们掉转方向，停落在了湖上。我走进屋子，关上门，在森林里度过了我的第一个春夜。

清晨，我从门口透过蒙蒙细雾，望着大雁在50杆以外的湖心浮游，它们这样大，这样喧闹，瓦尔登湖显得像个供它们嬉戏的人工湖。但是当我站在岸边时，在统帅的一个信号下，它们立刻猛力拍动翅膀飞起，排列好队形后，一共29只大雁在我的头顶上空盘旋，然后笔直地向加拿大飞去，领头雁隔一定的时间发出一声鸣叫，让它们放心，会到某些混浊一些的湖里去吃早餐。一群野鸭也同时飞起，跟在它们喧嚣的同类的后面向北而去。

有一个星期的时间，在雾蒙蒙的清晨，我听到某只孤雁在盘旋摸索着寻找伴侣时发出的呼叫声，它仍栖息在林中，这大动物的声音是小树林承受不起的。到四月份，能够看见鸽子一小群一小群地很快飞来，到了时候，我听见雨燕在我的空地上面唧啾，虽然镇子里似乎并没有这么多的雨燕，可以分几只给我，我想象它们是独特的古老品种，在白人到来之前就生活在空心的树里了。几乎在所有的气候区里，乌龟和青蛙都是春天的先驱和使者，鸟儿歌唱着飞来飞去，羽毛闪闪发亮，植物生长开花，风儿吹动，调整着两极的微小摆动，保持大自然的平衡。

季节轮换，对我们来说每一个似乎都是最好的，因此春天的到来就像混沌中创造出宇宙，就像黄金时代的实现。——

东风退回到了奥罗拉和纳巴泰王国[①]，
退回到波斯，和清晨阳光下的山岭。

* * *

人诞生了。究竟是那造物主
一个更好世界的缔造者，以神的种子创造了他；
还是新近刚和天空分离的大地，
保留下的天上同类的种子的产物。[②]

一场细雨使青草更加青翠。我们的前景也因涌入了更好的思想而更加光明。如果我们能够永远生活在当前，利用一切降临在我们头上的机会，就像青草表露出落在它身上的点滴露珠对它的影响；如果我们没有把时间消耗在弥补失去的机会上——我们称之为尽责任，我们就是有福的人了。春日已经来临，我们仍在冬季中踟蹰。在怡人的春天早晨，人类一切罪孽都得到了宽恕。这样的一天是罪

① 西南亚古阿拉伯王国，位于今约旦西部。

② 引自古罗马诗人奥维德（前43—17）的长诗《变形记》，第一卷61—62行及78—81行。

恶停止的日子。当这样一个太阳照耀大地时，最卑鄙的罪人也可能回头。通过我们自己恢复了的纯洁，我们看出了邻人的纯洁。昨天你也许还认为你的邻居是个小偷，醉鬼，或好色之徒，对他只有可怜或鄙视，对世界也感到绝望；但是这春天的第一个早晨，当太阳温暖明亮，重新创造了世界之时，你碰见他正在安详地工作，看到他枯竭的、酒色过度的血管是如何因平静的快乐膨胀了起来，祝福着新的一天，看到他以婴儿的纯洁感受着春天的影响，你会忘记他的一切过错。他不仅充满了善意，甚至还有一种神圣的味道，在寻找机会表现出来，也许是盲目的和徒劳的，就像一种新生的本能，于是，在短暂的时间里，南面的山坡上不再回荡着粗俗的笑话。你看见从他多节瘤的外皮上正要抽出纯洁的嫩枝，尝试又一年的生活，和一棵幼树一样娇嫩，生机勃勃。就连他都进入了他的上帝的极乐世界。狱卒为什么不打开他的牢门，——为什么法官不把他的案件驳回，——为什么牧师不解散他的会众！这是因为他们不听从上帝给与他们的暗示，也不接受上帝慷慨赐予所有人的宽恕。

“是其日夜之所息，雨露之所润，非无萌蘖之生焉，牛羊又从而牧之，是以若彼濯濯也。人见其濯濯也，以为未尝有材焉，此其山之性也哉？虽存乎人者，岂无仁义之心哉？其所以放其良心者，亦犹斧斤之于木也，旦旦而伐之，可以为美乎？

“其日夜之所息，平旦之气，其好恶与人相近也者几希，则其旦昼之所为，有梏亡之矣。梏之反复，则其夜气不足以存；夜气不足以存，则其违禽兽不远矣。人见其禽兽也，而以为未尝有材焉，是岂人之情也哉?”①

黄金时代初创之时，没有复仇者
没有法律而自动珍视忠贞与正直。
没有惩罚和恐惧；也没有威胁的文字铸刻在
高悬的铜牌上；恳求的众生也不害怕
他们的仲裁人的话语；没有复仇者很安全。
高山上尚未有被砍伐的松树落入
水波中，去看看异国的世界，
人类知道的只是自己的海岸。

* * *

永恒的春天，平静的和风温暖地
吹拂着那野生的花朵。②

4月29日，我在九英亩角桥附近的河岸上钓鱼，站在摇曳着的青草上和麝鼠出没的柳树根上，听见了一种古怪的咯咯声，有点像男孩子们用手指弹木棍时发出的声音，我抬头一看，发现了一只纤小优美的鹰，样子像夜莺，它交替着一会儿像轻波直冲而上，一会

① 见《孟子》。
② 奥维德《变形记》，第一卷89—96行，107—108行。

儿又打着滚落下一两杆，露出了翅膀的背面，在阳光下像一条缎带般闪光，或者说，像贝壳的珠光内壁。这个景象使我想起了猎鹰的训练，这种运动是何等地高贵，何等地充满了诗意。我觉得可以把它叫做默林[①]：但是我不在乎它叫什么名字。这是我见到过的最为精妙飘逸的飞翔。它不像蝴蝶那样只是拍翅飘动，也不像更大的鹰那样高飞翱翔，而是在空气的运动场里骄傲地有信心地做游戏；发出奇怪的咯咯声一再高飞，一再重复它那美丽的自由下落，像只风筝一样翻着跟头，然后从高空的翻腾中恢复过来，仿佛脚从来没有落过地。它在宇宙中似乎没有伴侣，——独自在那里嬉戏，——只需要清晨和一起玩耍的天空。它并不孤独，而是使它身下的整个大地孤独了。孵育了它的母亲，它的同类，它在天空里的父亲，它们在哪儿？这个空中的居民，和大地的关系，似乎只在于它曾是一个鸟蛋，在岩石缝中被孵化；——还是说它的老窝是筑在云角里，用彩虹的花边和夕阳的天空交织而成，里面衬垫的是从大地升起的仲夏柔软的薄雾？峭壁似的云现在就是它猛禽的窝巢。

此外，我还钓到了少有的一堆金黄、银白和亮紫铜色的鱼，看起来像一串宝石。啊！多少个春天的第一个清晨，我深入到那些草地，从一个小丘跳到另一个小丘，从一个柳树根跳到另一个柳树根，那时，荒凉的河谷和树林沐浴在这样纯洁和明亮的光芒中，这光芒能将死者唤醒，如果他们像一些人认为的那样是在坟墓中沉睡的话。不需要什么东西来更有力地证明永生不死了。在这样的光芒下，一

① 默林，爱默生诗歌《默林》中的诗歌大师。

切事物必定都活着。啊，死神，你的芒刺何在？啊，坟墓，你的胜利又何在？①

如果我们的村子周围没有了未经探测的森林和草原的话，我们的乡村生活就会是死气沉沉的。我们需要荒野恢复我们的力量，——有的时候在鹭和野鸡出没的沼泽里跋涉，听听鹬的鸣叫；闻闻沙沙作响的莎草，只有一些更有野性更喜独居的禽鸟在那里筑窝，水貂肚子贴着地爬来爬去。在我们迫切地要探索和了解一切事物的时候，我们同时也希望一切事物既神秘又难以探索，陆地和海洋永远充满了野性，因其不可测而未被探测未被测量。我们永远不会对大自然感到厌倦。看到具有无穷活力的景象，广袤巨大的地貌，散布着沉船漂浮物的海岸，活树和朽木共存的荒原，雷雨云以及连下三个星期造成了山洪的大雨，我们必需从中吸取力量，使我们振作。我们需要看到自己的极限被超越，在我们从来没有漫步过的地方，有生命在自由地生长。当我们观察兀鹫吞食令我们作呕、使我们感到丧气的腐肉，却从这样的食物中获得了健康和力量的时候，我们感到很振奋。在通到我家的小路旁的坑里有一匹死马，有的时候迫使我不得不绕路而行，特别在夜里空气滞积的时候，但是它使我相信大自然极大的胃口和无法摧毁的健康，这是给我的补偿。我喜欢看到大自然充满了生灵，可以经受得起大量的牺牲和相互捕食；看到弱小的有机体能够这样平静地像软泥一样被压烂，——被鹭一口吞掉的蝌蚪，在路上被压死的乌龟和蟾蜍；还有，有的时候简直

① 引自《圣经·新约·哥林多前书》。

是血雨腥风！意外是这样难以避免，我们必定明白人们对此是多么地不在意。智者得到的印象是，万物普遍都是无辜的。毕竟，毒药未必有毒，伤口未必致命。怜悯是十分靠不住的。它必定是短暂的。它的恳求一旦成为老套，就失去了作用。

五月初，栎树，山核桃树，枫树和其他树木在沿湖的松树林中刚刚抽枝生长，像阳光一样给景色增添了一种明亮，尤其是在阴天的时候，仿佛太阳穿过云雾，淡淡地零星地照在山坡的各处。五月的三号还是四号，我看见湖里有一只潜鸟，在五月的第一个星期中，我听到了三声夜莺，棕鸫，威尔逊鸟，美洲小鹟，棕胁唧鹀，以及其他鸟儿的鸣叫声。我早就听见过鸫鸟的叫声了。东菲比霸鹟已经又一次来到我的门口和窗前张望过了，来看看如果她要筑巢，我的房子够不够深凹，她一面仔细考察着我的房产，一面捏紧爪子靠嗡嗡扑动的翅膀支撑着身体，仿佛空气在托着她似的。油松的硫磺般的花粉很快就盖满了湖面，以及湖周围的石头和朽木，多得你都能收满一大桶。这就是我们听说过的“硫磺雨”。就连在迦梨陀娑[①]的剧作《沙恭达罗》中，我们也读到了“荷花的金色粉末染黄了小溪”的描写。就这样，季节流逝，进入夏季，人们在长得越来越高的草丛中漫步。

我在林中第一年的生活就这样结束了；第二年和第一年很相像。1847 年 9 月 6 日，我最终离开了瓦尔登湖。

---

① 迦梨陀娑，5 世纪印度诗人，剧作家，梵文古典文学的代表作家之一，《沙恭达罗》是他的著名作品之一。

# 结束语

对病人，医生会明智地建议他们换换空气和环境。谢天谢地，这里并不是整个世界。七叶树不生长在新英格兰，这里也很少听到模仿鸟的叫声。比起我们来，大雁更具有四海为家的特点；它在加拿大吃早饭，在俄亥俄午餐，在南方的长沼里整理羽毛准备过夜。就连野牛，也在某种程度上紧追季节，它们在科罗拉多的牧场上吃草，直到更青更鲜美的草在黄石等待它们时才迁移。然而我们认为，如果拆掉栅栏，在农场四周垒起石墙，就为我们的生活筑起了界限，我们的命运就定下来了。如果你被选中了做镇文书，无疑今年夏天你就不能到火地岛去了：但是你可以到地狱的烈火里去。宇宙比我们所认识的要大多了。

然而，我们应该像好奇的乘客一样，更为经常地从船尾栏杆向外看看，而不要像愚蠢的水手那样只顾撕拆麻絮①。地球的另一端只不过是和我们相似的人的家。我们的航行只是绕了一个巨大的圈子，医生的药方也仅仅治疗皮肤病。人们匆匆赶到南非去追逐长颈鹿；但这肯定不是他要追寻的猎物。请问，一个人能够花多少时间去捕猎长颈鹿？捕猎鹬和山鹬也能够提供难得的消遣；但是我相信，向自己开枪会是更为高尚的游戏。——

> 把目光朝向内心，你就会看到
> 你心中有千个地区
> 尚未被发现。到这些地方去旅行，成为
> 内心宇宙志的专家。②

非洲代表了什么，——西部代表了什么？在我们内心的航图上难道不是一片空白吗？被发现后，可能就像海岸一样，会是黑色的。我们要发现的是尼罗河的源头，还是尼日尔河、密西西比河的源头，还是环绕美洲大陆的一条西北航道呢？这些是人类最为关心的问题吗？难道富兰克林爵士③是唯一失踪的人，所以他的妻子这么认真地寻找他？格林内尔先生④知道他自己身在何处吗？还是做考察你自己

---

① 水手经常的工作，即把旧麻绳撕拆开，用麻絮和柏油一起捻船缝防漏。

② 引自威廉·哈宾顿（1605—1654）《致我尊敬的友人奈特爵士》一诗。

③ 富兰克林（1786—1847），在一次英国探险队在北极探险时失踪。

④ 格林内尔（1799—1874），纽约富商，曾两次（1850，1853）资助搜救富兰克林的行动。

的江河和海洋的芒戈·帕克，刘易斯和克拉克以及弗罗比舍[①]吧；考察你自己更高的纬度，——必要的话，带上满船腌制的罐头食品以维持生命；并且把空罐头作为标志高高堆起。发明罐头肉难道只是为了保存肉类吗？不，做一个发现你内心的新大陆和新世界的哥伦布吧，开辟新的海峡，不是贸易的海峡，而是思想的海峡。每一个人都是一个王国的君主，和这个王国相比，沙皇的尘世帝国只不过是个区区小邦，冰原上留下的小圆丘。然而，一些人可能爱国，却没有自尊，他们为了渺小的东西牺牲了伟大的东西。他们爱自己葬身的土地，却对仍旧可能赋予他们躯体活力的精神漠不关心。爱国主义只是他们脑子里的幻想。那场南海探险远征[②]有什么意义？招摇过市，耗费巨资，其实只不过是间接地承认了这样一个事实：在精神世界里存在着大陆和海洋，每一个人只是其中的一个地峡或小湾，尚未被他自己探察过，但是，在政府的大船上，在五百个水手和仆役的协助之下，穿过寒冷、风暴和食人生番之地，航行数千英里，也比独自探察自己内心的海洋，内心的大西洋和太平洋要更为容易。——

让他们漂泊游荡，细察古怪的澳大利亚人吧。

---

① 芒戈·帕克（1771—1806），苏格兰的非洲探险家；刘易斯（1774—1809）和克拉克（1770—1838），美国探险者，带领探险队深入路易斯安那准州（1804—1806）；弗罗比舍（1535？—1594），英国航海家。

② 指1838—1842年间由美国海军军官查尔斯·威尔克斯率领的探险船队对南太平洋诸岛及南极地区的探险考察。

我拥有更多的神谕，他们拥有更多的路。[1]

走遍世界，去数一数桑给巴尔家猫的数量，这是不值得的。然而，在你没有更好的事情做之前，做这个也是可以的，说不定你会找到某个西姆斯洞[2]，可以终于进入地球内部。英国和法国，西班牙和葡萄牙，黄金海岸和奴隶海岸[3]，都是内心海洋的前沿；虽然毫无疑问从这里可以直达印度，但是却没有一条船敢于从那儿大胆地航行到看不见陆地的远处。即使你学会了一切语言，顺从了一切国家的风俗，即使你比一切旅人旅行得更远，适应了一切气候地区，气得斯芬克斯把头往大石头上撞[4]，你也要听从老哲学家的一句规诫，去探察你自己。这是需要眼力和勇气的。只有败将和逃兵去打仗，懦夫才逃走去入伍。现在就开始踏上那最远的西去之路吧，这条路不在密西西比河或太平洋中止，也不会把你带到枯竭的中国和日本，而是直接按切线去到这心灵的领域，无论冬夏，无论日夜，无论日落，月落，直到最后地球陨落。

据说米拉波[5]从事拦路打劫，为的是“弄清楚将自己置于公然反

---

① 引自古典拉丁诗人克劳狄恩（全盛期为公元 395 年）的诗歌《维罗纳的老人》，梭罗在翻译时用“澳大利亚人”代替了原文中的“西班牙人”。

② 1818 年约翰·西姆斯提出地球中空的理论，开口处在南北极。

③ 黄金海岸为西非国家加纳的旧称。奴隶海岸，指西非贝宁湾沿岸一带，因 16 至 19 世纪末西方殖民者由此大量贩运非洲黑人至美洲为奴而得名。

④ 斯芬克斯是希腊神话中带翼的狮身女怪，常叫过路行人猜谜，猜不出者即遭杀害。在俄狄浦斯猜中她的谜语后，即以头撞石。

⑤ 米拉波（1749—1791），法国大革命时期君主立宪派的领袖之一。

对社会最为神圣的法律的地位，究竟需要多大程度的决心”。他宣称，“在军队里打仗的士兵所需的勇气连拦路打劫的强盗的一半都不到”——“名誉和宗教从来都无法影响一个考虑成熟的、坚定的决心”。世人认为，这是男子汉气概；然而纵使这做法算不上无法无天，至少也是徒劳无益的。一个较为清醒的人在服从更为神圣的法则之时，会发现自己经常在“正式反对”那些被认为是“社会最神圣的法律”了，所以不必刻意去反对，就已经考验了他的决心了。人不必对社会采取这样的态度，只要保持在服从他自身法则的情况下的态度，就决不会反对一个公正的政府，假如他碰到了这样一个政府的话。

我离开森林，和我到那里去生活一样，有着同样充分的理由。也许我感到自己有好几种生活要过，不可能在这一种生活上花去更多的时间。我们多么容易地毫不觉察地就习惯了某一种途径，为自己创造出一套常规，真是令人惊奇。我在那里生活了还不到一个星期，我的脚就从自己的门口到湖边走出了一条小路来；虽然已经有五六年没有再在上面走过，它却仍旧相当清晰。确实，恐怕有别人也在走这条路，因此它还通行无阻。大地的表面很软，人的脚很容易留下印记；心灵走过的路也是这样。世上的公路必定被磨损得多么厉害，尘土飞扬，传统和习俗的成规又是多么深啊！我不愿在房舱里航行，而愿在世界的桅杆前面和甲板上航行，因为在那里我能更好地欣赏群山中的月色。现在我不愿意到舱底去了。

至少我是从自己的实验中了解到这些的；就是说，如果一个人充满信心地朝他梦想的方向前进，努力按他想象的那样去生活，他就会获得寻常意想不到的成功。他会抛下一些东西，会越过一条无形的界线；新的、普遍的、更为公允的规律会开始在他周围、在他心中形成；或者，旧的规律会发展，并在更为公允的意义上做出有利于他的诠释，他将会获准在更为高级状态的存在中生活。他越使自己的生活简单化，宇宙的规律就会相应地显得简单，孤独就不再是孤独，贫困也不再是贫困，弱点不再是弱点。如果你建造了空中楼阁，你的努力不一定是白费的；那正是它们应该在的地方。现在，在它们下面打上基础吧。

英国和美国提出的要求是可笑的，要你说话能让他们理解。人和伞菌都不是这样成长的。好像那很重要，没有了它们就没有足够的东西能够理解你。好像大自然只能维持一种理解的模式，不能够既养活四足动物又养活鸟类，既养活爬行的又养活飞行的东西，好像一头叫做布赖特的老牛都能懂的“嘘”和“谁”，就是最好的英语。仿佛只有愚蠢才能安全。我主要担心的是，我的表达不够过火，没有过多地超越出我日常经历的狭小范围，不足以表现我认识到的真理。过火的言行！这取决于你的生活圈子。迁徙的野牛在另一个纬度寻找新的草场，并不比挤奶时踢翻了奶桶、跳过牛圈栏杆去追自己的小牛的母牛更为过火。我渴望在某个没有限制的地方说话；就像刚刚醒来的人对刚刚醒来的人们说话；因为我相信，即便是为真实的表达打基础，怎么夸张也是不会过火的。有哪一个听到了一段音乐的人，会害怕自己此后说话过火呢？考虑到未来或可能发生的事情，我们应该轻松地生活，表面不必那么分明，我们的轮廓应该模糊迷蒙一点；就像我们的影子，对着太阳也会显露出难以觉察的汗水。我们的言辞转瞬即逝，这个事实会不断地暴露出，残留下的叙述的渣滓在表达上是多么欠缺。我们言辞的真实性转瞬就变了；只留下了它文字的碑记。表达我们的信念和虔诚的言辞并不是明确肯定的；但是它们对于具有优良秉性的人是意义重大的，和乳香一样甜美芬芳。

为什么总是把我们的认识降低到最愚蠢的水平，并且还将其夸为常识？最平常的意识是睡着了的人的意识，通过打鼾表现出来。有时候我们往往会把偶尔犯傻的人和傻子归入一类，因为我们只能意识到他们智力的三分之一。有的人如果哪天起了个早的话，对红艳的朝霞也会挑毛病的。我听说，"他们声称迦比尔①的诗歌有四种不同的含意；即幻觉，精神，理智和吠陀经的通俗教义"。② 但是在我们这个地方，如果一个人的作品可以有多于一种的解释，就会被认为是可以抱怨的理由。当英国在努力根治马铃薯腐烂病的时候，会做出什么努力来根治大脑腐烂病吗？这其实是流行得更为广泛，也更为致命的。

我并不认为自己到了晦涩费解的地步，但是，如果在这方面，从我的篇章里没有找到比瓦尔登湖的冰更多的致命缺陷的话，我会感到很骄傲。南方的客户对它的蓝颜色抱有反感，好像冰很浑浊，其实这证明了它的纯净，他们宁愿要剑桥的冰，那冰是白颜色的，但是有股草腥味。人们喜欢的纯净就像包围地球的雾，而不是雾外

---

① 迦比尔（1440—1518），印度神秘主义者，诗人。

② 见德塔西《印度文学史》1839 年版，279 页。

的蓝色太空。

有些人反复告诫我们，说我们美国人，以及总的来说现代人，与古人相比，即使是和伊丽莎白一世时代[①]的人相比，都是智力上的矮子。但是这样说能达到什么目的呢？一条活狗比一头死狮子强。一个人难道因为自己属于矮人一族就应该去上吊，而不是尽力去做一个最突出的矮人吗？让每一个人都管好自己的事情，努力成为他应该成为的人。

我们为什么要如此不顾一切地急于取得成功，而且是在这样不顾一切的事业上？如果一个人跟不上他的同伴，那也许是因为他听到的是另一个鼓手的鼓声。让他按他所听到的音乐拍子前进，不论那拍子是多么从容不迫，或有多么遥远。他究竟应该以苹果树还是以栎树的速度成熟，这并不重要。他应该把自己的春天变成夏天吗？如果适合于我们的事物的条件尚未成熟，我们又能够用什么现实来代替呢？我们不应在徒有虚名的现实中翻了船。我们是否要费劲地在自己的头顶上用蓝色的玻璃建造天空，尽管在建造好以后，我们凝视的肯定仍然是遥远在上的真正的太空，仿佛前者根本就不存在似的。

在库洛城里有一个艺术家，他天生追求完美。一天，他突然想做一根拐杖。他认为，一件作品之所以不完美，时间是一个因素，而作品要完美，就不考虑时间的问题，他对自己说，哪怕我此生什么别的都不做了，也要把这根拐杖在一切方面都做得完美无缺。于

---

① 伊丽莎白一世（1533—1603），1558—1603年期间为英国女王。

是他立刻到森林里去找木料，他决意一定要用合适的材料来做；他找了一根又一根，但是一根也没有看中，他的朋友逐渐离开了他，因为他们在工作中老了，死去了，可他却一点也没有老。他专一的目标和坚定的意志，他高度的虔诚，在不知不觉中赋予了他永久的青春。由于他不和时间妥协，时间也只好不去打搅他，在远处叹气，因为它战胜不了他。他还没有找到各方面都合适的材料，库洛城已经成了残败的废墟，他坐在一个土堆上剥这根树棍的皮。他还没有给树棍做出合适的形状，坎大哈王朝就结束了，他用棍子尖在沙土上写下了那个民族最后一个人的名字，然后继续他的工作。等到他把拐杖磨平擦光，梵天已经不再是指南；没等他给手杖装上金属环，并且用宝石装饰好手杖头的时候，梵天已经睡着醒来了许多次了。我为什么要在这里提这些事情呢？当他给手杖完成了最后的润饰后，它突然在惊异无比的艺术家的眼前扩展成了梵天创造的最为精美的物品。他在制作手杖的时候，创造了一个新的体系，一个有着美丽而恰当比例的世界；在这个世界里，尽管古老的城市和朝代已不复存在，但更为美好更为光辉的城市和朝代已经取代了它们。现在，他从脚旁仍然新鲜的大堆刨花中看到，对于他和他的作品来说，过去流逝掉的时间只是一个幻觉，那只不过是梵天脑海中一点火星落到并点燃凡人大脑中的火种所需要的一点点时间而已。材料无瑕，他的艺术无瑕；结果怎么可能不神奇？

我们能够给与事物以外貌，但最终能使我们受益的只有真相。只有真相经得起考验。在大多数情况下，我们不在自己的应在的位置上，而是在一种非本意所愿的处境中。由于我们本性中的弱点，我们假设出一种情况，并将自己置于其中，因此就同时处于两种境地，要想从中摆脱就加倍困难了。在清醒的时刻我们只看重事实，也就是实际情况。说你想说的话，而不是你应该说的话。任何事实都比装假强。白铁匠汤姆·海德站在断头台上的时候，问他有什么话要说，“告诉裁缝，”他说道，“在缝第一针的时候，别忘了线要打个结。”他同伴的祈祷则没有人记得了。

无论你的生活有多么低劣平庸，都要面对它好好地过；不要躲避它咒骂它。它不像你那么糟。你最富有的时候生活显得最贫穷。爱挑剔的人即使在天堂里也能找出毛病来。尽管贫穷，也要热爱你的生活。即使在济贫院里，也许你也会有一些愉快的、激动的、光辉的时刻。夕阳反射在救济院的窗子上，和反射在富人的宅窗上同样明亮；门前的雪在春天也同时融化。我看到只有安谧悠闲的人，能够在那里生活得和在宫殿里一样满足，拥有同样使人高兴的思想。在我看来，城镇里的穷人常常过着最为独立的生活。也许仅仅是因为他们人数巨大，因而感到受之无愧。多数人认为他们不屑于靠城镇养活；但是他们往往却会做出用欺骗的方法养活自己的事情来，这是更为不光彩的。像对待园子里的芳草，比如洋苏叶那样对待贫穷吧。不要费什么神去得到新东西，不论是新衣服还是新朋友。改改旧的；回到它们那里去。事物没有改变；是我们变了。卖掉你的衣服，保留你的思想。上帝会看到，你不需要交往。如果我终生像只蜘蛛一样，被禁闭在阁楼的一角，只要我有思想，对我来说，世界就还是那么大。哲学家说过，"三军可夺帅也，匹夫不可夺志也。"[1] 不要急于谋求发展，不要将自己置于许多影响的作用之下；这都是没有意义的胡闹。谦恭犹如黑暗，显露出神圣之光。贫穷和卑微的阴影聚集在我们周围，"看啊！创造使我们眼界开阔。"[2] 我们要常常想到，即使给予了我们克罗伊斯[3]的财富，我们的目的必须依旧不变，我们的方法也基本上和原来一样。不仅如此，如果贫穷限制了你的范围，比方说，你买不起书籍报纸，你无非就是被局限在了最关键和最重要的经验之中；你不得不去和产糖及淀粉最多的物质打交道。贫困生活才是最甘甜的生活。你不会去做无用的琐事。下层的人决不会因上层人的慷慨而失去什么。多余的财富只能买来多余的东西。灵魂所需的必需品，一件也不需要用钱去买。

我住在一堵铅灰色的墙角落里，墙的成分里注进了一点用以铸钟的铜锡合金。我中午休息的时候，常常会有一种混乱的丁当声从外面传到我的耳朵里。那是我的同时代人发出的噪音。邻居把他们和著名的绅士淑女们交往的异乎寻常的经历讲给我听，他们在宴会桌上遇到了哪些显要人物；但是我对这些事情并不比对《每日时报》的内容更感兴趣。他们的兴趣和谈话主要是关于衣着式样和行为举止的；但是，不管你怎么打扮它，鹅还是鹅。他们对我讲加利福尼亚和得克萨斯，讲英国和东印度群岛，讲佐治亚州或者马萨诸塞州

---

① 见孔子《论语》第九篇。

② 引自英国诗人约瑟夫·怀特（1775—1841）的十四行诗《致黑夜》。

③ 克罗伊斯（？—前546），吕底亚末代国王，敛财成为巨富。

的尊敬的某某先生，全都是短暂的、稍纵即逝的现象，直到我恨不得从他们的院子里跳出去，就像马穆鲁克的军官[①]那样。清楚了自己的方向，我感到很高兴，——我不愿招摇炫耀地在引人瞩目的地方列队行进，如果可能的话，我愿和宇宙的建造者同行，——不愿生活在这个浮躁的、紧张不安的、乱哄哄的、浅薄的19世纪，而愿沉思地站着或坐着，任凭它逝去。人们在庆祝什么？他们都是某个筹备委员会的成员，每个小时都在期待着什么人发表讲话。上帝只是这天的主席，韦伯斯特[②]是他的演说人。我喜欢去掂量、弄清那些最强烈、最有理由吸引我的东西，向它靠拢；——不是吊在天平的杠杆上企图减轻分量，——不是去假设一个情况，而是按具体的情况行事；在我能够行进的唯一的道路上行进，在这条路上，没有任何力量能够阻挡我。在我没有打下坚实的基础之前就突然开始建拱门，这不会给我以任何满足。让我们不要玩小孩子在薄冰上比赛奔跑的游戏吧。到处都有坚实的根底。我们读到过，有个旅行者问一个小孩，他眼前的这片沼泽有没有硬实的底。小孩说有。可是很快旅行者的马就陷到了齐肚带深的地方，他对小孩说，“你不是说这片沼泽有硬实的底吗?”后者回答说，“是有啊，可是你连一半深都没有到呢。”社会的沼泽和流沙也是这样；但是只有聪明人能够了解这一点。只有在某些少见的巧合下，所想，所说，所做的才是好的。我

---

① 1811年，埃及总督穆罕默德·阿里（1769—1849）企图屠杀马穆鲁克阶层，但是一个军官纵身跃过墙，跳上马背，得以逃脱。

② 韦伯斯特（1782—1852），美国政治家，曾为参众二院议员。

不会做一个愚蠢地把钉子往只有板条和灰泥的地方钉的人；这样的行为会使我彻夜难眠。给我一把榔头，让我找板条的支撑。不要依赖油灰。把钉子结结实实地钉到底，这样，你就可以在半夜醒来时满意地想到自己的工作，——一件你不会羞于召唤缪斯[1]来欣赏的工作。这样上帝会帮助你，也只有这样上帝才会帮助你。你钉的每一个钉子都应该是宇宙机器上的又一枚铆钉，这才是在继续着前人的工作。

不要给我爱情，不要给我金钱，也不要给我名誉，给我真理吧。我坐在一张有着大量佳肴和美酒的餐桌旁，受到极尽奉承巴结的招待，但是却没有诚意和真情；我饿着肚子离开了那冷漠的餐桌。这种款待和冰一样冷。我觉得用不着再拿冰把他们冻起来了。他们和我谈论葡萄酒生产的年份和产地的名气；但是我想到了一种更陈、更新、更纯、有着更为值得称道的产地的酒，是他们所没有的，而且是买不到的。那气派，宅子，庭院和“娱乐”对我来说毫无意义。我去拜访国王，但是他让我在大厅里等着，表现得好像是一个没有能力好客的人。在我附近有一个人住在空心的树里。他的举止真正具有王者之风。如果我去拜访他，结果会好得多。

我们还打算花多长的时间，像这样坐在门廊上，按这些琐碎无意义的陈腐美德行事？任何工作都会使这些东西变得荒诞不经。好像一个人应该以长期忍受痛苦来开始他的一天，而雇人去锄他的土豆地；下午则怀着事先谋划好的善心，去实践基督徒的温顺和仁爱！

---

① 希腊神话中司艺术和科学的九位女神。

想一想中国的自负和人类停滞不前的自满。这一代人斜靠在那里，庆贺自己是卓越家族的最后一代；在波士顿，伦敦，巴黎和罗马，他们想着自己悠久的世系血统，心满意足地大谈自己在艺术、科学和文学上的进步。还有哲学学会的记载，有对伟人的公开称颂！这就是虔诚的亚当在琢磨自己的美德。“是的，我们做出了伟大的事业，唱出了神曲，这是不朽的”——也就是说，只要我们还能够记得他们。古亚述的学术团体和伟人——现在他们在哪里？我们是多么年轻的哲学家和试验家啊！我的读者中还没有一个人已经活过了整个人生。在人类的生命中，这不过是春天的月份。如果说我们已经患了七年难熬症①，也还没有看到康科德的十七年蝉②呢。我们熟悉的仅仅是我们生活的地球的一张薄膜。多数人从来没有深入到地球表面以下六英尺的地方，也没有跳到表面以上六英尺的地方。我们不知道自己在什么地方。此外，我们将近一半的时间是在熟睡。然而我们却自以为聪明，在地面上建立起了秩序。我们可真是深刻的思想家，有远大抱负的人！当我站在森林中，密切注视着一只虫子在地上的松针里爬，拼命想藏起来不让我看见的时候，我问自己，它为什么要怀着这些卑下的想法，藏起头不让我看见，我说不定会施恩于它，给它这个族类一些让它们高兴的消息呢，这时我想到了那更为伟大的施恩者上帝，他也在密切注视着我这只人虫。

新鲜事物不断注入这个世界，而我们却容忍着难以置信的愚蠢。

---

① 亦称七年之痒，指夫妻间在结婚七年后常会出现的相互厌倦和不忠实的趋势。
② 亦称周期蝉。

我只需要提一提在最为开明的国度里，人们还在听着什么样的布道就够了。有着快乐和悲哀这类词，但都只是赞美诗的主题，带着鼻音唱出来的，而我们相信的是平庸低劣的东西。我们认为我们只能改换我们的服装。据说大英帝国很大，很值得尊敬，还有美国是个一等强国。我们并不相信，即使有人心存这样的想法，也不是每个人背后都有潮涨潮落的那种巨大力量，能把大英帝国像块小木片似的漂起来。谁知道下次从地下钻出来的，会是什么样的十七年蝉？我生存的这个世界的政府，并不像英国政府那样，是在晚宴后喝着酒，谈谈聊聊，就建立起来的。

我们的生命就像河流中的水。今年可能涨到从来没有人知道的高度，淹没了干裂的土地；这甚至可能是个多事之年，把我们所有的麝鼠淹得四散逃窜。我们并不总是居住在干地上。我在内陆深处看见过在科学开始记录洪水之前，就被水流冲刷过的古老河岸。大家都听到过在新英格兰流传的这个故事，说一个强壮美丽的虫子，从苹果木做的一张旧桌子的干燥的活动面板里爬了出来，桌子已经在农夫家的厨房里放了六十年了，先是在康涅狄格州，后来搬到马萨诸塞州——虫卵是在那以前的许多年留在那棵活着的树上的，可以数在它外面的年轮知道这一点；有好几个星期都可以听到它在里面啃咬的声音，也许是罐子的热力使它孵化了。听到这个故事，谁不感到自己对复活和长生不老增强了信心呢？这粒虫卵最初是留在绿绿的活树的边材上的，逐渐，树变得酷似虫卵的风干了的坟墓，它便长久地被埋在一圈圈同心圆的木层之中，处在死气沉沉的枯燥的社会生活里——也许这家人围坐在酒宴桌旁时，曾多年惊奇地听到它的咬啮声。谁知道什么样美丽的、有翅膀的生命会突然从社会最微不足道的、初次尝试制作的家具中冒出来，最终享受了它完美的夏季生活！

我不是说约翰和乔纳森[①]会意识到这一切；但是，这就是明天，那个仅靠时间的流逝永远不会破晓的明天。对于我们，使我们的眼睛看不见的光就是黑暗。只有我们醒着的时候，黎明才会到来。会有更多的黎明。太阳只不过是一颗晨星。

① 约翰，即约翰牛，指英国佬；乔纳森，指美国佬。

# 译者后记

本译本根据《诺顿美国文学选集》1979 年版文本译出，这是 1854 年第一版，经专家学者根据梭罗本人在书上所作的订正校订后的版本。译文中许多注释引用了《诺顿美国文学选集》中的注释，谨致谢意。

在翻译梭罗的这部作品时，尽可能地保留了作者写作和语言的风格，没有为求“易读性”而改动原文的章节段落，也没有为求“可读性”而在原文上添枝加叶。

图书在版编目（CIP）数据

瓦尔登湖 /〔美〕梭罗著；王家湘译. — 北京：北京十月文艺出版社，2007.11
ISBN 978-7-5302-0907-3

Ⅰ.①瓦… Ⅱ.①梭…②王… Ⅲ.①散文—作品集—美国—现代
Ⅳ.I712.65

中国版本图书馆 CIP 数据核字（2007）第 170799 号

瓦尔登湖
WA' ERDENG HU
〔美〕梭　罗　著　王家湘　译

出　　版　北京出版集团公司
　　　　　北京十月文艺出版社
地　　址　北京北三环中路 6 号
邮　　编　100120
网　　址　www.bph.com.cn
发　　行　新经典发行有限公司
　　　　　电话（010）68423599
经　　销　新华书店
印　　刷　北京盛通印刷股份有限公司
版　　次　2009 年 1 月第 1 版
　　　　　2016 年 7 月第 34 次印刷
开　　本　880 毫米 ×1230 毫米　1/32
印　　张　11.25
字　　数　240 千字
书　　号　ISBN 978-7-5302-0907-3
定　　价　28.00 元
质量监督电话　010-58572393